SEMPRE EM MOVIMENTO

Obras do autor publicadas pela Companhia das Letras

Um antropólogo em Marte
Enxaqueca
Tempo de despertar
A ilha dos daltônicos
O homem que confundiu sua mulher com um chapéu
Vendo vozes
Tio Tungstênio
Com uma perna só
Alucinações musicais
O olhar da mente
Diário de Oaxaca
A mente assombrada
Sempre em movimento

OLIVER SACKS

SEMPRE EM MOVIMENTO
Uma vida

Tradução
DENISE BOTTMANN

2ª reimpressão

COMPANHIA DAS LETRAS

Copyright © 2015 by Oliver Sacks
Todos os direitos reservados

Grafia atualizada segundo o Acordo Ortográfico da Língua Portuguesa de 1990, que entrou em vigor no Brasil em 2009.

Título original
On the Move: A Life

Capa
Claudia Espínola de Carvalho

Sobrecapa
Nik Neves

Foto de capa
Elena Seibert

Preparação
Leny Cordeiro

Índice remissivo
Luciano Marchiori

Revisão
Ana Maria Barbosa
Angela das Neves

Dados Internacionais de Catalogação na Publicação (CIP)
(Câmara Brasileira do Livro, SP, Brasil)

Sacks, Oliver
  Sempre em movimento : Uma vida / Oliver Sacks. — 1ª ed. — São Paulo : Companhia das Letras, 2015.

  Título original: On the Move : A Life.
  ISBN 978-85-359-2613-2

  1. Neurologistas — Inglaterra — Biografia 2. Neurologistas — Estados Unidos — Biografia 3. Sacks, Oliver W. I. Título.

15-04785   CDD - 616.80092

Índice para catálogo sistemático:
1. Neurologistas : Vida e obra   616.80092

[2015]
Todos os direitos desta edição reservados à
EDITORA SCHWARCZ S.A.
Rua Bandeira Paulista, 702, cj. 32
04532-002 — São Paulo — SP
Telefone: (11) 3707-3500
Fax: (11) 3707-3501
www.companhiadasletras.com.br
www.blogdacompanhia.com.br

Para Billy

Deve-se viver a vida olhando para a frente, mas só se pode entendê-la olhando para trás.

Kierkegaard

SUMÁRIO

Em movimento 11
Deixando o ninho 45
San Francisco 63
Muscle Beach 85
Fora do alcance 116
Tempo de despertar 146
O touro na montanha 179
Uma questão de identidade 207
City Island 233
Viagens 267
Uma nova visão da mente 289
Em casa 317

Agradecimentos 331
Notas 333
Índice remissivo 347

EM MOVIMENTO

Quando menino, no colégio interno para onde fui mandado durante a guerra, eu tinha uma sensação de aprisionamento e de impotência e ansiava por movimento e poder, por movimentos ágeis e poderes sobre-humanos. Podia senti-los, por curto tempo, quando sonhava que estava voando e, de uma maneira diferente, quando ia andar a cavalo no povoado perto da escola. Eu gostava da potência e da flexibilidade do meu cavalo e ainda lembro o seu movimento leve e jovial, o seu calor e o cheiro adocicado de feno.

Mais que tudo, eu gostava de motocicletas. O meu pai havia tido uma moto antes da guerra, uma Scott Flying Squirrel com um grande motor refrigerado a água, que fazia um barulho que parecia um grito, e eu queria uma moto potente para mim também. Imagens de motos, aviões e cavalos se fundiam na minha cabeça, junto com imagens de motociclistas, caubóis e pilotos, que eu imaginava terem um controle apenas precário, mas muito emocionante, sobre as suas eficientes montarias. Minha imaginação infantil era alimentada por filmes de faroeste e de heroicos combates aéreos, vendo pilotos arriscarem a vida em Hurricanes e Spitfires, mas protegidos com suas pesadas jaquetas de voo, como os motociclistas com seus capacetes e casacos de couro.

Quando voltei a Londres em 1943, com dez anos, gostava de me sentar junto à janela na sala da frente da nossa casa, olhando e tentando identificar as motos que passavam (depois da guerra, quando ficou mais fácil ter gasolina, elas se tornaram muito mais comuns). Eu sabia identificar umas doze marcas ou mais: AJS, Triumph, BSA, Norton, Matchless, Vincent, Velocette,

Ariel e Sunbeam, além de motos estrangeiras mais raras, como BMWs e Indians.

Na adolescência, eu ia regularmente ao Palácio de Cristal com um primo de gosto parecido com o meu, para assistirmos às corridas de motocicleta. Muitas vezes ia de carona até Snowdonia para fazer escaladas ou até o distrito dos Lagos para nadar e em algumas ocasiões pegava carona numa moto. Ficava entusiasmado por ir na garupa e sonhava com a moto potente e lustrosa que algum dia teria.

Minha primeira motocicleta, aos dezoito anos, foi uma BSA Bantam de segunda mão, com um motorzinho de dois tempos e, como vi logo depois, com defeito no freio. Fui inaugurá-la com um passeio pelo Regent's Park, o que foi uma sorte e provavelmente me salvou a vida, pois, quando acelerei, o cabo do acelerador enroscou e o freio não tinha força suficiente para parar a moto ou sequer para diminuir muito a velocidade. O Regent's Park é rodeado por uma estrada, e ali fiquei circulando por ela, encarapitado numa moto que eu não tinha como parar. Eu buzinava e gritava para alertar os pedestres a sair da frente, mas, depois de duas ou três voltas, todo mundo abria caminho e gritava para me encorajar, enquanto eu passava mais uma vez. Sabia que alguma hora, quando a gasolina acabasse, a moto ia parar, e finalmente, depois de dezenas de voltas involuntárias em torno do parque, o motor engasgou e morreu.

Minha mãe desde o começo tinha sido bastante contrária ao meu desejo de ter moto. Isso era de esperar, mas fiquei surpreso com a oposição do meu pai, visto que ele mesmo já tivera uma. Os dois haviam tentado me dissuadir da ideia comprando-me um carrinho pequeno, um Standard 1934 que mal conseguia fazer 65 quilômetros por hora. Vim a odiar o carrinho, e um dia, num impulso, vendi-o e usei o dinheiro para comprar a Bantam. Então precisei explicar aos meus pais que um carrinho ou uma moto pequena eram perigosos, pois se surgisse algum problema, não teria força para escapar, e eu estaria muito mais seguro com uma moto maior e mais potente. Relutantes, eles concordaram e me deram dinheiro para uma Norton.

Com minha primeira Norton, de 250 cilindradas, quase tive

alguns acidentes. O primeiro foi quando me aproximei rápido demais de um sinal vermelho e, percebendo que não conseguiria frear nem virar com segurança, segui direto em frente e passei — por milagre — entre as duas filas de carros andando em direções contrárias. A reação veio um minuto depois: rodei mais um quarteirão, parei a moto no acostamento — e desmaiei.

O segundo acidente aconteceu à noite, com chuva forte, numa estrada rural cheia de curvas. Um carro em sentido oposto manteve o farol alto e a luz me cegou. Achei que ia bater bem de frente, porém no último instante saltei da moto (expressão de um eufemismo absurdo para uma manobra potencialmente salvadora, mas também potencialmente fatal). A moto foi para um lado (ela não acertou o carro, mas ficou destruída) e eu para o outro. Por sorte, eu estava com calça e casaco de couro, capacete, botas e luvas, e mesmo que a queda tenha me arrastado uns vinte metros pela estrada, escorregadia por causa da chuva, minha roupa me protegeu tão bem que não sofri sequer um arranhão.

Meus pais ficaram apavorados, mas muito contentes por eu ter saído inteiro, e curiosamente não levantaram grandes objeções quando comprei outra moto, mais potente: uma Norton Dominator de seiscentas cilindradas. A essa altura, eu concluíra meus estudos em Oxford e estava de partida para Birmingham, para ocupar uma vaga de cirurgião substituto no primeiro semestre de 1960, e tomei o cuidado de dizer que, com a nova estrada M1, recém-aberta entre Birmingham e Londres, e uma moto veloz, eu podia vir para casa todos os fins de semana. As estradas de rodagem naqueles tempos não tinham limite de velocidade, e assim eu podia fazer o trecho em uma hora e pouco.

Conheci um grupo de motociclistas em Birmingham e assim encontrei o prazer de participar de um grupo que dividia a mesma paixão; até então, eu sempre fora um motoqueiro solitário. Os campos que rodeavam Birmingham estavam bastante preservados, e era um prazer especial ir até Stratford-upon-Avon para assistir a qualquer peça de Shakespeare que estivesse em cartaz.

Em junho de 1960, fui ao Tourist Trophy (TT), a grande corrida de motociclismo realizada anualmente na Ilha de Man. Consegui arranjar uma braçadeira do Emergency Medical Service, que me permitia visitar os boxes e ver alguns dos motociclistas. Tomei notas meticulosas, com planos de escrever um romance sobre corridas de motos ambientado na Ilha de Man — realizei muitas pesquisas para esse projeto —, mas ele nunca decolou.[1]

***

A Marginal Norte em torno de Londres também não tinha limite de velocidade nos anos 1950 — muito convidativa para quem gostava de velocidade — e havia um bar famoso, o Ace, que era basicamente um ponto de encontro de motoqueiros com máquinas velozes. "Doing the ton" — fazer cem milhas por hora [164 quilômetros por hora] — era o critério mínimo para integrar o núcleo do grupo, os Ton-Up Boys.

Muitas motos, mesmo naquela época, alcançavam cem milhas, especialmente se fossem um pouco turbinadas, aliviadas do peso supérfluo (inclusive o escapamento) e abastecidas com gasolina de alta octanagem. Um desafio maior era apostar corridas em estradas secundárias, e você corria o risco de ser desafiado para uma delas logo que entrava no bar. Mas não se incentivava o "duelo de estrada";* a Marginal Norte, mesmo naquela época, às vezes tinha trânsito muito carregado.

Nunca entrei em duelo de estrada, porém gostava de tirar racha na pista; a minha "Dommie" de seiscentas cilindradas era ligeiramente turbinada, mas não tinha como encarar as Vincents de mil cilindradas, preferidas pelo pessoal do Ace. Certa vez experimentei uma Vincent, mas ela me pareceu tremendamente instável, sobretudo em baixa velocidade, muito diferente da minha Norton, que tinha um chassi do modelo Feather Bed e uma estabilidade maravilhosa, em qualquer velocidade. (Fiquei ima-

---

* Em inglês *"play chicken"*, uma disputa de carros ou motos, em que os dois adversários se põem um diante do outro e partem para cima. O que se desviar primeiro, perde. Existe a infame tradução literal de "jogo da galinha", usada em teoria dos jogos, sociologia, política etc., como essa ideia de um enfrentamento frontal e radical de dois adversários, até as últimas consequências. Não se pratica, nunca se praticou o *"game of chicken"* no Brasil. *To play chicken* pode designar também o cara que sai costurando no trânsito, pois galinha sai correndo em zigue-zague. (N. T.)

ginando se daria para adaptar um motor da Vincent num chassi da Norton, e anos depois descobri que essas Norvins existiam.) Quando criaram limite de velocidade, deixamos de fazer cem milhas; a diversão acabou e o Ace deixou de ser o que era.

Quando eu tinha doze anos, um professor bastante perspicaz anotou no seu relatório: "Sacks vai longe, se não for longe demais", coisa que acontecia com frequência. Quando menino, muitas vezes eu ia longe demais nas minhas experiências químicas, enchendo a casa com gases tóxicos; por sorte, nunca incendiei o lugar.

Gostava de esquiar e, aos dezesseis anos, fui numa excursão da escola até a Áustria, para esquiar nas montanhas. No ano seguinte, fui sozinho a Telemark, para fazer esqui *cross-country*. Esquiar foi ótimo e, antes de pegar a balsa de volta para a Inglaterra, comprei dois litros de aquavita no free shop e passei pelo posto de controle da Noruega. No que dizia respeito à alfândega norueguesa, eu podia estar com quantas garrafas quisesse, mas (informaram-me eles) só podia *entrar* com uma garrafa na Inglaterra; a alfândega britânica confiscaria a outra. Subi a bordo com as minhas duas garrafas e fui para o convés superior. Era um dia muito claro e gelado, mas, vestido com todas as minhas roupas quentes de esqui, não vi grandes problemas; todos os outros passageiros estavam dentro da balsa e eu tinha o convés superior inteiro para mim.

Tinha o meu livro para ler — estava lendo *Ulysses*, bem devagar — e a minha aquavita para bebericar: nada como o álcool para aquecer a gente por dentro. Embalado pelo movimento suave e hipnótico do navio, tomando um trago de vez em quando, fiquei sentado no convés superior, absorvido pela leitura. A certa altura, fiquei surpreso ao descobrir que, de gole em gole, que ia aumentando aos pouquinhos, eu havia bebido quase metade da garrafa. Não senti nenhum efeito, e assim continuei a ler e a bebericar pelo gargalo, tendo de erguer cada vez mais a garrafa, agora que estava semivazia. Fiquei espantado quando notei que estávamos atracando; ficara tão absorvido em *Ulysses* que não percebi o tempo passar. A garrafa, agora, estava vazia. Ainda não sentia nenhum efeito; a coisa deve ser muito mais fraca do que dizem, pensei, mesmo que o rótulo dissesse "teor alcoólico cinquenta por cento". Não notei nenhuma diferença, até a hora em que me levantei e caí de cara no chão. Minha surpresa foi imensa: o navio tinha adernado de repente? Então me levantei e de imediato caí outra vez.

Só aí comecei a perceber que estava bêbado — muito, mas muito bêbado —, embora, pelo visto, o álcool tivesse ido direto para o cerebelo, sem me afetar o resto da cabeça. Ao subir para verificar se todos haviam desembarcado, um tripulante me encontrou enquanto eu tentava andar apoiado nos bastões de esqui. Ele chamou um ajudante, e os dois, um de cada lado, me escoltaram até o desembarque. Embora cambaleando muito e atraindo a atenção (divertida, de modo geral), senti-me como se tivesse derrotado o sistema, saindo da Noruega com duas garrafas, mas chegando com apenas uma. Surrupiara da alfândega britânica uma garrafa que, imaginava eu, os fiscais bem que gostariam de pegar para si próprios.

O ano de 1951 foi movimentado e, em alguns aspectos, doloroso. Minha tia Birdie, que fora presença constante na minha vida, morreu no mês de março; ela morava conosco desde que eu nasci e amava incondicionalmente a todos nós. (Birdie era uma mulherzinha miúda e de inteligência modesta, a única em tanta desvantagem entre as irmãs e os irmãos da minha mãe. Eu nunca soube muito bem o que acontecera com ela quando pequena; falavam de uma lesão na cabeça quando bebê, mas também de uma deficiência congênita da tireoide. Nada disso tinha importância para nós; era a titia Birdie, parte essencial da família.) A morte de Birdie me afetou profundamente e talvez só então percebi como ela estava entrelaçada à minha vida, a todas as nossas vidas. Uns meses antes, quando consegui uma bolsa em Oxford, foi ela quem me entregou o telegrama, me abraçou e me deu os parabéns — derramando algumas lágrimas também, pois sabia que isso significava que eu, o seu sobrinho mais novo, iria sair de casa.

Eu devia ir para Oxford no final do verão. Acabara de fazer dezoito anos, e meu pai pensou que era o momento de ter uma conversa de pai para filho, de homem para homem. Falamos de dinheiro e mesadas — nada demais, pois meus hábitos eram muito frugais e minha única extravagância eram os livros. E então meu pai passou ao que realmente o preocupava.

"Parece que você não tem muitas namoradas", disse ele.
"Você não gosta de garotas?"
"Tudo bem com elas", respondi, querendo que a conversa parasse por ali.
"Prefere garotos, talvez?", insistiu ele.
"É, prefiro, mas é só uma sensação, nunca 'fiz' nada", e então acrescentei, temeroso, "Não conte para mamãe: ela não aceitaria."

Mas meu pai contou e, na manhã seguinte, ela desceu de cara muito fechada, uma cara que eu nunca tinha visto antes. "Você é uma abominação", disse ela. "Quisera que você nunca tivesse nascido." Então saiu e passou vários dias sem falar comigo. Quando voltou a falar, não houve nenhuma menção ao que ela dissera (e nunca mais voltou ao assunto), mas alguma coisa mudara entre nós. Minha mãe, tão aberta e que me dava tanto apoio de inúmeras maneiras, era dura e inflexível nessa área. Leitora da Bíblia como meu pai, amava os Salmos e o Cântico de Salomão, mas vivia perseguida pelos versículos terríveis do Levítico: "Não te deitarás com um homem como se deita com uma mulher. É uma abominação".

Meus pais, como médicos, tinham muitos livros de medicina, inclusive vários sobre "patologia sexual", e aos doze anos de idade eu mergulhara em Krafft-Ebing, Magnus Hirschfeld e Havelock Ellis. Mas eu achava difícil sentir que tinha uma "condição", que a minha identidade pudesse ser reduzida a um nome ou a um diagnóstico. Meus amigos na escola sabiam que eu era "diferente", quando menos porque evitava festas que terminassem em afagos e amassos.

Enterrado em química e depois em biologia, eu não percebia muito o que se passava em volta — ou dentro — de mim, e não tinha nenhuma paixão por ninguém na escola (embora ficasse excitado com uma reprodução em tamanho natural, no alto da escadaria, da famosa estátua de um belo e musculoso Laocoonte nu, tentando salvar os filhos das serpentes). Eu sabia que a mera ideia de homossexualidade despertava horror em certas pessoas; desconfiava que podia ser este o caso com a minha mãe, e por isso pedi ao meu pai: "Não conte para mamãe: ela não aceitaria". Talvez nem devesse ter contado ao meu pai; de modo geral, eu via a minha sexualidade como assunto exclusivo meu, não um segredo, mas tampouco um assunto a ser comentado pelos outros. Meus melhores amigos, Eric e Jonathan, sabiam, mas quase nunca falávamos do assunto. Jonathan dizia que me via como "assexuado".

Todos nós somos frutos da nossa criação, da nossa cultura e da nossa época. É preciso relembrar constantemente que a minha mãe nasceu nos anos 1890, teve uma formação ortodoxa e que o comportamento homossexual na Inglaterra, nos anos 1950, era tratado não só como perversão, mas como crime. Preciso relembrar também que o sexo é uma daquelas áreas — como a religião e a política — em que pessoas em geral racionais e afáveis podem ter sentimentos irracionais e intensos. Minha mãe não pretendia ser cruel ao me desejar morto. Agora entendo que ela foi tomada de um descontrole súbito e provavelmente lamentou o que disse, ou talvez tenha afastado aquele seu voto para um compartimento mental separado.

Mas suas palavras me perseguiram durante grande parte da minha vida e desempenharam um papel importante, inibindo e instilando sentimento de culpa em algo que deveria ser uma expressão de sexualidade livre e prazerosa.

Meu irmão David e sua esposa Lili, ao saberem da minha falta de experiência sexual, julgaram que ela poderia ser atribuída à timidez e que uma boa mulher, ou mesmo uma boa trepada, me botaria nos eixos. Perto do Natal de 1951, depois do meu primeiro período em Oxford, os dois me levaram a Paris na intenção não só de visitar os pontos turísticos — o Louvre, a Notre Dame, a Torre Eiffel —, mas de me conduzir a uma gentil prostituta que me mostraria o caminho, ensinando-me com paciência e habilidade o que era o sexo.

David e Lili escolheram uma prostituta de idade e caráter adequados — entrevistaram-na antes, explicando a situação — e então entrei no quarto dela. Estava tão assustado que o meu pênis murchou de medo e os meus testículos tentaram se esconder na minha cavidade abdominal.

A prostituta, que parecia uma das minhas tias, entendeu a situação num relance. Falava bem inglês (tinha sido um dos critérios de seleção) e disse: "Não se preocupe. Em vez disso, vamos tomar uma boa xícara de chá". Ela tirou biscoitinhos e coisas para o chá, pôs uma chaleira no fogo e perguntou que tipo de chá eu preferia. "Lapsang", respondi. "Gosto do cheiro de defumado." A essa altura, eu tinha recuperado a voz e a confiança, e ficamos conversando à vontade enquanto tomávamos nosso chá defumado.

Fiquei meia hora e depois saí; meu irmão e a esposa aguardavam ansiosos no lado de fora. "Como foi, Oliver?", perguntou David. "Ótimo", respondi, espanando os farelos da barba.

Aos catorze anos, ficou "entendido" que eu ia ser médico. Meus pais eram, ambos, médicos, assim como meus dois irmãos mais velhos.

Mas eu não sabia muito bem se queria ser médico. Não podia mais alimentar os planos de ser químico; a própria química avançara muito além da química inorgânica setecentista e oitocentista que eu tanto amava. Mas, aos catorze ou quinze anos, inspirado pelo meu professor de biologia na escola e por *A rua das ilusões perdidas*, de Steinbeck, achei que gostaria de ser biólogo marinho.

Quando obtive a bolsa para Oxford, precisei me decidir: ficaria com a zoologia ou faria o curso de medicina, com matérias de anatomia, bioquímica e fisiologia? O que mais me fascinava era a fisiologia dos sentidos — como víamos a cor, a profundidade, o movimento? Como *reconhecíamos* alguma coisa? Como entendíamos o mundo, visualmente? Eu desenvolvera esses interesses desde cedo tendo enxaquecas visuais, pois, além dos zigue-zagues cintilantes que antecediam um ataque, durante o prenúncio da enxaqueca eu podia perder o senso de cor, de profundidade ou de movimento, ou até a capacidade de reconhecer qualquer coisa. Minha visão se desfazia e se desconstruía na minha frente de maneira assustadora, mas também fascinante, e então se refazia e se reconstruía, tudo isso no espaço de poucos minutos.

O meu pequeno laboratório químico caseiro funcionava também como quarto de revelação fotográfica, e eu sentia especial atração por fotografias em cores e estereografias; elas também me levavam a indagar como o cérebro interpretava cor e profundidade. Eu me encantara muito com a biologia marinha, tanto quanto com a química, mas agora queria entender como funcionava o cérebro humano.

***

Nunca tive grande autoconfiança intelectual, embora fosse considerado muito inteligente. Tal como meus dois melhores amigos da escola, Jonathan Miller e Eric Korn, eu tinha paixão por ciência e literatura. Admirava profundamente a inteligência de Jonathan e Eric e não conseguia entender por que eles andavam comigo, mas nós três conseguimos bolsas para a universidade. Então enfrentei algumas dificuldades.

Em Oxford, para entrar, a pessoa precisava fazer um exame preliminar que chamavam de "*prelims*"; no meu caso, seria mera formalidade, pois já conseguira a bolsa. Mas fui reprovado no *prelims*; fiz outra vez, fui reprovado de novo. Fiz o exame pela terceira vez e novamente fui reprovado, e a essa altura o diretor, sr. Jones, me chamou de lado e disse: "Você apresentou ensaios excelentes para a bolsa, Sacks. Por que insiste em ser reprovado nesse exame bobo?". Respondi que não sabia, e ele falou: "Bom, esta é sua última chance". Então fiz o exame pela quarta vez e finalmente passei.

Na St. Paul's School, com Eric e Jonathan, eu podia ter uma grade mista com matérias de artes e ciências. Eu era presidente da nossa sociedade literária e, ao mesmo tempo, secretário do Field Club. Essa grade mista era mais difícil em Oxford, pois o departamento de anatomia, os laboratórios de ciências e a Radcliffe Science Library ficavam juntos na South Parks Road, longe das faculdades e salões de leitura da universidade. Havia uma separação física e social entre os que cursavam ciências ou medicina e o restante da universidade.

Senti bastante essa diferença no meu primeiro semestre em Oxford. Tínhamos de fazer trabalhos escritos e apresentar aos nossos orientadores, e isso significava passar muitas horas na Radcliffe Science Library, lendo artigos e pesquisas, separando o que parecia mais importante e apresentando o material num texto que fosse interessante e original. Era agradável e até emocionante passar um bom tempo lendo textos de neurofisiologia — novas áreas imensas pareciam se abrir —, mas eu percebia cada vez mais o que faltava agora na minha vida. Não fazia outras leituras gerais, exceto os *Essays in Biography*, de Maynard Keynes, e eu queria escrever os meus próprios "Ensaios biográficos", mas com uma abordagem clínica — ensaios apresentando pessoas com forças ou fragilidades incomuns e mostrando a influência dessas características especiais nas suas vidas; seriam, em suma, biografias clínicas ou relatos de caso.

O meu primeiro (e, no caso, único) tema foi Theodore Hook, cujo nome eu encontrara ao ler uma biografia de Sydney Smith, o grande espirituoso dos primórdios da era vitoriana. Hook também era um grande conversador, de muita verve, dez ou vinte anos anterior a Sydney Smith; dispunha ainda de uma capacidade incomparável de criação musical. Dizia-se que ele compusera mais de quinhentas óperas, sentado a um piano, improvisando e cantando todos os papéis. Eram flores que brotavam ali no momento — belas, surpreendentes e efêmeras; eram improvisadas ali mesmo, nunca anotadas, nunca repetidas e logo esquecidas. Fiquei extasiado com as descrições do gênio improvisador de Hook: que espécie de cérebro permitia isso?

Comecei a ler tudo o que encontrava sobre Hook, bem como

alguns dos livros que ele mesmo escrevera; pareciam estranhamente insípidos e forçados, em contraste com os relatos de suas improvisações fulminantes e de uma criatividade desvairada. Pensei muito sobre Hook e, quando se aproximava o final do semestre de outono, redigi um ensaio sobre ele, um ensaio que preencheu seis folhas de papel almaço datilografado, com 4 ou 5 mil palavras ao todo.

Pouco tempo atrás, encontrei esse ensaio dentro de uma caixa, junto com outros escritos de juventude. Ao ler, fiquei impressionado com a fluência, a erudição, a pretensão e a pomposidade do texto. Não parece a minha maneira de escrever. Será que peneirei ou alinhavei a coisa toda a partir de uma meia dúzia de fontes, ou era mesmo o meu modo de escrever, envolto num estilo erudito e professoral, que adotara para compensar o fato de ser um rapazola imaturo de dezoito anos de idade?

Hook era uma distração; meus ensaios, na maioria, versavam sobre assuntos fisiológicos, que devia ler todas as semanas para o meu orientador. Quando cheguei ao tema da audição, fiquei tão empolgado, li tanto e pensei tanto que nem tive tempo de redigir o texto. Mas, no dia da apresentação, entrei com um bloco de papel e fingi que estava lendo, virando as páginas, enquanto discorria sobre o tema. A certa altura, Carter (dr. C. W. Carter, meu orientador na Queen's) me interrompeu.

"Não entendi bem isso", disse ele. "Pode ler outra vez?" Um pouco nervoso, tentei repetir as duas últimas frases. Carter fez um ar intrigado. "Deixe-me ver", disse ele. Estendi o bloco em branco. "Admirável, Sacks", comentou ele. "Realmente admirável. Mas no futuro quero que você faça os seus trabalhos *por escrito*."

***

Como aluno de Oxford, eu tinha acesso não só à Radcliffe Science Library, mas também à Bodleian, uma maravilhosa biblioteca geral cujas origens remontavam a 1602. Foi na Bodleian que topei com as obras de Hook, agora ignoradas e esquecidas. Nenhuma outra biblioteca — à exceção da do Museu Britânico

— poderia fornecer os materiais de que eu precisava, e a atmosfera tranquila da Bodleian era ideal para escrever.

Mas a biblioteca que eu mais apreciava em Oxford era mesmo a nossa, no Queen's College. O edifício imponente, diziam-nos, fora projetado por Christopher Wren e, na sua parte de baixo, num labirinto de estantes e tubos de calefação no subsolo, ficavam os acervos subterrâneos da biblioteca.

Para mim, foi uma novidade segurar nas mãos livros antigos, incunábulos; sentia especial adoração por *Historiae animalium* (1551), de Conrad Gesner, ricamente ilustrado (trazia o famoso desenho do rinoceronte feito por Albrecht Dürer), e pela obra de Louis Agassiz sobre peixes fósseis, em quatro volumes. Foi nessas estantes que vi todas as obras de Darwin nas suas edições originais e foi lá também que me apaixonei por todas as obras de Sir Thomas Browne — *Religio Medici, Hydriotaphia* e *The Garden of Cyrus (The Quincuciall Lozenge)*. Alguns deles eram absurdos, mas que esplêndida era a linguagem! E se às vezes a grandiloquência clássica de Browne ficava excessiva, podia-se passar para a lavra lapidar e incisiva de Swift, que tinha todas as suas obras ali, claro que nas edições originais. Eu crescera entre as obras oitocentistas que meus pais preferiam, mas foram as catacumbas da biblioteca da Queen's que me apresentaram às letras dos séculos XVII e XVIII: Johnson, Hume, Gibbon e Pope. Todos esses livros eram de livre acesso, nenhum guardado e trancafiado num nicho especial de obras raras, e ali estavam nas prateleiras desde, imaginava eu, a data da primeira edição. Foi sob as abóbadas do Queen's College que realmente adquiri noção de história e de meu próprio idioma.

***

Minha mãe, cirurgiã e anatomista, embora reconhecesse que eu era desajeitado demais para seguir seus passos na cirurgia, esperava que em Oxford eu me destacasse pelo menos em anatomia. Dissecávamos cadáveres, assistíamos às aulas e, dois anos depois, tivemos de fazer um exame final de anatomia. Quando saíram os resultados, vi que estava em penúltimo lugar da turma. Fiquei morrendo de medo da reação que a minha mãe teria e ponderei que, dadas as circunstâncias, precisava de alguns tragos. Fui a um dos meus bares prediletos, o White Horse na Broad Street, onde bebi quatro ou cinco canecas de sidra — mais forte do que a maioria das cervejas e mais barata também.

Saindo torto e embriagado do White Horse, fui tomado por uma ideia doida e despudorada. Tentaria compensar meu desempenho catastrófico nos exames finais de anatomia concorrendo a um prêmio universitário de grande prestígio, a bolsa Theodore Williams de Anatomia Humana. O exame já começara, mas me esgueirei na sala com a coragem dos bêbados, sentei numa carteira vazia e olhei a folha do exame.

Havia sete perguntas para responder; atirei-me a uma delas ("A diferenciação estrutural implica uma diferenciação funcional?") e discorri sobre o tema durante duas horas ininterruptas, introduzindo tudo o que eu sabia de zoologia e botânica para dar corpo à discussão. Então saí, uma hora antes do horário final da prova, deixando de lado as outras seis perguntas.

Os resultados saíram no *Times* naquele fim de semana; eu, Oliver Wolf Sacks, tinha ganhado o prêmio. Todo mundo ficou boquiaberto — como é que alguém que ficara em penúltimo lugar nos exames de anatomia ia levar o prêmio Theodore Williams? Para mim não foi uma surpresa completa, pois era uma espécie de repetição às avessas do que acontecera quando prestei os *prelims* de Oxford. Sou péssimo em exames factuais e em perguntas sim-não, mas crio asas na dissertação.

O prêmio Theodore Williams vinha com cinquenta libras — £50! Eu nunca tivera tanto dinheiro de uma vez só. Nessa ocasião, não fui ao White Horse, e sim à livraria Blackwell's (ao lado do bar) e comprei por 44 libras os doze volumes do *Oxford English Dictionary*, para mim o livro mais desejado e cobiçado do mundo. Vim a ler o dicionário inteiro quando fui para o curso de medicina, e ainda gosto de tirar um volume da estante, de vez em quando, como leitura antes de dormir.

***

Meu melhor amigo em Oxford era um estudante de Rodes, um jovem lógico matemático chamado Kalman Cohen. Eu nunca conhecera um lógico antes e fiquei fascinado com o poder de concentração intelectual de Kalman. Parecia capaz de se deter num problema por semanas a fio e tinha paixão por pensar; o próprio ato de pensar parecia empolgá-lo, quaisquer que fossem os pensamentos em questão.

Apesar de sermos tão diferentes, nos dávamos muito bem. Ele se sentia atraído pela minha mente às vezes freneticamente associativa, enquanto eu era atraído pela sua mente concentradíssima. Ele me apresentou a Hilbert e Brouwer, os grandes luminares da lógica matemática, e eu o apresentei a Darwin e aos grandes naturalistas do século XIX.

Pensamos a ciência como descoberta, a arte como invenção, mas haverá um "terceiro mundo" da matemática, que de certa maneira seria, misteriosamente, as duas coisas ao mesmo tempo? Será que os números — os primos, por exemplo — existem em alguma esfera platônica eterna? Ou foram inventados, como pensava Aristóteles? O que fazer com os números irracionais, como o π? Ou os números imaginários, como a raiz quadrada de -2? Essas perguntas me assediavam de vez em quando, em vão, mas para Kalman eram quase uma questão de vida ou morte. Ele tinha esperança de conciliar de alguma forma o intuicionismo platônico de Brouwer e o formalismo aristotélico de Hilbert, de unir suas concepções tão diferentes, mas complementares, da realidade matemática.

Quando falei de Kal aos meus pais, a primeira coisa que lhes passou pela cabeça foi que ele estava muito longe da sua terra natal, e o convidaram para passar um fim de semana na nossa casa em Londres, relaxando e comendo comida feita em casa. Meus pais gostaram de conhecê-lo, mas minha mãe ficou indignada na manhã seguinte, quando viu que um dos lençóis da cama de Kal estava coberto de anotações à caneta. Quando expliquei que ele era um gênio e usara o lençol para anotar uma nova teoria em lógica matemática (aqui exagerei um pouco), a indignação dela se transformou em admiração e insistiu em guardar o lençol sem lavar nem remover a tinta, caso Kalman, em alguma visita futura, quisesse consultá-lo novamente. Minha mãe também mostrou o lençol a Selig Brodetsky, ex-catedrático Wrangler em Cambridge (e sionista fervoroso), o único matemático que ela conhecia.

Kalman frequentara o Reed College no Oregon — conhecido, disse-me ele, pelos seus alunos brilhantes — e fora o melhor estudante de lá por muitos anos. Falou isso com simplicidade, sem afetação, como se comentasse o clima. Era apenas um fato. Ele parecia achar que eu também era brilhante, a despeito da visível desorganização e falta de lógica da minha mente. Achava que as pessoas de grande inteligência deviam se casar e ter filhos brilhantes, e com isso em mente me arranjou um encontro com outra estudante americana de Rodes, a srta. Isaac. Rael Jean Isaac era discreta, calada, mas (como Kal havia dito) extremamente perspicaz, e passamos nosso jantar falando de altas abstrações. Nossa despedida foi amistosa, mas jamais nos veríamos de novo, e Kalman nunca mais tentou me encontrar uma namorada.

No verão de 1952, nas nossas primeiras férias longas, Kalman e eu fomos de carona da França até a Alemanha, dormindo em albergues pelo caminho. Em algum lugar pegamos piolho e tivemos de raspar a cabeça. Um amigo muito refinado do Queen's College, Gerhart Sinzheimer, nos convidara para dar um pulo na sua casa; estava passando o verão com os pais, na residência deles no Titisee, na Floresta Negra. Quando Kalman e eu chegamos, imundos, carecas por causa da história dos piolhos, eles nos despacharam depressa para um banho e mandaram desinfetar nossas roupas. Depois de uma estada curta e canhestra com os elegantes Sinzheimer, fomos para Viena (que era então, achávamos, muito ao estilo da Viena de *O terceiro homem*, de Graham Greene) e lá provamos todas as bebidas existentes no mundo.

***

Embora não estivesse cursando psicologia, de vez em quando eu ia assistir a algumas aulas no departamento de psicologia. Foi lá que vi J. J. Gibson, teórico e experimentalista avançado de psicologia visual que viera de Cornell para Oxford, para passar o seu ano sabático. Gibson havia publicado recentemente seu primeiro livro, *The Perception of the Visual World*, e ficou contente em nos deixar experimentar óculos especiais que invertiam (num ou nos dois olhos) a visão normal da pessoa. Não existia nada mais estranho do que ver o mundo de ponta-cabeça, mas, mesmo assim, em poucos dias o cérebro se adaptava e reorientava o mundo visual (que então, quando a gente tirava os óculos, voltava a aparecer de ponta-cabeça).

As ilusões visuais também me fascinavam; mostravam que o entendimento intelectual, o discernimento e mesmo o bom senso eram impotentes contra a força das distorções perceptivas. Os óculos de inversão de Gibson mostravam o poder da mente em retificar as distorções ópticas, enquanto as ilusões visuais mostravam sua impossibidade de corrigir as distorções perceptuais.

Richard Selig. Faz sessenta anos, mas ainda lembro do seu rosto, do seu porte — parecia um leão — quando o vi pela primeira vez em frente ao Magdalen College, em Oxford, em 1953. Começamos a conversar; creio que foi ele que puxou conversa, pois sempre fui tímido demais para iniciar qualquer contato, e a grande beleza dele me deixava ainda mais acanhado. Eu soube naquela primeira conversa que ele era formado em Rodes e era poeta e que havia trabalhado nos Estados Unidos numa série de bicos por todo o país. Tinha um conhecimento do mundo muito maior que o meu, mesmo levando em conta a diferença de idade (ele tinha 24 anos e eu, vinte), muito maior do que a maioria dos estudantes que saíam do colégio e iam diretamente para a faculdade, sem nenhuma experiência da vida real de entremeio. Ele viu algo interessante em mim e logo ficamos amigos — mais do que isso, pois me apaixonei por ele. Era a primeira vez na vida que eu me apaixonava.

Apaixonei-me pelo rosto, pelo corpo, pela mente, pela poesia, por tudo nele. Muitas vezes Richard me trazia poemas que acabara de escrever e, em troca, eu lhe dava alguns ensaios meus sobre fisiologia. Creio que não fui o único a me apaixonar por ele; houve outros, homens e mulheres — a sua grande beleza, os seus grandes talentos, a sua vitalidade e amor à vida despertavam essa paixão. Ele falava livremente sobre si mesmo — sobre seu aprendizado com o poeta Theodore Roethke, a amizade com vários pintores, o ano que dedicou à pintura antes de perceber que, a despeito de suas aptidões, sua verdadeira paixão era a poesia. Vivia com imagens, palavras, versos na cabeça, trabalhando neles consciente e inconscientemente ao longo de meses, até nascerem como poemas acabados ou serem abandonados. Publicara poemas em *Encounter*, *The Times Literary Supplement*, *Isis* e *Granta*, e Stephen Spender lhe dava grande apoio. Eu o considerava um gênio ou em vias de se tornar um gênio.

Fazíamos longas caminhadas juntos, falando de poesia e ciência. Richard gostava de me ouvir discorrer entusiasmado sobre química e biologia, e eu perdia a timidez. Embora soubesse que estava apaixonado por Richard, sentia-me muito apreensivo em admitir o fato; as palavras da minha mãe sobre a "abominação" me faziam sentir que não podia dizer o que era. Mas, de um modo misterioso, maravilhoso, estar apaixonado, e apaixonado por um ser como Richard, era fonte de alegria e orgulho para mim, e um dia, com o coração na boca, falei que estava apaixonado por ele, sem saber qual seria a sua reação. Richard me abraçou, me pegou pelos ombros e disse: "Eu sei. Não sou assim, mas agradeço o teu amor e te amo também, à minha maneira". Não me senti rejeitado nem magoado. Ele disse o que tinha a dizer com grande sensibilidade, e a nossa amizade prosseguiu, agora mais fácil, tendo eu renunciado a certos anseios pungentes e desesperançados.

Eu pensava que poderíamos ser amigos por toda a vida, como talvez ele pensasse também. Mas um dia Richard foi até o meu alojamento, com ar preocupado. Percebera um inchaço numa das virilhas; no começo, não prestou atenção, achando que ia desaparecer, mas havia aumentado e estava incomodando. Eu estava cursando medicina, disse ele, podia dar uma olhada? Richard abaixou a calça e a cueca, e lá estava o caroço, do tamanho de um ovo, na virilha esquerda. Era firme e duro ao toque. Pensei imediatamente em câncer. Disse a ele: "Você precisa ir a um médico — talvez precise de uma biópsia — não deixe para depois".

Fizeram uma biópsia na glândula e o diagnóstico foi de linfoma; disseram a Richard que a sua expectativa de vida era de dois anos, no máximo. Depois de me contar isso, ele nunca mais falou comigo; fui o primeiro a reconhecer a gravidade mortal do seu tumor, e talvez agora ele me visse como uma espécie de mensageiro ou símbolo da morte.

Mas Richard estava decidido a viver plenamente o tempo que lhe restava; casou-se com a harpista e cantora irlandesa Mary O'Hara, foi com ela para Nova York e morreu quinze meses depois. Ele escreveu uma boa parte dos seus melhores poemas nesses seus últimos meses.

Em Oxford, após três anos de curso vêm os exames finais. Continuei na faculdade fazendo pesquisas e, pela primeira vez em Oxford, me senti bastante isolado, pois quase todos os meus contemporâneos tinham saído.

Haviam me oferecido uma vaga de pesquisador no departamento de anatomia, depois de receber a bolsa Theodore Williams, mas recusei a proposta, apesar da minha admiração pelo catedrático de anatomia, Wilfrid Le Gros Clark, cientista notável e notavelmente acessível.

Le Gros Clark era um professor fantástico, que apresentava toda a anatomia humana de uma perspectiva evolucionista e ficara famoso na época por ter desmascarado a fraude do Homem de Piltdown. Mas recusei sua proposta porque me sentia seduzido por uma série de preleções muito interessantes sobre a história da medicina, apresentadas pelo docente de nutrição humana, H. M. Sinclair.

Sempre gostei bastante de história e, mesmo nos dias de meninice que dediquei à química, queria saber a respeito da vida e da personalidade dos químicos e conhecer as controvérsias e conflitos que por vezes acompanhavam as novas teorias ou descobertas. Queria ver o desenvolvimento da química como uma realização humana. E agora, nas preleções de Sinclair, era a história da fisiologia, com as ideias e personalidades dos fisiologistas, que adquiria vida.

Amigos e mesmo o meu orientador no Queen's tentaram me alertar, me dissuadir do que julgavam ser um erro. Mas, mesmo tendo ouvido rumores a respeito de Sinclair — nada muito específico, apenas comentários sobre a sua figura "peculiar" e um tanto isolada na universidade, e rumores também de que a universidade ia fechar o seu laboratório —, eu não quis mudar de ideia.

Percebi meu erro no momento em que comecei no LNH, o Laboratório de Nutrição Humana.

O conhecimento de Sinclair, pelo menos o seu conhecimento histórico, era enciclopédico, e ele me orientou a trabalhar sobre uma coisa da qual eu tinha apenas vaga notícia. A tal paralisia "jake" provocara danos neurológicos severos durante a Lei Seca, quando as pessoas que bebiam, não tendo acesso a bebidas alcoólicas lícitas, recorriam a um fortíssimo extrato alcoólico de gengibre jamaicano, chamado "jake", que na época era livremente comercializado como "tônico para os nervos". Quando ficou claro que o *jake* tinha potencial de gerar abuso de consumo, o governo determinou que se acrescentasse um composto de sabor muito desagradável, o TOCP ou fosfato de triortocresilo. Mas isso não deteve os consumidores, e logo ficou claro que o TOCP era, na verdade, uma substância que, embora devagar, envenenava gravemente o sistema nervoso. Quando se constatou esse fato, mais de 50 mil americanos já tinham sofrido lesões neurológicas extensas, e muitas vezes irreversíveis. Os atingidos mostravam uma paralisia específica dos braços e das pernas e desenvolviam um modo de andar peculiar, facilmente identificável, o "andar *jake*".

Ainda não se sabia exatamente como o TOCP provocava danos nervosos, embora houvesse algumas indicações de que afetava sobretudo as bainhas de mielina dos nervos, e, disse Sinclair, não se conhecia nenhum antídoto. Ele me propôs que eu desenvolvesse um modelo animal da doença. Aqui, com o meu amor pelos invertebrados, pensei imediatamente em minhocas: elas tinham gigantescas fibras nervosas protegidas com mielina, que intermediavam sua capacidade de se enrolar rapidamente, quando ameaçadas ou feridas. Essas fibras nervosas eram relativamente fáceis de estudar, e não haveria o menor problema em obter todas as minhocas que eu quisesse. E poderia suplementar as minhocas, pensei, com galinhas e sapos.

Depois de discutirmos o meu projeto, Sinclair se fechou no seu escritório repleto de livros e se tornou praticamente inacessível — não só a mim, mas a todos do Laboratório de Nutrição Humana. Os outros pesquisadores eram mais graduados e se sentiam felizes por ficar em paz, livres para fazer suas próprias pesquisas. Quanto a mim, era um novato, com uma enorme carência de conselho e orientação; tentei ver Sinclair, mas, depois de meia dúzia de vezes, percebi que não adiantava.

O trabalho foi mal desde o começo. Eu não sabia a força que o TOCP devia ter, em que meio devia ser ministrado, se devia ser adoçado para disfarçar o sabor amargo. As minhocas e os sapos, de início, recusaram as iguarias "tocpadas" que preparei. As galinhas, pelo visto, devoravam qualquer coisa — visão não muito agradável. Apesar da avidez, das bicadas e dos cacarejos, passei a gostar das minhas galinhas, a ter certo orgulho do alvoroço e vigor delas e a apreciar suas características e comportamentos próprios. Em poucas semanas, o TOCP fez efeito e as pernas das galinhas começaram a fraquejar. Nessa altura, pensando que o TOCP podia ter alguma semelhança com os gases nervosos (que interferem no neurotransmissor acetilcolina), dei drogas anticolinérgicas como antídoto à metade das galinhas semiparalisadas. Calculando mal a dosagem, acabei matando todas elas. Enquanto isso, as galinhas que não haviam recebido o antídoto iam enfraquecendo cada vez mais, visão que eu mal conseguia suportar. O final da história, para mim e para a minha pesquisa, foi ver minha galinha favorita — não tinha nome, mas era a número 4304, uma ave de temperamento excepcionalmente dócil e meigo — cair maltratada no chão com as pernas paralisadas, piando de dar dó. Depois de sacrificá-la (usando clorofórmio), descobri que ela tinha lesões nas bainhas de mielina dos nervos periféricos e dos axônios da medula espinhal, tal como as vítimas humanas que haviam chegado para a autópsia.

Também descobri que o TOCP acabava com o reflexo de encurvamento súbito das minhocas, mas não com os outros movimentos, danificava suas fibras nervosas protegidas por mielina, mas não as sem mielina. Porém senti que a minha pesquisa, como um todo, havia malogrado e que nunca poderia ter esperanças de ser um pesquisador científico de verdade. Redigi um relatório bastante vívido e pitoresco e, com isso, tentei expulsar da mente todo o infeliz episódio.

Deprimido com isso e isolado porque todos os meus amigos haviam deixado a universidade, senti-me afundar num estado de calmo desespero, embora, sob certos aspectos, bastante agitado. Não conseguia encontrar alívio a não ser nos exercícios físicos, e todos os dias, ao anoitecer, eu ia correr na trilha que margeia o Isis. Depois de correr mais ou menos uma hora, mergulhava, nadava e então, molhado e tiritando um pouco, corria de volta ao meu modesto alojamento em frente à Christ Church. Engolia algum prato frio (não conseguia mais comer frango) e então escrevia noite adentro. Esses textos, que chamei de "Nightcaps" [toucas de dormir ou bebida alcoólica tomada antes de dormir], eram tentativas vãs e frenéticas de criar algum tipo de filosofia, alguma receita de vida, alguma razão para prosseguir.

Meu orientador no Queen's, que procurara me dissuadir de trabalhar para Sinclair, percebeu o estado em que eu me encontrava (o que me pareceu surpreendente e reconfortante; naquela altura, eu não estava seguro de que ele sequer sabia da minha existência) e transmitiu sua preocupação aos meus pais. Decidiram entre eles que eu precisava ser arrancado de Oxford e enviado a uma comunidade afável e compreensiva, com trabalho físico pesado do nascer ao pôr do sol. Meus pais pensaram que um kibutz cumpriria bem a função, e eu, embora sem nenhum sentimento religioso ou sionista, também gostei da ideia. E assim fui para Ein HaShofet, um kibutz "anglo-saxão" perto de Haifa, onde podia falar inglês até que, esperava-se, adquirisse fluência no hebraico.

Passei o verão de 1955 no kibutz. Apresentaram-me uma escolha: trabalhar no viveiro de mudas de árvores ou com galinhas. Agora eu sentia horror a galinhas e escolhi o viveiro. Acordávamos antes do amanhecer, fazíamos um grande desjejum coletivo e então íamos para o trabalho.

Eu ficava admirado com as enormes tigelas de fígado picado em todas as refeições, incluído o desjejum. Não havia gado no kibutz e eu não via como as galinhas dali conseguiriam fornecer todas aquelas centenas de quilos de fígado que consumíamos diariamente. Quando perguntei, todos riram e me disseram que o que eu imaginava ser fígado era berinjela picada, coisa que eu nunca havia experimentado na Inglaterra.

Tinha boa relação com todos, pelo menos para conversar, mas não tinha intimidade com as pessoas. O kibutz estava cheio de famílias, ou melhor, constituía uma única superfamília, em que todos os pais cuidavam de todos os filhos. Minha condição de solteiro sem nenhuma intenção de fazer a vida em Israel (como muitos primos meus planejavam) se destacava no grupo. Não era muito bom em conversas informais, e nos dois primeiros meses, apesar de um mergulho intensivo no *ulpan*, o que aprendi de hebraico foi pouquíssima coisa, embora na décima semana tenha começado de repente a entender e falar expressões hebraicas. Mas a vida de trabalho físico pesado e a presença de pessoas simpáticas e solícitas ao meu redor serviam de antídoto aos meses solitários e torturantes no laboratório de Sinclair, onde me mantive fechado em mim mesmo.

E os resultados físicos foram ótimos também; quando cheguei ao kibutz, era pálido e pesava 115 quilos, mas quando saí de lá, três meses depois, havia emagrecido quase trinta quilos e, num certo sentido mais profundo, me sentia mais à vontade com o meu corpo.

Depois que saí do kibutz, passei algumas semanas viajando por outros lugares de Israel, para ter uma ideia do jovem Estado idealista sitiado. Durante o Pessach, que rememora o êxodo dos judeus do Egito, sempre dizíamos: "No próximo ano em Jerusalém", e finalmente eu via a cidade onde Salomão construíra o seu templo mil anos antes de Cristo. Mas agora Jerusalém estava dividida e não se podia entrar na cidade antiga.

Explorei outras partes de Israel: o velho porto de Haifa, que adorei, Tel Aviv e as minas de cobre, tidas como as minas do rei Salomão, no Neguev. Eu era fascinado pelo que havia lido sobre o judaísmo cabalístico — sobretudo sua cosmogonia — e assim fiz minha primeira viagem, em certo sentido uma peregrinação, até Safed, onde o grande Isaac Luria vivera e ensinara no século XVI.

Então segui para o meu verdadeiro destino, o mar Vermelho. Na época, Eilat só contava algumas centenas de habitantes, praticamente apenas tendas e barracos (hoje é uma fervilhante orla marítima repleta de hotéis, com 50 mil habitantes). Nadava com tubo de respiração quase o dia todo e tive minhas primeiras experiências com cilindro de mergulho, que naquela época ainda era relativamente primitivo. (Alguns anos depois, quando tirei minha certificação de mergulhador com cilindro na Califórnia, o equipamento já se tornara muito mais fácil e mais aerodinâmico.)

Perguntei-me de novo, como havia me questionado quando fui para Oxford pela primeira vez, se queria mesmo ser médico. Passara a me interessar muito por neurofisiologia, mas também adorava biologia marinha, em especial os invertebrados marinhos. Seria possível juntar as duas coisas? Talvez fazendo neurofisiologia dos invertebrados, estudando principalmente os sistemas nervosos e os comportamentos dos cefalópodes, aqueles gênios do mundo dos invertebrados?[2]

Uma parte de mim queria ficar em Eilat pelo resto da vida, nadando, praticando mergulho, fazendo biologia marinha e neurofisiologia de invertebrados. Mas os meus pais estavam ficando impacientes; já descansara o suficiente em Israel; agora estava "curado"; era hora de voltar à medicina, de começar a clinicar e examinar pacientes em Londres. Porém havia mais uma coisa que eu precisava fazer — algo que antes tinha sido impensável. Agora eu pensava: tinha 22 anos, boa aparência, era bronzeado, esguio e ainda virgem.

Eu estivera algumas vezes em Amsterdam, com Eric; adorávamos os museus e o Concertgebouw (foi lá que ouvi pela primeira vez *Peter Grimes*, de Benjamin Britten, em holandês). Adorávamos os canais com as casas altas alinhadas nas margens, o antigo Jardim Botânico e a bela sinagoga portuguesa do século XVII, o Rembrandtplein com seus cafés ao ar livre, os arenques frescos vendidos nas ruas e comidos ali mesmo, o clima geral de cordialidade e liberalidade que parecia próprio da cidade.

Mas agora, saindo do mar Vermelho, decidi ir sozinho a Amsterdam, para me perder por lá — mais especificamente, para perder minha virgindade. Mas como fazer? Não existem manuais para isso. Talvez eu precisasse de um gole, de vários goles, para atenuar minha timidez, minhas ansiedades, meus lobos frontais.

Havia um bar muito agradável na Warmoesstraat, perto da estação ferroviária; Eric e eu tínhamos ido lá várias vezes, para tomar alguma coisa juntos. Mas agora, sozinho, peguei pesado: gim holandês para a coragem holandesa, ou a coragem de bêbado. Bebi até o bar começar a oscilar, entrando e saindo de foco, e os sons se converterem em ondas que cresciam e diminuíam. Só quando levantei é que percebi que eu mal me aguentava em pé, tão instável que o barman disse: "*Genoeg!* Chega!", e perguntou se eu precisava de ajuda para voltar ao meu hotel. Falei que não, pois o hotel ficava logo ali em frente, e saí cambaleando.

Devo ter desmaiado, pois, quando acordei na manhã seguinte, não estava na minha cama, mas na de alguma outra pessoa. Veio um cheiro acolhedor de café recém-passado, ao qual se seguiu o aparecimento do meu anfitrião, o meu salvador, de pijama, com duas xícaras de café, uma em cada mão.

Falou que tinha me visto estendido bêbado na sarjeta, levou-me para casa e... me sodomizou. "Foi bom?", perguntei.

"Foi", respondeu ele. Muito bom — só lamentava que eu estivesse passado demais para gozar também.

Conversamos mais durante o café da manhã — sobre os meus medos e inibições sexuais, sobre a atmosfera perigosa e proibitiva na Inglaterra, onde a relação homossexual era tratada como crime. Em Amsterdam era totalmente diferente, disse ele. A relação homossexual consentida entre adultos era aceita, não era ilegal nem vista como algo condenável ou patológico. Havia muitos bares, cafés e clubes onde a pessoa podia encontrar outros gays (eu nunca tinha ouvido antes a palavra "gay" nessa acepção). Ele se ofereceu para me levar a alguns deles ou, se eu preferisse, apenas me daria os nomes e endereços e eu me viraria sozinho.

Ficando sério de repente, ele disse: "Não precisa se entupir de álcool, desmaiar e ficar estendido na sarjeta. É uma coisa muito triste e até perigosa. Espero que você nunca mais faça isso".

Chorei de alívio enquanto falávamos e senti que um imenso peso, um peso sobretudo de autorrecriminação, fora removido ou pelo menos ficara muito mais leve.

Em 1956, depois dos meus quatro anos em Oxford e as minhas aventuras em Israel e na Holanda, voltei para casa e comecei o estágio de medicina. Naqueles trinta meses, mais ou menos, passei pela clínica geral, cirurgia, ortopedia, pediatria, neurologia, psiquiatria, dermatologia, doenças infecciosas e outras especialidades designadas apenas por letras: GI, GU, ORL, GO [gastrointestinal, geniturinária, otorrinolaringologia, ginecologia/obstetrícia].

Para minha surpresa (e satisfação da minha mãe), senti especial atração pela obstetrícia. Naqueles tempos, os partos eram feitos em casa (eu mesmo tinha nascido em casa, como todos os meus irmãos). Os partos ficavam basicamente a cargo de parteiras, e nós, como estagiários, íamos como assistentes das parteiras. Chegava um telefonema, muitas vezes no meio da noite; a telefonista do hospital me dava um nome e um endereço e às vezes acrescentava: "Depressa!".

A parteira e eu, ambos de bicicleta, nos dirigíamos até a casa, íamos para o quarto ou, às vezes, para a cozinha; em certas ocasiões, era mais fácil fazer o parto numa mesa de cozinha. O marido e a família ficavam esperando no aposento ao lado, os ouvidos atentos ao primeiro choro do bebê. Era a dramaticidade humana de tudo isso que me estimulava; tinha uma realidade que o trabalho no hospital não tinha e era a nossa única chance de *fazer* alguma coisa, de cumprir uma função, fora do hospital.

Durante o estágio de medicina, não nos sobrecarregavam com aulas ou ensino formal; o essencial do aprendizado era feito ao lado da cama do paciente, e a grande lição era aprender a ouvir, a entender o "histórico da condição atual" do paciente e a fazer as perguntas certas para preencher os detalhes faltantes. Aprendíamos a usar os nossos olhos e ouvidos, a tocar, a apalpar, até a cheirar. Ouvir as batidas do coração, dar pancadinhas no peito, apalpar o abdômen e outras formas de contato físico eram tão importantes quanto ouvir e falar. Podiam estabelecer um vínculo físico profundo; as próprias mãos podiam se tornar instrumentos terapêuticos.

***

Obtive a minha qualificação em 13 de dezembro de 1958 e dispunha de uma quinzena livre; meu estágio no Middlesex só começaria em 1º de janeiro.[3] Eu estava entusiasmado — e maravilhado — em me saber médico, em ter finalmente conseguido me formar (nunca pensei que conseguiria, e mesmo agora às vezes sonho que ainda estou empacado num perpétuo período estudantil). Estava entusiasmado, mas também apavorado. Achava que ia fazer tudo errado, cair no ridículo, ser considerado um incompetente incorrigível e até perigoso. Pensei que, se trabalhasse num emprego temporário como interno nas semanas anteriores ao início no Middlesex, talvez conseguisse a segurança e a competência necessárias, e consegui uma vaga de interno a poucos quilômetros de Londres, num hospital em St. Albans onde minha mãe trabalhara em cirurgias de emergência durante a guerra.

Na minha primeira noite, fui chamado à uma da manhã; um bebê dera entrada com bronquiolite. Fui depressa à enfermaria para ver meu primeiro paciente — um bebê de quatro meses, com os lábios azulados, febre alta, respiração rápida e chiada. Conseguiríamos — a irmã enfermeira e eu — salvá-lo? Havia alguma esperança? A irmã, vendo que eu estava apavorado, me deu o apoio e a orientação de que precisava. O bebê se chamava Dean Hope e, numa espécie de superstição absurda, tomamos o fato como bom augúrio, como se o nome do bebê pudesse aplacar as Sortes. Trabalhamos com afinco durante a noite toda e, quando amanheceu o dia cinzento de inverno, Dean estava fora de perigo.

***

Em 1º de janeiro, comecei a trabalhar no Middlesex Hospital. O hospital tinha excelente renome, embora sem a pátina de antiguidade do "Barts" — o St. Bartholomew's, que datava do século XII. Meu irmão David, mais velho que eu, tinha feito estágio no Barts. O Middlesex, comparativamente recente, fundado em 1745, ficava situado, no meu tempo, num edifício moderno do final dos anos 1920. O mais velho dos meus irmãos, Marcus, havia feito residência no Middlesex, e agora eu seguia seus passos.

Cumpri seis meses como estagiário na unidade médica do Middlesex e depois mais seis meses na unidade neurológica, onde tive como chefes Michael Kremer e Roger Gilliatt, uma dupla brilhante, mas de uma incongruência quase cômica.

Kremer era cordial, afável, suave. Tinha um sorriso estranho, levemente retorcido, e eu nunca soube direito se era por causa de uma visão irônica habitual do mundo ou os resquícios de uma antiga paralisia de Bell. Parecia dispor de todo o tempo do mundo para os seus estagiários e pacientes.

Gilliatt era muito mais intimidador: ríspido, impaciente, irascível, irritadiço, com uma espécie de fúria contida que podia explodir a qualquer momento, assim me parecia. Um botão aberto — sentíamos nós, os estagiários — podia despertar um acesso de raiva. Ele tinha sobrancelhas negras enormes e ferozes — instrumentos de terror para nós, os mais novos. Gilliatt, recentemente nomeado, ainda estava na casa dos trinta anos, um dos mais jovens especialistas da Inglaterra.[4] Isso não atenuava o ar intimidador; pelo contrário, podia até acentuar. Recebera uma Cruz Militar por destacada bravura na guerra e tinha um porte muito militar. Gilliatt me deixava apavorado e eu ficava quase paralisado de medo quando ele me fazia alguma pergunta. Mais tarde descobri que muitos estagiários seus reagiam de maneira parecida.

Kremer e Gilliatt tinham abordagens muito diferentes no exame dos pacientes. Gilliatt nos fazia examinar tudo, metodicamente: os nervos cranianos (não se podia omitir nenhum), o sistema motor, o sistema sensorial etc., em ordem fixa, da qual nunca podíamos nos desviar. Ele nunca dava um salto prematuro, confiando numa pupila dilatada, numa fasciculação, na ausência de reflexos abdominais ou qualquer outra coisa.[5] O processo de diagnose, para ele, consistia em seguir sistematicamente um algoritmo.

Gilliatt era acima de tudo um cientista, um neurofisiologista por formação e temperamento. Parecia contrafeito em ter de lidar com pacientes (ou estagiários), embora, como vim a saber mais tarde, fosse totalmente diferente — simpático, incentivador — quando estava com seus alunos pesquisadores. Os seus verdadeiros interesses, as suas paixões se concentravam na investigação elétrica de distúrbios do sistema nervoso periférico e da inervação muscular, área em que viria a se tornar autoridade mundial.

Kremer, por outro lado, era intuitivo ao extremo; lembro uma vez em que ele fez um diagnóstico de um paciente recém-chegado no instante em que entramos na enfermaria. Viu o paciente a trinta metros de distância, agarrou-me agitado pelo braço e me sussurrou ao ouvido: "Síndrome do forâmen jugular!". É uma síndrome raríssima, e fiquei assombrado que ele fosse capaz de identificá-la num relance, no outro lado da enfermaria.

Kremer e Gilliatt me faziam lembrar a comparação entre intuição e análise que Pascal apresenta no começo dos *Pensamentos*. Kremer era predominantemente intuitivo; enxergava tudo num átimo e, muitas vezes, via mais do que conseguia expressar em palavras. Gilliatt era antes de tudo analítico, olhando os fenômenos um por vez, mas vendo em profundidade os antecedentes ou consequentes fisiológicos de cada um.

A simpatia ou empatia de Kremer era de fato notável. Parecia ler a mente dos pacientes e conhecer intuitivamente todos os seus medos e esperanças. Observava seus movimentos e atitudes como um diretor de teatro observa seus atores. Um dos artigos de Kremer — que era um dos meus favoritos — se chamava "Sitting, Standing, and Walking" [Sentado, em pé e andando]. O texto mostrava o quanto ele observava e entendia antes mesmo de fazer um exame neurológico, antes mesmo que o paciente abrisse a boca.

No seu atendimento de pacientes externos nas tardes de sexta-feira, Kremer podia chegar a ver trinta pacientes diferentes, mas cada qual recebia toda a sua atenção, profunda e compassiva. Era muito amado pelos pacientes; todos comentavam sua bondade e como a sua mera presença era terapêutica.

Kremer mantinha o interesse e muitas vezes um envolvimento ativo na vida dos seus estagiários, mesmo muito tempo depois de terem ido para outros empregos. Ele me deu conselhos sobre a minha mudança para a América do Norte, forneceu algumas cartas de apresentação e, 25 anos depois, tendo lido *Com uma perna só*, escreveu-me uma carta muito atenciosa.[6]

Com Gilliatt, tive menos contato — nós dois éramos, creio eu, muito tímidos —, mas ele me escreveu quando saiu *Tempo de despertar*, em 1973, e me convidou para visitá-lo na Queen Square. Dessa vez, ele me pareceu muito menos apavorante, com um ardor intelectual e emocional de que eu nunca suspeitara. No ano seguinte, convidou-me outra vez, para apresentar aos seus pacientes o filme feito a partir do livro *Tempo de despertar*.

Fiquei triste quando Gilliatt morreu de câncer — era ainda relativamente jovem e muito produtivo — e quando Kremer, tão sociável, tão conversador, que continuou por muito tempo a atender pacientes depois da sua "aposentadoria", ficou afásico após um derrame. Os dois exerceram influência sobre mim, ambos de maneiras positivas, mas muito diferentes: Kremer me ajudou a ser mais observador e intuitivo; Gilliatt, a pensar sempre nos mecanismos fisiológicos envolvidos. Passados mais de cinquenta anos, relembro os dois com afeto e gratidão.

Meus estudos preparatórios de anatomia e fisiologia em Oxford não me haviam preparado minimamente para a medicina de verdade. Examinar os pacientes, ouvi-los, tentar entender (ou pelo menos imaginar) suas experiências e dificuldades, sentir preocupação e assumir responsabilidade por eles eram coisas totalmente inéditas para mim. Os pacientes eram de carne e osso, muitas vezes indivíduos passionais com problemas concretos — e às vezes opções — frequentemente torturantes. Não era uma simples questão de diagnóstico e tratamento; podiam aparecer questões muito mais graves — questões sobre a qualidade de vida e mesmo se valia a pena viver em determinadas circunstâncias.

Isso me afetou muito quando estagiava no Middlesex, e Joshua, um rapaz também nadador, deu entrada no ambulatório clínico apresentando dores estranhas nas pernas. Foi feito um diagnóstico provisório a partir de alguns exames de sangue e, enquanto aguardava outros exames, ele foi autorizado a passar o fim de semana em casa. No sábado à noite, quando se divertia numa festa com outros jovens, inclusive alguns estudantes de medicina, um deles perguntou a Joshua por que fora encaminhado ao hospital. Ele respondeu que não sabia, mas que lhe haviam dado alguns comprimidos. Mostrou o frasco ao outro, o qual, vendo no rótulo que era "6MP" (6-mercaptopurina), exclamou: "Jesus, você deve estar com leucemia aguda!".

Quando voltou da sua licença de fim de semana, Joshua estava num estado mental de desespero. Perguntou se o diagnóstico era aquele mesmo, quais os tratamentos, o que lhe reservava o futuro. Fizeram um exame da medula óssea, que confirmou o diagnóstico, e lhe disseram que a medicação até poderia lhe dar mais algum tempo de vida, mas sua saúde declinaria e ele iria morrer no prazo de um ano, talvez menos.

Naquela tarde, vi Joshua trepando pela grade da sacada; nossa ala ficava no segundo andar. Fui correndo até a grade e o puxei de volta, dizendo tudo o que me ocorria sobre o valor da vida, que valia a pena viver mesmo naquela condição. Relutante — o momento da decisão passara —, Joshua se deixou convencer e voltou para a enfermaria.

As dores estranhas nas pernas logo se intensificaram e começaram a afetar também os braços e o tronco. Evidenciou-se que eram causadas por infiltrações leucêmicas nos nervos sensoriais, quando entravam na medula espinhal. Os analgésicos não adiantavam nada, mesmo com opiáceos cada vez mais fortes, por via oral e injetável, e finalmente com heroína. Ele começou a gritar de dor, dia e noite, e a essa altura o único recurso foi lhe dar óxido nitroso. Logo que voltava da anestesia, recomeçava a gritar. "Você não devia ter me puxado de volta", disse-me ele. "Mas imagino que precisava." Ele morreu poucos dias depois, em meio a dores excruciantes.

Não era fácil nem seguro ser homossexual explícito ou praticante na Londres dos anos 1950; as atividades homossexuais, se fossem descobertas, podiam levar a penalidades severas, à prisão ou, como no caso de Alan Turing, à castração química com a aplicação compulsória de estrogênio. A opinião pública, de modo geral, era tão condenatória quanto a lei. Não era fácil para os homossexuais se encontrarem; havia alguns bares e clubes gays, mas constantemente vigiados e invadidos pela polícia. Havia agentes provocadores por toda parte, sobretudo em parques e mictórios públicos, treinados para seduzir os incautos ou ingênuos e destruir a vida deles.

Embora eu fizesse visitas a cidades "liberadas" como Amsterdam com a frequência que podia, não me atrevia a procurar parceiros sexuais em Londres, tanto mais porque morava na casa dos meus pais, sob seus olhares vigilantes.

Mas em 1959, quando atuava como estagiário em clínica geral e neurologia no Middlesex, bastava seguir pela Charlotte Street e atravessar a Oxford Street e chegava-se à Soho Square. Um pouco adiante — descendo a Frith Street — ficava a Old Compton Street, onde havia de tudo para comprar ou alugar. Na Coleman's, eu podia comprar os meus charutos cubanos favoritos; um "torpedo" Bolivar podia durar uma noite inteira, e eu me concedia esse agrado em ocasiões especiais e festivas. Havia uma confeitaria que vendia um bolo de sementes de papoula de uma doçura e maciez que jamais voltei a experimentar, e havia uma lojinha que vendia jornais e artigos de papelaria com anúncios sexuais colados nas vitrines, anúncios discretamente ambíguos — qualquer outra coisa seria perigosa —, mas de sentido inequívoco.

Um desses anúncios era de um rapaz dizendo que adorava motos e equipamentos de motociclismo. Dava o primeiro nome, pelo menos *um* nome, Bud, e um número de telefone. Não me atrevi a parar diante do anúncio e muito menos anotar, mas a minha memória, que então era fotográfica, registrou num instante. Nunca na vida eu tinha respondido, nem pensara em responder a um anúncio assim, mas dessa vez, depois de quase um ano de abstinência — não ia a Amsterdam desde dezembro do ano anterior —, decidi ligar para o enigmático "Bud".

Conversamos pelo telefone, muito circunspectos, sobre as nossas motos. Bud tinha uma BSA Gold Star, com motor de um cilindro, de quinhentas cilindradas e guidão baixo, e eu tinha a minha Norton Dominator de seiscentas cilindradas. Combinamos um encontro num bar de motoqueiros para um passeio. Iríamos nos reconhecer pelas motos e pelas roupas: jaqueta de couro, calça de couro, botas e luvas de couro.

Encontramo-nos, trocamos um aperto de mãos, admiramos mutuamente nossas motos e então saímos para passear pelo sul de Londres. Nascido e criado na região noroeste de Londres, eu ficava perdido na zona sul, mas Bud foi na frente. Ele me pareceu muito imponente, um cavaleiro das pistas, no seu corcel motorizado, revestido de couro preto.

Voltamos ao seu apartamento em Putney para jantar — um apartamento bastante despojado, com pouquíssimos livros, mas inúmeras revistas e acessórios de motos. As paredes estavam forradas de fotos de motos e motociclistas e (isso eu não esperava) algumas belas fotos subaquáticas que Bud havia tirado; sua outra paixão, além do motociclismo, era mergulho com cilindro. Eu me iniciara no mergulho de cilindro quando estava no mar Vermelho, em 1956, e aqui estava, portanto, mais um hobby que tínhamos em comum (bastante raro nos anos 1950). Bud tinha também muitos equipamentos de mergulho; isso foi antes da época do neopreno e das roupas molhadas, e usávamos roupas secas de borracha grossa.

Tomamos uma cerveja e então, de repente, Bud disse: "Vamos para a cama".

Não fizemos nenhuma tentativa de nos conhecer melhor; eu nada sabia a respeito de Bud, no que ele trabalhava e nem mesmo qual era o seu nome completo, e a recíproca era verdadeira, mas sabíamos (intuitivamente, sem rodeios) o que queríamos e como podíamos sentir e dar prazer.

Não foi preciso dizer depois o quanto gostamos do nosso encontro, o quanto queríamos nos encontrar outra vez. Eu estava prestes a ir para Birmingham, por um período de seis meses como estagiário em cirurgia, mas foi fácil lidar com o problema. Nos sábados, pegava a moto e ia até Londres para passar a noite em casa com os meus pais, mas chegava mais cedo e antes passava a tarde com Bud, e na manhã seguinte saíamos para passear juntos. Eu adorava os nossos passeios de moto nas manhãs frias de domingo, sobretudo quando guardava a minha moto e ia na garupa da moto de Bud, tão juntos que nos sentíamos às vezes como um mesmo animal de couro.

Nessa época, eu estava na incerteza sobre o meu futuro; meus períodos como interno terminariam em junho de 1960, e então poderia ser recrutado para o serviço militar (minha convocação fora adiada durante os anos de curso e de estágio).

Não comentei nada enquanto ruminava o assunto, mas em junho escrevi a Bud, dizendo que deixaria a Inglaterra e iria para o Canadá no dia do meu aniversário, 9 de julho, e talvez não voltasse. Não me ocorreu que isso iria afetá-lo muito; tínhamos sido amigos de moto e de cama, mas, pensava eu, nada mais. Nunca falamos dos nossos sentimentos mútuos. Mas Bud me respondeu com uma carta apaixonada e penosa; sentia-se desolado, dizia ele, e soluçara ao receber a minha carta. Fiquei pesaroso com a sua resposta e percebi, tarde demais, que decerto ele havia se apaixonado por mim e agora eu lhe destroçara o coração.

DEIXANDO O NINHO

Quando menino, lendo os romances de Fenimore Cooper e assistindo a filmes de caubói, eu formara uma visão romântica dos Estados Unidos e do Canadá. As vastas paisagens agrestes do Oeste americano, retratadas nos livros de John Muir e nas fotografias de Ansel Adams, pareciam prometer uma vastidão, uma liberdade e uma desenvoltura que faltavam à Inglaterra, ainda se recuperando da guerra.

Como estudante de medicina na Inglaterra, o meu serviço militar fora adiado, mas, logo que terminei o período de estágio e residência, devia me apresentar ao exército. A ideia de prestar serviço militar não me agradava muito (embora meu irmão Marcus tenha gostado e, devido aos seus conhecimentos do árabe, fora encaminhado para postos na Tunísia, Cirenaica e África do Norte). Eu me inscrevera para uma alternativa atraente, para servir durante três anos como médico no Serviço Colonial, e escolhera a Nova Guiné como destino. Mas o Serviço Colonial estava encolhendo e a sua opção de atendimento médico deixou de existir antes que eu terminasse a faculdade. O próprio serviço militar obrigatório iria terminar poucos meses depois da data do meu alistamento em agosto.

Fiquei furioso ao saber que não era mais possível ocupar um posto atraente e exótico no Serviço Colonial, e também ao ver que eu seria um dos últimos recrutas, e esta era mais uma razão para deixar a Inglaterra. Mesmo assim, eu sentia que tinha, de certa forma, um dever moral a cumprir. Esses sentimentos contraditórios me levaram, quando cheguei ao Canadá, a me apresentar como voluntário na Força Aérea Real Canadense. (Sentia-

-me arrebatado por um verso de Auden, sobre "o riso em couro" do aviador.) O serviço no Canadá, país do Commonwealth, seria aceito como equivalente ao serviço militar na Inglaterra, o que era um fator importante a considerar se eu voltasse à Inglaterra.

Havia outras razões para deixar a Inglaterra, como fizera meu irmão Marcus dez anos antes, quando foi morar na Austrália. Nos anos 1950, uma grande quantidade de profissionais altamente qualificados de ambos os sexos deixou a Inglaterra (na chamada "evasão de cérebros"), pois as profissões liberais e as universidades estavam saturadas no país, e (como vi durante minha residência em neurologia em Londres) profissionais brilhantes podiam ficar estagnados durante anos em posições subalternas, sem nenhuma autonomia ou responsabilidade. Pensei que a América do Norte, com um sistema médico muito mais abrangente e muito menos rígido que o da Inglaterra, teria espaço para mim. Também fui motivado, tal como Marcus, pela sensação de que já havia drs. Sacks demais em Londres: minha mãe, meu pai, David, irmão mais velho que eu, um tio e três primos, todos disputando espaço no mundo médico lotado de Londres.

Peguei um avião para Montreal em 9 de julho, dia do meu 27º aniversário. Passei alguns dias lá, hospedado na casa de parentes, visitando o Instituto Neurológico de Montreal e entrando em contato com a Força Aérea. Disse-lhes que queria ser piloto, mas, depois de alguns testes e entrevistas, eles falaram que, com a minha formação em fisiologia, seria melhor ficar na área de pesquisas. Um oficial de alto escalão, chamado dr. Taylor, fez uma longa entrevista comigo e me convidou a passar um fim de semana com ele, para avaliação. No fim, percebendo minhas dúvidas, ele disse: "Você é visivelmente talentoso e gostaríamos bastante de tê-lo conosco, mas não estou muito convicto sobre os seus motivos para ingressar na Força Aérea. Por que você não tira três meses para viajar e pensar sobre as coisas? Se então ainda quiser ingressar, entre em contato comigo".

Fiquei aliviado com isso; tive uma súbita sensação de liberdade e leveza e decidi aproveitar ao máximo os meus três meses de "licença".

Comecei a percorrer o Canadá e, como sempre fazia ao

viajar, mantive um diário. Escrevi aos meus pais apenas breves cartas durante as minhas andanças pelo país, e não tive ocasião de lhes escrever mais demoradamente a não ser quando cheguei à ilha de Vancouver. Lá, redigi uma carta enorme, detalhando as minhas viagens.

Tentando compor para os meus pais uma imagem de Calgary, do Oeste Selvagem, dei largas à imaginação; tenho as minhas dúvidas se a verdadeira Calgary era tão exótica quanto pintei:

> Calgary acaba de realizar o seu "estouro da boiada" anual e as ruas estão cheias de vaqueiros ociosos de calças de couro e jeans, passando os longos dias sentados com o chapéu enterrado na cara. Mas Calgary também tem 300 mil cidadãos. A cidade explodiu. O petróleo atraiu uma quantidade enorme de prospectores, investidores e engenheiros. A vida do Velho Oeste foi tomada por refinarias, indústrias, escritórios e arranha-céus... Há também imensas jazidas de minério de urânio, ouro, prata e metais vis, e você vê pacotinhos de ouro em pó passando de mão em mão nas tavernas e homens feitos de ouro puro por trás do rosto queimado de sol e dos macacões encardidos.

Então voltei às alegrias da viagem:

> Tomei o trem da Canadian Pacific Railroad até Banff, viajando empolgado no "vagão panorâmico" do trem. Saímos das pradarias planas sem fim, passamos pelos sopés cobertos de abetos vermelhos das montanhas Rochosas, sempre num aclive suave. E aos poucos o ar foi se resfriando e o relevo ganhou uma escala mais vertical. Os outeiros se faziam montes e os montes se faziam montanhas, cada vez mais altas e acidentadas a cada quilômetro que avançávamos. Arfávamos levemente na base de um vale e sobre nós se elevavam montanhas de topo nevado. O ar era tão límpido que podíamos ver os cumes a mais de cem quilômetros de distância, e as montanhas ao nosso lado pareciam se erguer das nossas próprias cabeças.

De Banff, embrenhei-me mais no coração das montanhas Rochosas canadenses. Ali mantive um diário especialmente pormenorizado, que mais tarde reelaborei com o título de "Canadá: Pausa, 1960".

CANADÁ: PAUSA, 1960

Como tenho andado! Percorri quase 5 mil quilômetros em menos de uma quinzena.

Agora é a quietude — uma quietude como nunca vi em toda a minha vida. Logo voltarei a andar e talvez nunca mais pare.

Estou deitado num prado alpino de grande altura, mais de 2,6 mil metros acima do mar. Ontem passeei por perto do nosso chalé com três senhoras botanistas de Calgary, esguias e rijas como amazonas que são, e aprendi com elas os nomes de muitas flores.

O prado é dominado por dríades brancas, agora em semente, como enormes cabeças de dente-de-leão, leves e flutuantes ao tomarem o sol da manhã. *Castillejas*, de um leve tom creme a um vermelho intenso. Solandras, trólios, valerianas e saxífragas; erva-de-piolho torcida e pulicária fedida (duas das mais encantadoras, apesar dos nomes), framboesas e morangos árticos, que raramente frutificam; os morangos de três folhas acolhem e conservam no centro uma gota de orvalho cintilante. Arnicas em formato de coração, orquídeas calipso, cinco-folhas e esporinhas. Lírios dos glaciares e verônicas alpinas. Algumas rochas são cobertas de liquens brilhantes, refulgindo à distância como grandes massas de pedras preciosas; outras estão repletas de suculentas rosas-de-pedra, que explodem lascivas sob a pressão do dedo.

Estamos muito acima do território das árvores de grande porte. Há muitos arbustos — salgueiros e zimbros, mirtilos e uvas-do-monte —, mas o perfil da vegetação é encimado apenas pelos lariços, com os seus castos troncos brancos e a folhagem felpuda.

Há ratos silvestres, corvos, esquilos e tâmias, às vezes uma marmota à sombra de uma pedra. Pegas, canoros, carriças e tordos. Ursos em abundância, pretos e castanhos, mas raros os cinzentos. Alces e antílopes nos pastos de baixada. Vi a sombra enorme de asas passando pelo sol e logo vi que era uma águia das Rochosas.

E alto, cada vez mais alto — toda a vida se rarefazendo, tudo se tornando de um cinzento uniforme, até que musgos e liquens voltam a ser os senhores da criação.

Ontem me juntei ao professor, à sua família e ao amigo "Velho Marshall", que ele chamava de "irmão", e pareciam irmãos, mas eram apenas amigos e colegas. Fui com eles a cavalo até um enorme platô no alto da montanha, tão alto que, lá de cima, víamos as massas de cúmulos ao redor e abaixo de nós.

"O homem não fez nenhuma mudança aqui!", exclamou o professor, "apenas alargou as trilhas estreitas e escarpadas." Não tenho palavras para a sensação, e nunca a tivera antes, que deriva de saber que estamos distantes de toda a humanidade, sozinhos num raio de mil quilômetros. Seguimos em silêncio, seria absurdo falar. Parecia o próprio topo do mundo. Mais tarde descemos, nossos cavalos pisando delicadamente na vegetação baixa, até a sequência glacial de lagos com seus nomes estranhos — lago da Esfinge, lago do Escaravelho, lago do Egito. Ignorando os avisos de prudência, tirei as roupas suadas e mergulhei nas águas claras do Egito, boiando de costas. De um lado se erguiam as montanhas do Faraó, as velhas encostas marcadas com hieróglifos gigantescos; mas os outros picos não tinham nome — e bem podem continuar assim.

Na volta, passamos por uma grande bacia glacial, cheia de morenas lisas.

"Imagine!", exclamou o professor. "Essa cavidade fantástica esteve cheia de gelo, com cem metros de profundidade. E depois que nós e os nossos filhos morrermos, do limo brotarão sementes e uma floresta jovem inclinará sua copa sobre essas pedras. Aqui, à sua frente, está uma cena de um drama geológico, o passado e o futuro implícitos no presente que você vê, e tudo no transcorrer de uma única geração humana e de uma memória humana."

Lancei um olhar rápido ao professor, enquanto ele estava ali, uma figura miúda tendo ao fundo o paredão de rocha e gelo com mais de duzentos metros de altura; ridículo com o chapéu velho e as calças surradas, mas pleno de dignidade e autoridade. Via-se o poder das geleiras e das torrentes, e era como se elas nada fossem diante do poder desse inseto orgulhoso que as examinava e compreendia.

O professor era uma companhia maravilhosa. Em nível estritamente prático, ele me ensinou a reconhecer os recessos glaciais circulares e as diferentes espécies de morenas, a decifrar as trilhas dos alces e dos ursos e as devastações dos porcos-espinhos, a examinar com atenção o terreno para evitar solo pantanoso ou traiçoeiro, a registrar mentalmente pontos de referência para não me extraviar, a reconhecer as ameaçadoras nuvens em formato de lente que prenunciam temporais violentos. Mas o alcance do seu conhecimento era enorme, talvez completo. Falava de direito e sociologia, de economia, de política e negócios, de propaganda, de medicina, psicologia e matemática.

Eu nunca conhecera um homem em contato tão profundo com todos os aspectos do seu ambiente — físicos, sociais, humanos; apesar disso, ele tinha também uma percepção zombeteira do seu intelecto e das suas motivações, que o enriquecia, equilibrava e dava um tom muito pessoal a tudo o que dizia.

Eu havia encontrado o professor na noite anterior e lhe contei a minha fuga da família e do país e as minhas hesitações em continuar na medicina.

"A minha profissão escolhida!", exclamei com amargura. "Outros é que a escolheram para mim. Agora só quero passear e escrever. Penso em ser lenhador por um ano."

"Esqueça!", disse o professor sinteticamente. "Estaria perdendo seu tempo. Vá conhecer escolas de medicina, universidades nos Estados Unidos. É o país para você. Ninguém vai incomodá-lo. Se for bom, você sobe. Se for impostor, logo descobrem.

"Viaje agora, claro — se você tiver tempo. Mas viaje da maneira certa, da maneira como eu viajo. Estou sempre lendo e pensando na história e na geografia de um lugar. Vejo os moradores nesses termos, situados na estrutura social do tempo e do espaço. Pense nas pradarias, por exemplo; se for visitá-las, estará perdendo seu tempo a menos que conheça a saga dos colonos, a influência das leis e da religião nas diversas épocas, os problemas econômicos, as dificuldades de comunicação e as consequências das sucessivas descobertas de minérios.

"Esqueça os acampamentos dos lenhadores. Vá à Califórnia. Veja as sequoias. Veja as missões. Veja Yosemite. Veja Palomar — é uma experiência sublime para um indivíduo inteligente. Uma vez falei com Hubble e descobri que ele conhecia profundamente o direito. Sabia que ele era advogado antes de se dedicar aos astros? E vá a San Francisco! É uma das doze cidades mais interessantes do mundo. A Califórnia tem contrastes imensos — a máxima riqueza e a mais pavorosa miséria. Mas há beleza e interesse em todo lugar.

"Percorri os Estados Unidos em todos os sentidos mais de cem vezes. Vi tudo. Eu lhe digo aonde ir, se você me contar o que quer. Bom, o que você tem a dizer?"

"O meu dinheiro acabou!"

"Eu lhe empresto o quanto precisar, e você me paga quando quiser."

O professor me conhecia fazia só uma hora.

O professor e Marshall amam as Rochosas canadenses e vêm para cá todo verão, faz vinte anos. Voltando do lago do Egito, eles me tiraram da trilha e nos embrenhamos na floresta até chegarmos a uma cabana baixa e escura, semienterrada no chão. O professor deu uma breve aula esclarecedora:

"Esta é a cabana de Bill Peyto. Além de nós, somente três pessoas no mundo sabem onde ela fica; consta oficialmente como destruída por um incêndio. Peyto era um nômade e misantropo, grande caçador e observador da vida selvagem e pai de inúmeros bastardos. Há um lago e uma montanha que levam o nome dele. Em 1926, ele foi acometido por alguma doença lenta e no final não conseguia mais viver sozinho. Foi até Banff, um estrangeiro agreste e lendário que todos conheciam de nome, mas ninguém nunca viu. Ele morreu lá, pouco tempo depois."

Avancei até a choça encardida e apodrecida. A porta estava torta e por cima dela decifrei um rabisco quase apagado: VOLTO EM UMA HORA. Por dentro vi seus utensílios de cozinha e conservas antigas, espécimes minerais (ele explorava uma pequena mina de silicato de magnésio), fragmentos do seu diário e o *Illustrated London News* de 1890 a 1926. Um corte temporal da vida de um homem, interrompida pelas circunstâncias. Pensei no bergantim *Marie Celeste*. Agora é noite e passei o dia inteiro deitado nessa ampla campina, mascando um capim e olhando o céu e as montanhas. Fiquei refletindo e enchi quase todo o meu caderno de notas.

Numa noite de verão, em casa, o sol poente ilumina as malvas-rosa e o grilo insiste na sua arenga no gramado dos fundos. Hoje é sexta-feira, e isso significa que minha mãe acenderá as velas do Shabat, murmurando em silêncio, enquanto protege as chamas com a concha da mão, uma prece cujas palavras eu nunca soube. Meu pai estará com um pequeno barrete e, erguendo o vinho, louvará Deus pela sua fecundidade.

Levantou-se uma aragem leve, rompendo finalmente a longa calmaria do dia, imprimindo um tremular incessante ao capim e às flores. É hora de levantar e partir, retomando a estrada. Pois não prometi a mim mesmo que logo estaria na Califórnia?

Tendo viajado de avião e trem, decidi concluir minha viagem ao Oeste de carona — e quase imediatamente fui recrutado como bombeiro. Escrevi aos meus pais:

> Faz mais de um mês que não chove na Columbia Britânica, e há incêndios por toda parte nas florestas (provavelmente vocês leram as notícias). Existe uma espécie de lei marcial, e a comissão florestal pode recrutar qualquer pessoa que julgar conveniente. Fiquei muito contente com a experiência e passei um dia nas florestas com outros recrutas desnorteados, arrastando mangueiras de um lado para o outro, tentando ser de alguma utilidade. Mas foi para apenas um incêndio que precisaram de mim, e quando finalmente dividimos uma cerveja sobre a ruína fumegante que se extinguia, senti um verdadeiro calor de orgulho fraterno por termos derrotado o fogo.
>
> A Columbia Britânica, nessa época do ano, parece enfeitiçada. O céu fica baixo e de cor púrpura, mesmo ao meio-dia, devido à fumaça de inúmeros incêndios, e o ar é de uma terrível imobilidade e calor estupidificante. As pessoas parecem se mover e rastejar com o tédio de um filme em câmera lenta, e há sempre uma sensação de algo iminente. Reza-se pela chuva em todas as igrejas, e sabe Deus quais os estranhos ritos que se praticam em reservado para trazê-la. Todas as noites algum relâmpago cai em algum lugar e mais hectares de madeira valiosa ardem como matéria facilmente inflamável. Ou às vezes é apenas uma combustão instantânea, aparentemente espontânea, surgindo como um câncer multifocal numa área condenada.

Não querendo ser recrutado outra vez como bombeiro — por um dia foi bom, mas bastou —, peguei um ônibus da viação Greyhound para percorrer os mil quilômetros que faltavam até Vancouver.

De Vancouver, peguei um barco até a ilha de Vancouver e me refugiei numa pensão em Qualicum Beach (gostei do nome Qualicum, pois me fazia lembrar Thudichum, o bioquímico oitocentista, e o *Colchicum*, o açafrão de outono). Ali me concedi alguns dias de descanso e redigi uma carta de 8 mil palavras aos meus pais, para encerrar aquele aqui e agora:

> O oceano Pacífico é quente (cerca de 24 graus) e enfraquece depois que os lagos congelam. Hoje fui pescar com um oftalmologista daqui, camarada chamado North, antes no Marys e no National, agora com clínica em Victoria. Ele se refere à ilha de Vancouver como um "pedacinho de paraíso

que acabou restando" e penso que em certo sentido tem razão. Ela tem florestas, montanhas, rios, lagos e o oceano... Por falar nisso, apanhei seis salmões, é só deixarmos a linha e eles mordem, mordem; umas maravilhas prateadas, que amanhã comerei no desjejum.

"Vou descer até a Califórnia daqui a dois ou três dias", acrescentei, "talvez num ônibus da Greyhound, pois soube que eles são especialmente rigorosos com caroneiros e às vezes atiram ao ver um deles."

***

Cheguei a San Francisco no final da tarde de um sábado, e naquela noite alguns amigos que eu conhecera em Londres me levaram para jantar. Na manhã seguinte, vieram me pegar de carro e fomos até a Golden Gate Bridge, subindo pelas encostas de pinheiros do monte Tamalpais até as matas de Muir, com um silêncio que parecia de igreja. Calei-me tomado de reverência sob as sequoias, e foi naquele momento que decidi que queria ficar pelo resto da vida em San Francisco, com seus arredores maravilhosos.

Havia inúmeras coisas a fazer: precisava obter visto de permanência; precisava encontrar um local para trabalhar, um hospital que me empregasse informalmente, sem remuneração, durante os meses que levaria até conseguir o visto permanente; queria todas as minhas coisas que estavam na Inglaterra — roupas, livros, papéis e (não menos importante) a minha fiel motocicleta Norton; precisava de todo tipo de documentação e precisava... de dinheiro.

Eu podia ser lírico e poético quando escrevia aos meus pais, mas agora devia ser prático e pragmático. Terminara a minha carta quilométrica de Qualicum Beach agradecendo a eles:

SE EU FICAR no Canadá, terei um salário razoavelmente generoso e tempo livre. Conseguiria economizar e até devolver parte do dinheiro que vocês gastaram prodigamente durante 27 anos da minha vida. Quanto às outras coisas intangíveis e incalculáveis que vocês me deram, só posso retribuir tendo uma vida muito útil e feliz, mantendo contato com vocês e visitando-os quando puder.

Agora, passada apenas uma semana, tudo mudara. Não estava mais no Canadá, não pensava mais numa vida na Força Aérea canadense, não pensava mais em voltar à Inglaterra. Escrevi outra vez aos meus pais — com receio, com sentimento de culpa, mas com resolução —, contando-lhes a minha decisão. Imaginei a raiva deles, as recriminações contra a minha decisão; não havia eu partido bruscamente (e talvez insidiosamente), dando as costas a eles, a todos os meus amigos e parentes, e até à própria Inglaterra?

Eles reagiram com grandeza, mas também manifestaram tristeza pela nossa separação, com palavras que ainda me destroçam ao lê-las cinquenta anos depois — palavras que devem ter custado muito à minha mãe, pois ela raramente falava dos seus sentimentos.

13 de agosto de 1960

Meu querido Oliver,

Muito obrigada por suas várias cartas e cartões. Li todos eles — com orgulho pela sua habilidade literária, com felicidade por estar aproveitando as suas férias, mas com um grande elemento de pesar e tristeza à ideia de sua ausência prolongada. Quando você nasceu, as pessoas nos congratularam pelo que consideravam uma família maravilhosa de quatro filhos! Onde estão todos vocês agora? Sinto-me solitária e desolada. Fantasmas habitam esta casa. Quando entro nos vários aposentos, sinto-me tomada por uma sensação de perda.

Em outro tom, meu pai escreveu: "Estamos conformados com uma casa relativamente vazia em Mapesbury". Mas então acrescentou um pós-escrito:

Quando digo que estamos conformados com uma casa vazia é uma meia verdade, claro. Nem preciso dizer que sentimos muito a sua falta o tempo todo. Sentimos falta da sua presença alegre, dos seus ataques vorazes à geladeira e à despensa, de você ao piano, de você nu levantando pesos em seu quarto — das suas saídas inesperadas à meia-noite em sua Norton. Estas e inúmeras outras lembranças da sua personalidade cheia de vida sempre permanecerão conosco. Quando contemplamos esta casa grande e vazia, sentimos um aperto no coração e uma profunda sensação de perda. Apesar disso, entendemos que você tem de abrir o seu caminho no mundo e é com você que deve ficar a decisão final!

Meu pai tinha escrito sobre "uma casa vazia" e a minha mãe escreveu: "Onde você está agora?... Fantasmas habitam esta casa".

Mas ainda havia uma presença muito concreta e real na casa, que era o meu irmão Michael. Em certo sentido, Michael tinha sido o filho "esquisito" desde os primeiros anos de vida. Ele sempre teve algo diferente: encontrava dificuldade em estabelecer contato, não tinha amigos, parecia viver num mundo próprio.

O mundo predileto do nosso irmão mais velho, Marcus, desde cedo foi o das línguas: aos dezesseis anos, falava uma meia dúzia delas. O mundo de David era o da música; poderia ter sido músico profissional. O meu era o da ciência. Mas qual era o tipo de mundo em que Michael vivia, nenhum de nós sabia. E no entanto ele era muito inteligente; lia sem parar, tinha uma memória fantástica e, para conhecer o mundo, parecia recorrer não à "realidade", mas aos livros. A irmã mais velha da minha mãe, tia Annie, que fora diretora de uma escola em Jerusalém durante quarenta anos, considerava Michael tão extraordinário que lhe deixou sua biblioteca inteira, embora o tivesse visto pela última vez em 1939, quando ele tinha apenas onze anos.

Michael e eu fomos despejados juntos, no começo da guerra, e passamos dezoito meses em Braefield, uma escola interna pavorosa nas Midlands, comandada por um diretor sádico cujo maior prazer na vida parecia ser surrar o traseiro dos garotinhos sob seu comando.[1] (Foi quando Michael aprendeu de cor *Nicholas Nickleby* e *David Copperfield*, mesmo nunca tendo comparado explicitamente a nossa escola a Dotheboys nem o nosso diretor ao monstruoso sr. Creakle de Dickens.)

Em 1941, aos treze anos, Michael foi para outro colégio interno, o Clifton College, onde foi atormentado impiedosamente. Em *Tio Tungstênio*, escrevi sobre o desenvolvimento da primeira psicose de Michael:

> Tia Len, que estava passando um tempo conosco, deu uma olhada em Michael quando ele passou, seminu, vindo do banho. "Olhem as costas dele!", ela disse aos meus pais, "está cheia de contusões e vergões! Se isso está acontecendo com seu corpo, o que não estará acontecendo na sua mente?" Meus pais pareceram surpresos, disseram que não tinham notado nada errado, pensavam que Michael estava gostando da escola, que não tinha problemas, que estava "bem".
>
> Pouco tempo depois, Michael tornou-se psicótico. Achava que um mundo mágico e maligno estava se fechando ao seu redor. [...] passou a acreditar, muito particularmente, que era "o favorito de um deus flagelo-maníaco", como ele o descreveu, que estava sujeito às atenções especiais de "uma Providência sádica". [...] Fantasias messiânicas ou delírios apareceram na mesma época — se estava sendo torturado ou punido, isso ocorria porque ele era (ou poderia ser) o Messias, aquele por quem havíamos esperado durante tanto tempo. Dilacerado entre o êxtase e o tormento, a fantasia e a realidade, sentindo que estava enlouquecendo (ou talvez já houvesse enlouquecido), Michael não conseguia dormir nem descansar, andava agitado pela casa, batendo os pés, dardejando olhares, sofrendo alucinações, gritando.
>
> Fiquei com pavor dele, por ele, pavor do pesadelo que estava se tornando realidade para ele [...]. O que aconteceria a Michael, e algo semelhante aconteceria comigo também? Foi nessa época que montei meu laboratório em casa e fechei as portas, fechei os ouvidos, para a loucura de Michael. [...] Não que eu fosse indiferente a Michael; condoía-me dele intensamente, de certo modo sabia o que estava passando, mas também precisava manter uma distância, criar meu próprio mundo na neutralidade e beleza da natureza, para não ser tragado pelo caos, loucura, sedução do mundo de Michael.*

Tudo isso teve um efeito devastador sobre os meus pais; sentiam piedade, alarme, horror e, acima de tudo, espanto. Tinham uma palavra para isso — "esquizofrenia" —, mas por que recaíra sobre Michael, e em idade tão precoce? Seria a terrível perseguição em Clifton? Seria algo nos seus genes? Ele nunca

---

* *Tio Tungstênio: Memórias de uma infância química*. Trad. Laura Teixeira Motta. São Paulo: Companhia das Letras, 2002.

pareceu um garoto normal; antes mesmo de sua psicose, era canhestro, ansioso, talvez "esquizoide". Ou — a hipótese mais dolorosa para os meus pais — seria fruto da forma como o haviam tratado ou maltratado? Qualquer que fosse a razão — natureza ou criação, problema bioquímico ou educacional —, a medicina certamente poderia ajudá-lo. Aos dezesseis anos, Michael deu entrada num hospital psiquiátrico e recebeu doze sessões de um "tratamento" de choques de insulina; o nível de açúcar no sangue diminuía tanto que ele perdia a consciência e então era normalizado com gotejamento intravenoso de glicose. Essa foi a primeira linha de tratamento da esquizofrenia em 1944, à qual se seguia, quando necessário, o tratamento com eletrochoques ou a lobotomia. A descoberta dos tranquilizantes só viria dali a oito anos.

Fosse devido aos comas de insulina ou por um processo natural de recuperação, Michael voltou do hospital três meses depois, não mais psicótico, mas profundamente abalado, sentindo que nunca poderia esperar uma vida normal. Durante o período de internamento, lera *Dementia Praecox; or, The Group of Schizophrenias* [Demência precoce, ou O grupo das esquizofrenias], de Eugen Bleuler.

Marcus e David haviam frequentado uma escola diurna em Hampstead, poucos minutos a pé da nossa casa, e agora Michael ficou contente em continuar lá os seus estudos. Se ele havia sofrido alguma transformação por causa da psicose, não ficou imediatamente visível; os meus pais preferiam pensar que era um problema "médico", do qual seria possível ter uma recuperação completa. Michael, porém, via sua psicose em termos totalmente diferentes; sentia que ela lhe abrira os olhos para coisas nas quais nunca havia pensado, em particular a exploração e a degradação dos proletários do mundo. Começou a ler um jornal comunista, *The Daily Worker*, e a frequentar uma livraria comunista na Red Lion Square. Devorou Marx e Engels, vendo-os como profetas, se não como messias, de uma nova era mundial.

Quando Michael estava com dezessete anos, Marcus e David haviam terminado a faculdade de medicina. Michael não queria ser médico e já estava cansado da escola. Queria *trabalhar* — não eram os trabalhadores o sal da terra? Um dos pacientes do meu pai tinha uma grande firma de contabilidade em Londres e disse que acolheria Michael de bom grado, como aprendiz de contador ou em qualquer outra função que ele quisesse. Michael foi muito claro sobre o papel que queria exercer; gostaria de ser mensageiro, entregar cartas ou pacotes que fossem importantes e urgentes demais para ficar a cargo do correio. Nisso ele era absolutamente meticuloso; insistia em entregar qualquer mensagem ou pacote que lhe fosse confiado apenas em mãos do destinatário e de mais ninguém. Gostava de andar por Londres e, se o tempo estivesse bom, de passar o intervalo do almoço num banco do parque, lendo *The Daily Worker*. Uma vez ele me disse que as mensagens aparentemente triviais que entregava podiam ter significados ocultos e secretos que apenas o destinatário entendia; era por isso que não podiam ser entregues a mais ninguém. Ainda que *parecesse* ser um mensageiro comum com mensagens comuns, disse Michael, estava longe de ser este o caso. Nunca comentou isso com mais ninguém — ele sabia que soaria estranho, se não insano — e começara a pensar que os nossos pais, os irmãos mais velhos e todos os profissionais da medicina pretendiam desvalorizar ou "medicalizar" tudo o que ele pensava e fazia, principalmente se tivesse algum toque de misticismo, pois entenderiam como indício de uma psicose. Mas eu continuava a ser o irmãozinho mais novo, de apenas doze anos de idade, ainda não medicalizador, capaz de ouvir com compreensão e sensibilidade qualquer coisa que ele dissesse, mesmo que não entendesse inteiramente.

Volta e meia — aconteceu muitas vezes nos anos 1940 e no começo dos anos 1950, quando eu ainda estava na escola — Michael tinha delírios e surtos psicóticos explosivos. Às vezes surgia um alerta: ele não *dizia* "preciso de ajuda", mas indicava com algum gesto extravagante, por exemplo atirando uma almofada ou um cinzeiro no chão do consultório do seu psiquiatra (que o acompanhava desde a psicose inicial). Isso significava e entendia-se que significava: "Estou saindo de controle; levem-me para o hospital".

Em outras vezes, ele não dava nenhum aviso, mas entrava

num estado alucinatório agitado e violento, gritando e batendo os pés — certa vez, arremessou o belo relógio antigo do avô contra uma parede —, e nessas ocasiões meus pais e eu ficávamos apavorados com ele. Apavorados e profundamente embaraçados — como poderíamos convidar amigos, parentes, colegas, *qualquer pessoa* para a nossa casa, com Michael delirando e esbravejando no andar de cima? Meus pais tinham consultório em casa. Marcus e David também relutavam em convidar os amigos para um manicômio, como a nossa casa às vezes parecia ser. Uma sensação de vergonha, de estigma, de segredo, ingressou na nossa vida, somando-se à realidade da condição de Michael.

Eu sentia um grande alívio quando saía de Londres nos fins de semanas ou nas férias — que, acima de qualquer outra coisa, eram férias de Michael, da sua presença às vezes intolerável. Mesmo assim, havia outros momentos em que a sua meiguice natural, o seu caráter afetuoso, o seu senso de humor voltavam a aflorar. Nessas horas, percebia-se que, mesmo quando surtava, o verdadeiro Michael, saudável e gentil, continuava ali sob a sua esquizofrenia.

***

Em 1951, quando minha mãe soube da minha homossexualidade e disse "Quisera que você nunca tivesse nascido", ela estava falando, embora eu não esteja certo de que entendi no momento, não só como acusação, mas por angústia — a angústia de uma mãe que, sentindo que perdera um filho para a esquizofrenia, agora temia estar perdendo outro para a homossexualidade, uma "condição" que na época era considerada uma vergonha e um estigma, com tremenda potencialidade de marcar e estragar uma vida. Eu era o seu filho favorito, o seu "turrãozinho" e "carneirinho" quando criança, e agora era "um *daqueles*" — fardo cruel que vinha coroar a esquizofrenia de Michael.

A situação mudou para Michael e milhões de outros esquizofrênicos, para melhor e para pior, por volta de 1953, quando surgiu o primeiro tranquilizante — um medicamento chamado

Largactil na Inglaterra e Thorazine nos Estados Unidos. Os tranquilizantes amorteciam e, talvez, impediam os delírios e alucinações, os "sintomas positivos" da esquizofrenia, mas às vezes cobravam um alto preço do indivíduo. Vi isso pela primeira vez, e de modo chocante, quando voltei a Londres em 1956, depois dos meses que passara em Israel e na Holanda, e notei que Michael estava encurvado, andando com passo arrastado.

"Ele está totalmente parkinsoniano!", disse eu aos meus pais.

"Sim", responderam, "mas está muito mais calmo com o Largactil. Passou um ano sem psicose." Tive de indagar, porém, como Michael se sentia. Estava desolado com os sintomas parkinsonianos — antes era um grande caminhante, andava muito, a passos largos —, mas estava ainda mais transtornado com os efeitos mentais do medicamento.

Tinha condições de continuar no emprego, mas perdera o senso místico que conferia profundidade e significado ao serviço de mensageiro; perdera a agudeza e clareza com que antes percebia o mundo; agora tudo parecia "amortecido". "É como se nos matassem aos poucos", concluiu ele.[2]

Quando diminuíram a dose de Largactil de Michael, os sintomas parkinsonianos cederam e, mais importante, ele se sentiu mais vivo e recuperou parte de sua sensibilidade mística — apenas para explodir outra vez, poucas semanas depois, num tremendo surto psicótico.

Em 1957, agora sendo eu mesmo estudante de medicina, interessado na mente e no cérebro, liguei para o psiquiatra de Michael e perguntei se poderíamos nos encontrar. Dr. N. era um homem bondoso, sensível, que conhecia Michael desde a psicose inicial, quase catorze anos antes, e que também estava preocupado com os novos problemas que via em muitos dos seus pacientes que tomavam Largactil. Estava tentando titular a droga para encontrar a dosagem que fosse suficiente, nem de mais nem de menos. Não tinha, ele confessou, muitas esperanças.

Eu me perguntava se os sistemas cerebrais ligados à percepção (ou projeção) de sentido, importância e intencionalidade, os sistemas por trás do senso de mistério e assombro, os sistema de apreciação da beleza da arte e da ciência, haviam se desequilibrado na esquizofrenia, produzindo um mundo mental sobrecarregado de emotividade intensa e de distorções profundas da realidade. Esses sistemas, ao que parecia, tinham perdido o terreno intermediário, de modo que qualquer tentativa de dosá-los, de amortecê-los, poderia tirar a pessoa de um estado patologicamente intensificado e passá-la para um estado de grande embotamento, uma espécie de morte mental.

A falta de traquejo social e a incapacidade de Michael em se virar no cotidiano (ele mal conseguia preparar uma xícara de chá para si mesmo) exigiam uma abordagem social e "existencial". Os tranquilizantes têm pouco ou nenhum efeito sobre os sintomas "negativos" da esquizofrenia — o retraimento, a insensibilização dos afetos e outros — que, à sua maneira crônica insidiosa, podem ser mais debilitadores, mais corrosivos para a vida do que qualquer sintoma positivo. Não é um problema apenas de medicação, mas é toda a questão de se ter uma vida agradável e dotada de sentido — com um sistema de apoio, um senso de comunidade, com amor-próprio e o respeito dos outros — que precisa ser abordada. Os problemas de Michael não eram apenas "médicos".

***

Eu podia, eu devia ter sido mais afetuoso, mais companheiro, quando voltei a Londres, para o curso de medicina; podia ter saído com Michael, levando-o a restaurantes, cinemas, teatros, concertos (o que ele nunca fazia por si só); podia ter ido com ele à praia ou ao campo. Mas não fui, e sinto uma vergonha disso — o sentimento de ter sido um mau irmão, de não estar ali quando ele tanto precisava — que ainda me queima por dentro, sessenta anos depois.

Não sei como Michael teria reagido se eu tivesse mostrado mais iniciativa. Ele levava sua própria vida rigorosamente restrita e controlada, e não gostava de nenhuma alteração nela.

A sua vida, agora que ele tomava tranquilizantes, era menos turbulenta, mas me parecia cada vez mais pobre e limitada. Não lia mais *The Daily Worker*, não frequentava mais a livraria da

Red Lion Square. Antes ele tinha certo sentimento de fazer parte de um coletivo, de compartilhar uma perspectiva marxista com outras pessoas, mas agora, esfriado seu ardor, se sentia cada vez mais solitário. Meu pai tinha esperança de que a nossa sinagoga oferecesse a Michael um apoio moral e pastoral, um senso de comunidade. Quando jovem, ele fora muito religioso — depois do bar mitsvá, usava as franjas, punha diariamente os filactérios e ia à escola rabínica sempre que podia —, mas aqui também o seu ardor arrefecera. Perdeu o interesse pela sinagoga, e a sinagoga, com a sua comunidade minguando — os judeus de Londres cada vez mais estavam emigrando ou se assimilando e se casando dentro da população geral —, perdeu o interesse por ele.

As leituras gerais de Michael, antes tão intensas e onívoras — tia Annie não lhe deixara toda a sua biblioteca? —, diminuíram drasticamente; ele abandonou quase por completo os livros e dava apenas uma olhada por cima nos jornais.

Penso que, apesar — ou talvez por causa — dos tranquilizantes, ele vinha se afundando num estado de apatia e indiferença. Em 1960, quando R. D. Laing publicou o seu magnífico *O eu dividido*, a esperança de Michael ressurgiu por algum tempo. Aqui estava um médico, um psiquiatra, vendo a esquizofrenia não como doença, mas como um modo de ser completo, até privilegiado. Embora o próprio Michael às vezes chamasse a nós, todos os integrantes do mundo não esquizofrênico, de "horrivelmente normais" (havia uma grande raiva embutida nessa expressão contundente), ele logo se cansou do "romantismo" de Laing, como dizia, e veio a considerá-lo um louco meio perigoso.

Quando deixei a Inglaterra, no dia em que completei 27 anos, foi em parte, entre muitas outras razões, para me afastar do meu trágico, incurável, descontrolado irmão. Mas talvez, em outro sentido, meu afastamento viesse a se transformar numa tentativa de explorar nos meus próprios pacientes e à minha própria maneira a esquizofrenia e outros distúrbios mentais e cerebrais associados a ela.

SAN FRANCISCO

Eu chegara a San Francisco, cidade com a qual sonhava havia muitos anos, mas não tinha visto de permanência e, portanto, não podia trabalhar nem receber nenhuma remuneração em termos legais. Mantivera contato com Michael Kremer, meu chefe de neurologia no Middlesex (ele fora totalmente favorável à minha decisão de escapar ao recrutamento; "agora uma perda de tempo total", disse ele), e, quando mencionei que pretendia ir para San Francisco, me sugeriu que procurasse seus colegas Grant Levin e Bert Feinstein, neurocirurgiões no Mount Zion Hospital. Eram pioneiros na arte da cirurgia estereotáxica, uma técnica que permitia inserir com segurança uma agulha diretamente em pequenas áreas do cérebro que, do contrário, seriam inacessíveis.[1]

Kremer me dera uma carta de apresentação e, quando encontrei Levin e Feinstein, eles concordaram em me contratar em caráter informal. Sugeriram que eu ajudasse a avaliar os pacientes antes e depois da cirurgia; não podiam me pagar um salário, pois eu não tinha visto de permanência, mas iam me ajudando com notas de vinte dólares. (Vinte dólares, na época, era bastante; um hotel médio custava três dólares a noite e ainda se usavam centavos em alguns parquímetros.)

Levin e Feinstein disseram que me arranjariam um quarto no hospital dali a poucas semanas, mas nesse meio-tempo, estando com pouquíssimo dinheiro, consegui ficar numa Associação Cristã de Moços; disseram-me que havia uma grande ACM residencial no Embarcadero, do outro lado do Ferry Building. O edifício era velho e um tanto dilapidado, mas parecia acolhedor e confortável, e me mudei para um quartinho no sexto andar.

Por volta das onze da noite, bateram de leve à minha porta. Falei: "Pode entrar"; a porta não estava trancada. Um rapaz enfiou a cabeça pela porta e, ao me ver, exclamou: "Desculpe, bati no quarto errado".

"Não, imagine", respondi, mal acreditando no que dizia. "Por que não entra?" Ele pareceu hesitar por um instante e então entrou, trancando a porta. Foi essa a minha apresentação à vida na ACM — portas num contínuo abre-fecha. Notei que alguns dos meus vizinhos recebiam cinco visitas por noite. Agora eu conhecia um novo sentimento de liberdade, até então inédito para mim: não estava mais em Londres, não estava mais na Europa; esse era o Novo Mundo e — dentro de certos limites — eu podia fazer o que quisesse.

Alguns dias depois, o Mount Zion avisou que tinha um quarto disponível para mim e me mudei para o hospital — sem prejuízo da minha aventura na ACM.

***

Passei os oito meses seguintes trabalhando para Levin e Feinstein; o meu regime oficial como interno do Mount Zion só começaria em julho.

Levin e Feinstein eram totalmente diferentes entre si — Grant Levin, calmo e ponderado; Feinstein, passional e intenso —, mas formavam uma bela dupla complementar, como os meus chefes de neurologia Kremer e Gilliatt em Londres (e os meus chefes de cirurgia Debenham e Brooks, no Queen Elizabeth Hospital em Birmingham).

Desde menino, eu sentia fascínio por essas parcerias; nos meus dias de química, li sobre a parceria de Kirchhoff e Bunsen e como foi indispensável a mútua colaboração de dois intelectos tão diferentes para a descoberta da espectroscopia. Em Oxford, ficara fascinado ao ler o famoso artigo de James Watson e Francis Crick sobre o DNA e ao ver como os dois eram diferentes. E, enquanto labutava no meu serviço não muito inspirador no

Mount Zion, vim a ler sobre outra dupla de pesquisadores aparentemente implausível e incongruente, David Hubel e Torsten Wiesel, que estavam ampliando a fisiologia da visão da maneira mais incrível e fantástica.

Além de Levin e Feinstein com os seus assistentes e enfermeiras, a unidade empregava um engenheiro e um físico — éramos dez ao todo — e o fisiólogo Benjamin Libet fazia visitas frequentes.[2]

Um paciente em particular me marcou e escrevi sobre ele aos meus pais, em novembro de 1960:

> Vocês se lembram de uma história de Somerset Maugham sobre um homem que sofreu um feitiço, lançado por uma moça da ilha em quem ele dera o fora, e ficou com uma crise fatal de soluços? Um dos nossos pacientes, um barão do café pós-encefalítico, está com soluços faz seis dias desde a operação, refratários a todas as medidas usuais e a algumas bastante inusuais, e receio que continue dessa maneira, a menos que a gente bloqueie os seus nervos frênicos ou algo assim. Sugeri que trouxessem um bom hipnotizador: fico curioso se funcionará. Vocês têm alguma experiência disso como um grande problema?

Minha sugestão foi recebida com ceticismo (eu mesmo tinha as minhas dúvidas), mas Levin e Feinstein concordaram em chamar um hipnoterapeuta; nada mais havia funcionado. Para nosso grande espanto, ele conseguiu hipnotizar o paciente e então lhe deu uma ordem: "Quando eu estalar os dedos, você vai despertar e não vai mais ter soluços".

O paciente despertou, livre dos soluços, que nunca mais voltaram.

***

Embora eu tivesse mantido um diário no Canadá, interrompi depois de chegar a San Francisco e só o retomei quando peguei outra vez a estrada. Mas continuei a escrever longas cartas pormenorizadas aos meus pais, e em fevereiro de 1961 escrevi contando que vira dois dos meus ídolos, Aldous Huxley e Arthur Koestler, numa conferência na UCSF:

Aldous Huxley fez um tremendo discurso sobre educação depois do jantar. Eu nunca o vira antes e fiquei surpreso com a sua altura e palidez cadavérica. Está quase cego agora, pisca constantemente os olhos parecidos com seixos e aperta os punhos fechados na frente deles (isso me intrigou, mas agora creio que era para obter algum foco estreito para a vista): tem um cabelo comprido como de cadáver flutuando nas costas e uma pele castanho-acinzentada cobrindo de modo muito frouxo e solto o contorno ossudo do rosto. Inclinado para a frente, numa concentração intensa, em certa medida se assemelhava ao esqueleto em meditação de Vesalius. Mas o seu intelecto maravilhoso continua bom como sempre, servido por uma perspicácia, um calor, uma memória e uma eloquência que deixaram todos assombrados algumas vezes... E por fim Arthur Koestler, sobre o processo criativo, uma análise maravilhosa quase inaudível e tão mal apresentada que metade do público foi embora. Koestler, aliás, se parece um pouco com Kaiser, um pouco com todos os professores de hebraico do mundo, e fala igual a eles [Kaiser, o nosso professor de hebraico, tinha sido uma presença constante em casa desde a minha infância.] Os americanos não ficam com a pele vincada, ao passo que o rosto de judeu lituano de Koestler era ostensivamente vincado, sulcado com rugas profundas de inteligência e angústia que pareciam quase obscenas naquela assembleia de rostos lisos!

Grant Levin, o meu cordial e generoso chefe, conseguira ingressos para todos nós, da unidade neurocirúrgica, para assistir a uma conferência chamada "O controle da mente", e muitas vezes distribuía ingressos para apresentações de música e teatro e outros eventos culturais em San Francisco, num farto banquete que me fazia amar cada vez mais a cidade. Escrevi aos meus pais, contando que assistira a Pierre Monteux com a Orquestra Sinfônica de San Francisco:

> Ele estava regendo (sempre um compasso atrás da orquestra, tive a impressão) e o programa incluía a *Symphonie Fantastique* de Berlioz (a cena da execução sempre me faz lembrar a daquela ópera horrível de Poulenc); *Till Eulenspiegel; Les Jeux*, de Debussy (tremenda; podia ter sido composta pelo Stravinski dos primórdios), e algumas bobagens menores de Cherubini. Monteux agora está com quase noventa anos e tem uma silhueta notável, estreita nos ombros e larga nos quadris, balançando e bamboleando ao andar, e um melancólico bigode francês, parecido com o de Einstein. O público perdeu a cabeça com ele, em parte, creio, como forma de pacificação (vaiaram-no há sessenta anos), em parte devido à

passageira mitomania um tanto condescendente da plateia, para a qual a idade avançada é, por si só, uma recomendação. Em todo caso, reconheço que é instigante pensar na quantidade incalculável de ensaios e estreias, nos fracassos retumbantes, nos sucessos estratosféricos, dos bilhões de notas em turbilhão que devem ter percorrido aquele velho cérebro nos seus noventa anos de idade.

Mencionei na mesma carta que tivera uma experiência estranha quando fui a uma festa beat em Monterrey:

> Minha apresentação ao dono da casa foi estranha: eles disseram "ele está aqui" e me conduziram ao banheiro. Lá vi uma figura que parecia uma espécie de Cristo com a barba erguida em agonia, agarrando a nádega sob a água quentíssima do chuveiro. Sem dúvida, a minha própria aparição, negra e brilhante, recém-saída da moto, foi igualmente inédita e alarmante para ele. Estava com um abscesso perianal doloroso, que lancetei com uma agulha grossa para tecidos de lona, esterilizada num fósforo. Saiu um jorro enorme de pus, acompanhado de um tremendo urro e depois o silêncio: ele havia desmaiado. Quando voltou a si, estava muito melhor, e saboreei a nova alegria de ser o prático, o médico-cirurgião habilidoso, que ajudara o artista sofredor. Mais tarde houve uma festa maluca de tipo beatnik, na qual algumas moças de óculos se punham em pé e declamavam poemas sobre o próprio corpo.

Na Inglaterra, a pessoa era classificada (classe operária, classe média, classe alta, o que fosse) tão logo abria a boca; ninguém se misturava, ninguém ficava à vontade com pessoas de classe diferente — sistema que, embora tácito, ainda assim era tão rígido e intransponível quanto o sistema de castas na Índia. Os Estados Unidos, imaginava eu, eram uma sociedade sem classes, um país onde todos, qualquer que fosse a origem, a cor, a religião, o nível de instrução ou a profissão, podiam se relacionar como seres humanos, como irmãos da mesma espécie animal, um lugar onde um catedrático podia conversar com um caminhoneiro, sem as categorias se interpondo entre eles.

Eu tivera uma breve amostra, um relance dessa democracia, dessa igualdade, quando percorri a Inglaterra de moto nos anos 1950. As motocicletas, mesmo na rígida Inglaterra, pareciam contornar as barreiras e criar uma espécie de descontração social e simpatia em todos. "Bela moto", dizia alguém, e tinha início a conversa. Os motociclistas formavam uma categoria amistosa; trocávamos acenos na estrada quando um passava pelo outro, começávamos facilmente uma conversa quando nos encontrávamos num café. Formávamos uma espécie de romântica sociedade sem classes dentro da sociedade em geral.

Ao ver que não fazia sentido trazer a minha moto da Inglaterra por navio, resolvi comprar uma nova — uma Norton Atlas, uma moto urbana adaptada que também servia para trilhas de montanha e de deserto. Podia guardá-la no pátio do hospital.

Então me enturmei com um grupo de motoqueiros, e todos os domingos de manhã a gente se encontrava na cidade. Atravessávamos a Golden Gate Bridge e tomávamos a estrada estreita, cheirosa de eucaliptos, que subia pelo monte Tamalpais; aí seguíamos pela crista da montanha tendo o Pacífico à nossa esquerda e descíamos numa larga arremetida para lancharmos juntos em Stinson Beach (ou às vezes em Bodega Bay, que logo ficaria famosa com o filme *Os pássaros*, de Hitchcock). O lance daqueles passeios matinais era a intensa sensação de vida, com o ar batendo no rosto, o vento no corpo, de um modo que só aos motociclistas é dado sentir. Aquelas manhãs guardam uma doçura quase intolerável na memória, e o mero perfume de eucalipto desperta instantaneamente imagens nostálgicas.

Nos dias de semana, eu costumava andar sozinho de moto por San Francisco. Mas, numa ocasião, aproximei-me de um grupo — muito diferente do nosso grupo tranquilo e respeitável de Stinson Beach —, um grupo ruidoso, desinibido, o pessoal sentado nas motos, fumando e bebendo cerveja. Quando me aproximei, vi o símbolo dos Hell's Angels nas jaquetas, mas era tarde demais para virar as costas e ir embora, e assim cheguei perto e falei: "Oi". Eles ficaram surpresos com a minha audácia e o meu sotaque inglês, e também ao saberem que eu era médico. Fui aprovado na hora sem precisar me submeter a nenhum rito de passagem. Eu parecia simpático, não criticava e era médico — e nessa condição era chamado de vez em quando para atender a algum motoqueiro machucado. Não me somava a eles nos seus passeios nem outras atividades, e a nossa relação afável e inesperada — tão inesperada para mim quanto para eles — veio a se extinguir serenamente depois que saí de San Francisco, um ano depois.

***

Se os doze meses entre a minha saída da Inglaterra e o meu ingresso formal como estagiário no Mount Zion tinham sido cheios de aventura, surpresa e entusiasmo, o estágio como médico interno — fazendo em algumas semanas o rodízio em clínica geral, cirurgia, pediatria etc. — era, em comparação, trivial e tedioso, e frustrante também, pois eu já tinha feito tudo isso na Inglaterra. Não conseguia mais ver a residência senão como uma perda de tempo burocrática, porém todos os médicos estrangeiros tinham de fazer dois anos de residência, a despeito da formação prévia.

Mas havia vantagens: eu podia ficar mais um ano na minha querida San Francisco sem pagar nada; o hospital fornecia cama e mesa. Meus colegas de residência, dos quatro cantos dos Estados Unidos, compunham uma turma variada e muitas vezes talentosa — o Mount Zion tinha bastante fama, o que (junto com a oportunidade de passar um ano em San Francisco) era um grande atrativo para médicos recém-formados; havia centenas de inscrições para a residência no Mount Zion, e o hospital podia se dar ao luxo de ser bem seletivo.

Eu era especialmente próximo de Carol Burnett, uma médica negra muito talentosa, nova-iorquina que era fluente em diversos idiomas. Certa vez, nós dois fomos chamados para auxiliar numa operação abdominal complicada, embora ficássemos apenas segurando os retratores e estendendo os instrumentos aos cirurgiões. Não houve nenhuma tentativa de nos mostrar ou ensinar nada e, afora alguma ríspida ordem ocasional ("Fórceps, rápido!", "Segure firme o retrator!"), os cirurgiões nos ignoravam. Falavam muito entre si e, a certa altura, passaram para o iídiche e fizeram alguns comentários feios e ofensivos sobre a presença de uma residente negra na sala de cirurgia. Carol ficou de ouvido atento e lhes respondeu num iídiche fluente. Os dois cirurgiões ficaram vermelhos e a operação foi subitamente suspensa.

"Nunca ouviram uma *schwartze* falando iídiche?", acrescentou Carol, dando uma alegre alfinetada adicional. Achei que os cirurgiões iam deixar cair os seus instrumentos. Envergonhados, pediram desculpas a Carol e se empenharam em tratá-la com especial consideração durante todo o resto do nosso rodízio cirúrgico juntos. (Perguntamo-nos se o episódio — e o fato de virem a conhecer e respeitar Carol como pessoa — exerceria um efeito duradouro sobre eles.)

***

Em muitos fins de semana, se não estava em serviço, eu saía de motocicleta para explorar a Califórnia do Norte. Encantava-me a história dos inícios da corrida do ouro na Califórnia; sentia especial apreço pela Highway 49 e por um minúsculo vilarejo-fantasma chamado Copperopolis, por onde eu passava a caminho do Mother Lode [Filão Principal].

Às vezes, eu subia pela estrada costeira, a Highway 1, passava pelas sequoias no extremo norte até Eureka e seguia até o lago da Cratera no Oregon (naquela época, não me parecia nada demais percorrer mais de mil quilômetros num estirão só). Foi no mesmo ano — que, não fosse isso, teria sido muito monótono apenas na residência — que descobri as maravilhas de Yosemite e do vale da Morte e fiz minha primeira visita a Las Vegas, que, naqueles dias sem poluição, dava para ver a oitenta quilômetros de distância, como uma miragem faiscante no deserto.

Mas, se fiz novos amigos em San Francisco, gostava da cidade e passeava muito nos fins de semana, o meu treinamento em neurologia estava parado, ou teria ficado parado se não fossem Levin e Feinstein, que me convidavam a conferências e me permitiam continuar a ver seus pacientes.

Foi em 1958, creio, que o meu velho amigo Jonathan Miller me deu um livro de poemas de Thom Gunn — *The Sense of*

Movement que acabava de ser lançado — e disse: "Você precisa conhecer Thom; é bem do seu gênero". Devorei o livro e decidi que, se realmente fosse à Califórnia, a primeira coisa que eu faria seria procurar Thom Gunn. Quando cheguei a San Francisco, perguntei sobre Thom e soube que ele estava na Inglaterra, numa bolsa em Cambridge. Mas voltou depois de alguns meses e o conheci numa festa. Eu tinha 27 anos, ele, uns trinta; não era uma diferença muito grande, mas eu sentia agudamente sua maturidade e segurança, o seu senso de identidade, sabendo quem era, quais eram seus dons, o que estava fazendo. Havia publicado até o momento dois livros; eu nunca publicara nada. Pensava em Thom como mestre e mentor (mas não muito como modelo, pois os nossos estilos de escrita eram bem diferentes). Em comparação a ele, eu me sentia ainda não formado, como um feto. No meu nervosismo, disse-lhe que, embora admirasse imensamente a sua poesia, um dos seus poemas, chamado "The Beaters", me incomodara muito, com o seu tema sadomasoquista. Ele ficou embaraçado e me repreendeu com delicadeza: "Não se deve confundir o poema com o poeta".[3]

De alguma forma — não consigo mais reconstituir exatamente como foi —, iniciamos uma amizade e decidi visitá-lo algumas semanas depois. Naqueles tempos, Thom morava na 975 Filbert, e essa rua, como os moradores de San Francisco sabem (mas eu não sabia), de repente se transforma numa ladeira com uma inclinação de trinta graus. Eu estava com a minha Norton de enduro e, correndo rápido demais na Filbert, de súbito fui arremessado ao ar, como num salto de esqui. Felizmente, a Norton enfrentou o salto sem problemas, mas fiquei atordoado; a coisa podia ter terminado mal. Quando toquei a campainha da casa de Thom, meu coração ainda batia forte.

Ele me convidou para entrar, me deu uma cerveja e perguntou por que eu sentira tanta vontade de conhecê-lo. Respondi apenas que muitos poemas dele pareciam repercutir profundamente dentro de mim. Thom parecia reservado. Quais poemas?, perguntou. E por quê? O primeiro poema dele que eu tinha lido era "On the Move", e comentei que, sendo eu mesmo um motociclista, o poema teve uma ressonância imediata em mim, como anos antes acontecera com "The Road", a breve peça lírica de T. E. Lawrence. E gostava do seu poema chamado "The Unsettled Motorcyclist's Vision of His Death", porque acreditava que, como Lawrence, eu também iria morrer na minha moto.

Não sei bem o que Thom viu em mim naquele momento, mas percebi nele uma grande simpatia e cordialidade pessoal, entrelaçadas com uma firme integridade intelectual. Thom, mesmo então, era lapidar e incisivo; eu era centrífugo e efusivo. Ele era incapaz de rodeios ou dissimulações, mas sua franqueza direta vinha sempre acompanhada também, pensava eu, de uma espécie de ternura.

Thom às vezes me dava os manuscritos dos seus novos poemas. Eu amava a energia contida e densa que havia neles — a contenção, o controle da paixão e da energia desregrada com a mais rigorosa, a mais disciplinada forma poética. Entre os seus novos poemas, o meu favorito era, talvez, "The Allegory of the Wolf Boy" ("At tennis and at tea/ Upon the gentle lawn, he is not ours,/ But plays us in a sad duplicity").* Correspondia a certa duplicidade que sentia em mim mesmo, que eu considerava, em parte, uma necessidade de ter identidades diferentes para o dia e para a noite. De dia, eu era o afável dr. Oliver Sacks, de avental branco, mas ao cair da noite eu trocava o avental branco pela roupa de couro de motociclista e, anônimo, feito um lobo, me esgueirava do hospital para perambular pelas ruas ou subir as curvas sinuosas do monte Tamalpais e então correr pela estrada enluarada até Stinson Beach ou Bodega Bay. Essa duplicidade era auxiliada pelo meu nome do meio, Wolf; para Thom e os meus amigos motoqueiros, o meu nome era Wolf; para os meus colegas médicos, era Oliver. Em outubro de 1961, Thom me deu um exemplar do seu novo livro, *My Sad Captains* [Os meus tristes capitães], com a dedicatória: "ao Wolf Boy (sem intenção de alegorias!), com *alles gute* e admiração, de Thom".

---

* "No tênis e ao chá/ No elegante jardim, ele não é dos nossos,/ Mas brinca conosco numa triste duplicidade." (N. T.)

***

Em fevereiro de 1961, escrevi aos meus pais contando que conseguira visto de permanência e agora era um imigrante dentro da lei — um "estrangeiro residente" — e declarara a minha intenção de obter cidadania, o que era possível sem renunciar à cidadania britânica.[4]

Comentei também que logo faria as provas oficiais — um exame bastante abrangente para médicos estrangeiros, para ver se realmente atendíamos aos requisitos em medicina, mas se também tínhamos base em ciências.

Eu escrevera antes aos meus pais, em janeiro, contando que planejava fazer "uma enorme viagem pelos Estados Unidos, voltando ao Canadá e até chegando ao Alasca, entre os meus exames e o começo da residência: provavelmente uns 15 mil quilômetros ao todo. Seria uma oportunidade única de ver o país e visitar outras universidades".

E agora, aprovado nos exames oficiais e com uma motocicleta mais adequada — trocara a minha Norton Atlas por uma BMW R69 usada —, estava pronto para partir. O meu tempo disponível diminuíra e não daria mais para incluir o Alasca no meu circuito norte-americano. Escrevi outra vez aos meus pais:

> Tracei uma grande linha vermelha no meu mapa: Las Vegas, vale da Morte, Grand Canyon, Albuquerque, cavernas de Carlsbad, New Orleans, Birmingham, Atlanta, Blue Ridge Parkway atravessando a Nova Inglaterra até Montreal, um desvio para o Quebec. Toronto, cataratas do Niágara, Buffalo, Chicago, Milwaukee. As Cidades Gêmeas, então subindo para o Parque Nacional das Geleiras e o Parque Nacional de Waterton, descendo para o Parque de Yellowstone, o lago do Urso, Salt Lake City. Volta para San Francisco. Doze mil e oitocentos quilômetros. Cinquenta dias. Quatrocentos dólares. Se eu evitar: insolação, enregelamento, prisão, terremotos, intoxicação alimentar e desastres mecânicos — ora, será a melhor época da minha vida! Próxima carta, da estrada.

Quando contei a Thom sobre os meus planos de viagem, ele sugeriu que eu mantivesse um diário — um registro das minhas experiências, "Encountering America" — e lhe enviasse. Fiquei na estrada por dois meses e enchi vários cadernos de notas, enviando-os a Thom um por vez. Aparentemente, ele gostou das minhas descrições de pessoas e lugares, de cenas e episódios, e julgou que eu tinha dotes de observação, embora às vezes criticasse os meus "sarcasmos e coisas grotescas".

Um dos diários que lhe enviei foi "Viaje Feliz".

VIAJE FELIZ (1961)

Alguns quilômetros ao norte de New Orleans, minha moto morreu. Puxei de lado e comecei a mexer no motor num acostamento distante da pista. Enquanto estava ali deitado de costas, senti com uma espécie de sexto sentido sísmico um tremor distante, como um terremoto longínquo. Veio avançando na minha direção, tornando-se uma trepidação, depois um ronco e por fim um rugido, culminando num guincho de freios a ar e uma alegre e sonora buzinada. Olhei para cima, paralisado, e vi o maior caminhão que já vira na vida, um verdadeiro Leviatã das estradas. Um Jonas sem-vergonha botou a cabeça para fora da janela e berrou para mim lá das alturas da cabine:

"Tem algo que eu possa fazer?"

"Ela pifou!", respondi. "Biela frouxa ou coisa assim."

"Que merda!", ele observou com simpatia. "Se soltar de vez, vai te arrancar a perna fora! Te vejo por aí."

Fez uma careta ambígua e manobrou o caminhão imenso, voltando para a estrada.

Continuei a rodar, e logo saí das baixadas pantanosas do delta. Rapidamente cheguei ao Mississippi. A estrada era muito sinuosa, caprichosa e sem pressa, passando em meandros entre florestas fechadas e pastos abertos, entre pomares e campinas, sobre meia dúzia de rios que se entrecruzavam, entrando e saindo de fazendas e vilarejos, tudo tranquilo e imóvel ao sol da manhã.

Mas, depois que entrei no Alabama, a moto começou a desandar depressa. Eu ficava atento a cada barulho diferente que ela fazia, avaliando ruídos que eram sinistros, mas ininteligíveis. Estava se desintegrando rapidamente, quanto a isso não havia dúvida; mas, ignorante e fatalista, achei que não podia fazer nada para impedir o seu destino.

Oito quilômetros adiante de Tuscaloosa, o motor falhou e travou. Segurei a embreagem, mas um dos cilindros já estava soltando fumaça perto do meu pé. Desci e deitei a moto no chão. Então fui até a beira da estrada, com um lenço branco na mão esquerda.

O sol descia no horizonte e um vento gelado se ergueu. O trânsito diminuía.

Eu já tinha quase perdido as esperanças e continuava a acenar apenas mecanicamente, quando de repente percebi incrédulo que um caminhão ia parar. Parecia conhecido. Estreitando os olhos, consegui ler o número de registro: 26539, Miami, FLA. É, era ele: o caminhão enorme que tinha parado de manhã ao meu lado.

Enquanto eu corria até ele, o motorista desceu da cabine, acenou a cabeça para a moto e deu um sorriso:

"Então você conseguiu acabar com ela, hein?"

Um garoto desceu do caminhão e veio atrás dele, e juntos inspecionamos o desastre.

"Alguma chance de rebocar até Birmingham?"

"Nããão, a lei não deixa!" Ele coçou a barbicha do queixo e então deu uma piscadela. "Vamos botar a moto dentro!"

Forcejando e ofegando, erguemos a pesada máquina e pusemos dentro do baú do caminhão. Por fim, ela ficou acomodada entre os móveis, amarrada com cordas, oculta a olhos curiosos debaixo de uma sacaria.

Ele voltou à cabine, o garoto seguiu atrás e depois eu também, e nos assentamos — nesta ordem — no banco largo. Fez uma pequena reverência e procedeu às apresentações formais:

"Este é o meu parceiro de viagens, Howard. Você, como se chama?"

"Wolf."

"Posso te chamar de Wolfie?"

"Pode, claro. E você?"

"Mac. Todos nós somos Mac, sabe, né? Mas eu sou o Mac autêntico e original! Pode ver pelo meu braço."

Seguimos alguns minutos em silêncio, cada qual avaliando secretamente o outro.

Mac parecia ter uns trinta anos, talvez cinco a mais ou a menos. Tinha um rosto vigoroso, alerta e de belos traços, com nariz reto, lábios firmes e um bigode aparado. Podia ter sido um oficial da cavalaria britânica; podia ter interpretado algum pequeno papel romântico na tela ou no palco. Foram estas as minhas impressões iniciais.

Ele usava o boné de pala que todo caminhoneiro usa e uma camisa com o nome da sua empresa: ACE TRUCKERS, INC. No braço havia uma faixa vermelha com a frase COMPROMISSO COM A CORTESIA E A SEGURANÇA, e semioculto sob a manga enrolada se via o nome MAC, entrelaçado em luta com um píton.

Howard podia passar por uns dezesseis anos, não fossem as linhas firmes que se arqueavam sobre a boca. Os lábios ficavam sempre ligeiramente abertos, mostrando grandes dentes amarelos, irregulares porém fortes, e uma gengiva de largura surpreendente. Tinha olhos do mais pálido azul, como os olhos de algum animal albino. Era alto e de físico bem-proporcionado, mas desengonçado.

Depois de algum tempo, ele virou a cabeça e me fitou com os seus olhos pálidos de animal. Primeiro, fitou diretamente dentro dos meus olhos, por um minuto; então ampliou o olhar para abarcar o resto do meu rosto, o meu corpo, a cabine do caminhão e a estrada que se movia monótona pela janela. Assim como a sua atenção se ampliou, da mesma forma se apagou e o rosto retomou o ar de devaneio vazio. O efeito era inquietante, a princípio, e depois misterioso. Com súbito horror e piedade, percebi que Howard era retardado mental.

Mac deu uma risadinha na escuridão. "Bom, acha que formamos uma boa dupla?"

"Logo veremos", respondi. "Até onde você vai me levar?"

"Até o fim do mundo, Nova York, em todo caso. Vamos chegar na terça, talvez na quarta."

E recaiu no silêncio outra vez.

Alguns quilômetros depois, ele me perguntou de súbito: "Já ouviu falar do processo de Bessemer?".

"Já", disse eu. "Nós 'fizemos' na aula de química na escola."

"Já ouviu falar de John Henry, o negro do aço? Bom, ele morava bem aqui. Quando criaram uma máquina para colocar hastes de aço no leito de um rio, disseram que nenhuma mão de obra humana era páreo para ela. Os negros fizeram uma aposta e trouxeram o mais forte deles: John Henry. Dizem que os braços dele tinham mais de meio metro de largura. Pegou uma marreta em cada mão e fincou cem estacas mais rápido do que a máquina deles. Então deitou e morreu. Sim, senhor! Esta é a terra do aço."

Estávamos rodeados de pátios de refugos, guinchos de automóveis, ramais ferroviários e oficinas de fundição. O ar ressoava com o clangor do aço, como se o Bessemer inteiro fosse uma fábrica de armas ou uma forja gigantesca. Labaredas encimavam as chaminés altas, rugindo conforme se erguiam das fornalhas abaixo.

Só uma vez eu vira uma cidade iluminada pelas chamas, e isso aos sete anos de idade, quando vi Londres na Blitz de 1940.

Depois de terminarmos o assunto de Bessemer e de Birmingham, Mac começou a falar à vontade sobre si mesmo.

Tinha comprado o caminhão com uma entrada de quinhentos dólares, e o saldo — 20 mil dólares — em prestações durante um ano. Pegava uma carga de até quinze toneladas e ia para todo e qualquer lugar: Canadá, Estados Unidos, México, desde que as estradas fossem razoáveis e faturasse alguma grana. Fazia uma média de 650 quilômetros numa jornada de dez horas; era proibido trabalhar mais num estirão só, embora isso fosse frequente. Entre uma coisa e outra, agora fazia doze anos que era caminhoneiro, e estava "andando em dupla" com Howard fazia apenas seis meses. Contou que tinha 32 anos e morava na Flórida, era casado, com dois filhos, e faturava 35 mil dólares ao ano.

Largou a escola aos doze anos e, como parecia ter mais idade, conseguiu um emprego de caixeiro-viajante. Aos dezessete entrou na polícia e aos vinte era um bom especialista em armas de fogo. Naquele ano, envolveu-se numa briga armada e escapou por um triz de levar um tiro na cara à queima-roupa. Depois disso se apavorou e se tornou caminhoneiro, embora ainda fosse membro honorário da força policial da Flórida e recebesse simbolicamente um dólar por ano.

Ele perguntou se eu já havia me metido numa briga de tiros. Não. Bom, ele já se metera numa quantidade que nem conseguia se lembrar, como policial e também como caminhoneiro. Eu podia ver o "amigo do caminhoneiro" logo debaixo do banco, se quisesse dar uma olhada; todos eles andavam armados na estrada. Mas o melhor recurso numa briga sem armas de fogo era uma corda de piano. Depois de enrolar no pescoço do adversário, ele não podia fazer nada. Era só dar uma puxadinha — e a cabeça pulava fora: fácil —, como cortar queijo! O tom de satisfação na sua voz era inequívoco.

Ele já havia transportado de tudo, de dinamite a peras, mas agora tinha ficado só com transporte de mobília, embora isso incluísse qualquer coisa que um sujeito pudesse ter em casa. Estava com o conteúdo de dezessete casas no baú, inclusive 350 quilos de pesos de halteres (propriedade de um fisiculturista que estava se mudando da Flórida), um piano de cauda feito na Alemanha, tido como o melhor do mundo, dez aparelhos de televisão (na parada da noite anterior, tiraram uma delas e ligaram para assistir) e uma cama antiga de quatro colunas a caminho da Filadélfia. Se eu quisesse, podia dormir nela a qualquer hora.

A cama de quatro colunas trouxe um sorriso saudoso ao seu rosto, e ele começou a falar de suas façanhas sexuais. Pelo visto, tinha um sucesso incrível em qualquer tempo e lugar, mas quatro mulheres ocupavam lugar de destaque entre as suas afeições: uma garota de LA que uma vez fugiu com ele como passageira clandestina nesse mesmo caminhão; duas damas solteiras da Virginia com as quais ficava ao mesmo tempo, que o cobriram de dinheiro e roupas durante anos; uma ninfomaníaca da Cidade do México, que podia ficar com vinte homens numa noite e continuava a querer mais.

À medida que se empolgava, os últimos vestígios de desconfiança desapareceram e Mac se revelou o grande Atleta Sexual e Contador de Histórias. Ele era uma dádiva dos céus para as mulheres solitárias.

Foi durante essa narração que Howard, até então afundado numa espécie de estupor, aguçou os ouvidos e deu os primeiros sinais de animação. Ao notar o fato, Mac primeiro satisfez suas vontades, prosseguindo no tema, e então começou a atiçá-lo de brincadeira: esta noite, disse Mac, ele ia trazer uma garota para a cabine e deixar Howard trancado no baú, mas outra noite qualquer, se o rapaz estiver disposto, ele poderá lhe arranjar uma puta (pronunciava "puita") de verdade. Howard foi ficando excitado e frenético, e começou a arfar de desejo; por fim avançou raivoso para cima de Mac.

Enquanto lutavam na cabine, entre a fúria e a brincadeira, o volante levou um tranco violento e o enorme caminhão deu uma oscilada perigosa na estrada.

Mas, entre as gozações, Mac também ia instruindo Howard, de maneira informal:

"Qual é a capital do Alabama, Howard?"

"Montgomery, seu filho da puta nojento!"

"Isso, certo. Nem sempre a cidade maior é a capital do estado. E aqueles ali são pés de noz-pecã; lá!"

"Vá à merda, não estou nem aí!", resmungava Howard, mas mesmo assim esticava o pescoço para ver.

Uma hora depois, chegamos a uma parada de caminhoneiros em algum cafundó do Alabama, pois Mac decidira que iríamos pernoitar lá: chamava-se "Viaje Feliz".

Entramos para tomar um café. Mac, com gentil determinação, resolveu que ia me entreter com "casos engraçados", dos quais tinha um estoque medonho sem fim, mas muito inferior às suas experiências pessoais. Tendo se desincumbido desse dever de amizade, foi se juntar ao pessoal em volta do jukebox.

Os caminhoneiros sempre se juntam em volta de um jukebox nos sábados à noite e se empenham ao máximo em chegar à parada nessas noites. O jukebox em Viaje Feliz, em particular, goza de certa fama, pois dispõe de uma grandiosa coleção de músicas e baladas de caminhão, verdadeiros épicos da estrada: brutais, melancólicos, obscenos ou saudosos, mas todos com uma energia e ritmo insistente, uma exaltação especial que evoca a própria poesia do movimento e das estradas sem fim.

Os caminhoneiros costumam ser homens solitários. Mas de vez em quando — como num bar lotado e escaldante de uma parada de caminhões, ouvindo melodias infinitamente conhecidas a retumbar no jukebox — aquela multidão inerte ganha impulso e, sem falar nem fazer nada, de repente se transfigura numa comunidade cheia de orgulho: cada qual ainda anônimo e apenas de passagem, mas ciente da sua identidade com os outros ao redor, todos os outros que vieram antes dele e todos os que aparecem nas canções e baladas.

Nessa noite, Mac e Howard, como todos os demais, se sentiram arrebatados e orgulhosos, numa inconsciente transcendência de si mesmos. Afundavam num devaneio atemporal.

Por volta da meia-noite, Mac teve um sobressalto violento e então puxou Howard pela gola. "Tá bom, garoto", disse ele, "vamos achar um lugar para dormir. Quer rezar a oração dos caminhoneiros antes de ir?"

Tirou um cartão dobrado do seu caderninho de bolso e me estendeu. Alisei o papel e li em voz alta:

Ó Deus, dai-me forças para essa viagem
Que faço por grana, não por malandragem.
Ajudai-me a não ter nenhum pneu furado,
Nem problema no motor e nada estragado.
Ajudai-me a passar na balança e no pedágio
Ou que então o delegado me libere ágil.
Afastai os domingueiros do meu rumo avante
E também, rogo-vos, as mulheres ao volante.
E quando eu acordar na minha boleia fedida,
Fazei que ovos e presunto sejam minha comida.
Que o café seja forte e as mulheres delicadas,
As garçonetes não umas mocreias, mas umas fadas.
Que a gasolina saia em conta e a estrada leve jeito
E na minha volta, Senhor, arranjai-me um leito.

Se atenderdes, Senhor, a essa minha oração,
Com sorte seguirei nesse velho e danado caminhão.

Mac levou seu cobertor e travesseiro para a boleia, Howard se enfiou num canto entre os móveis e eu me estendi sobre um amontoado de sacos ao lado da moto (a prometida cama de dossel estava mais à frente, inacessível).
Fechei os olhos e apurei os ouvidos. Mac e Howard cochichavam, usando a carroceria sólida do caminhão como condutor. Encostando o ouvido na parte de treliça do baú, agora também escutava outros barulhos — os sons de gente gracejando, bebendo, fazendo amor — que vinham de todos os outros caminhões a nossa volta, batendo nos meus tímpanos.
Fiquei deitado feliz ali no escuro, sentindo-me num verdadeiro aquário sonoro, e logo adormeci.

Domingo era dia de descanso, tanto no Viaje Feliz quanto no resto do país. A luz atravessando um vidro por cima de mim, cheiro de palha e de sacaria, cheiro do casaco de couro que me serve de travesseiro. Por um instante de aturdimento, imaginei que estava em algum grande celeiro, e então de repente me lembrei.
Ouvi um leve som de água corrente, que começou de súbito e foi terminando aos poucos, devagar, com dois pequenos jorrinhos finais. Era alguém urinando na lateral do caminhão; do *nosso* caminhão, pensei, tomado de um sentimento possessivo novo. Arrastei-me para fora dos sacos e fui na ponta dos pés até a porta. Uma trilha fumegante da roda até o chão era prova do crime, mas o infrator já se fora, sorrateiro.
Eram sete da manhã. Sentei no degrau alto da cabine e comecei a escrever no meu diário. Uma sombra caiu sobre a página; olhei para cima e reconheci um caminhoneiro que vira vagamente na noite anterior, no bar enfumaçado. Era John, o libertino louro do "Mayflower Transit Co.", talvez o próprio que urinara na nossa roda. Conversamos um pouco e ele me contou que saíra de Indianápolis — nosso próximo destino — na noite anterior: lá estava nevando.
Alguns minutos depois, apareceu outro caminhoneiro, baixo e gordo, com a camisa de estampa floral da "Tropicana Orange Juice Co., Fla", semidesabotoada, deixando à mostra uma barriga mole e peluda.
"Benza Deus, que frio que faz aqui", resmungou ele. "Ontem estava trinta e dois graus em Miami!"
Achegaram-se outros, falando das suas rotas e jornadas, de montanhas, oceanos e planícies, de florestas e desertos, de neves, granizos, trovões e ciclones — tudo isso visto no decorrer de um único dia. Ali em Viaje Feliz, estava reunido todo um mundo de viagens e experiências estranhas, naquela e em todas as noites.
Dei a volta até a traseira do caminhão e, pelas portas entreabertas, vi Howard

adormecido no seu nicho. A boca pendia aberta e mesmo os olhos — notei com aflição — não estavam inteiramente fechados. Por um momento achei que ele tinha morrido durante a noite, mas então vi que respirava e se mexia um pouco durante o sono.

Uma hora depois Mac acordou, despenteado e desalinhado, e desceu da cabine cambaleando; sumiu na direção do "alojamento" da parada, levando uma volumosa Gladstone de mão. Quando voltou alguns minutos depois, estava muito bem barbeado e penteado, com roupas limpas e frescas para o dia do Senhor.

Juntei-me a ele e fomos para o café.

"E Howard?", perguntei. "Devo acordá-lo?"

"Não. O garoto vai levantar mais tarde."

Era evidente que Mac queria conversar comigo sem que ele estivesse por ali.

"Se deixar, ele dorme o dia inteiro", resmungou ao café. "É um bom garoto, sabe, mas não muito inteligente."

Mac conhecera Howard havia seis meses — um vagabundo de 23 anos — e sentiu pena dele. O garoto tinha fugido de casa dez anos antes, e o pai — um banqueiro muito conhecido de Detroit — não se empenhou muito em encontrá-lo. Howard fora para a estrada e vagueara muito por aí, de vez em quando fazendo um bico avulso; às vezes pedindo esmola, às vezes roubando e conseguindo evitar prisões e igrejas. Esteve algum tempo no exército, mas logo foi dispensado como retardado.

Certo dia Mac lhe deu carona e o "adotou": agora o levava em todas as viagens, mostrando-lhe o país, ensinando-o a embalar e empacotar (e também a falar e agir) e lhe pagando regularmente um salário. Quando voltavam à Flórida, ao final de alguma viagem, Howard ficava com a esposa e a família de Mac, onde tinha um status de irmão mais novo.

Enquanto tomávamos a nossa segunda xícara de café, o belo rosto de Mac se turvou:

"Ele não vai ficar muito tempo mais, imagino. Talvez nem eu mesmo continue a dirigir por muito mais tempo."

Explicou que tivera um "acidente" estranho algumas semanas antes, quando perdeu os sentidos sem perceber e o caminhão saiu da estrada e entrou num campo. A seguradora pagou, mas insistiu que ele precisaria fazer um exame médico; o pessoal do seguro também levantou objeções ao fato de ter um acompanhante no caminhão, qualquer que fosse o resultado do exame.

Evidentemente Mac receia que o seu "desmaio" tenha sido epiléptico, como a seguradora deve também suspeitar, e que o exame médico porá fim à sua vida na estrada. Ele teve a precaução de arranjar um bom emprego em New Orleans, no ramo de seguros.

Howard entrou nesse momento, e Mac na mesma hora mudou de assunto.

Depois do café da manhã, Mac e Howard se sentaram num pneu abandonado, atirando pedras numa estaca de madeira. Ficamos falando à toa sobre várias coisas avulsas, para dissipar a branda indolência dominical, quinhão dos caminhoneiros. Depois de umas duas horas, sentiram-se entediados e subiram no caminhão para dormir outra vez.

Peguei uns sacos do baú e me estendi ao sol, rodeado de garrafas quebradas, tripas de linguiça, restos de comida, latas de cerveja, preservativos velhos e uma montoeira inacreditável de papéis usados e rasgados: aqui e ali um talo de alho-bravo ou um broto de alfafa despontava entre os refugos.

Enquanto escrevia ou cochilava ali deitado, volta e meia pensava em comida. Atrás de mim havia um bando de galinhas esquálidas escarafunchando a terra, que de vez em quando eu fitava com um suspiro anelante, pois antes Mac havia agitado o seu "amigo caminhoneiro" (uma automática que parecia muito eficiente) para elas, dizendo:

"Hoje tem frango para o jantar!", numa risadinha divertida

De hora em hora, mais ou menos, eu levantava para esticar as pernas e consumia quatro xícaras de café e um sorvete de nozes no bar, que agora somavam um total de 28 e sete, respectivamente.

Também fiz várias visitas ao banheiro local, estando com uma diarreia desenfreada depois de ter provado as pimentas ardidas de Mac na noite anterior.

Há cinco máquinas com preservativos na saleta dos sanitários, exemplo interessante mostrando como as pressões comerciais acompanham o homem nas suas mais íntimas necessidades. Esses belos artigos ("eletronicamente enrolados, selados com celofane, flexíveis, sensíveis e transparentes", era a extasiante descrição) saíam a meio dólar por três unidades, mas o preço estava grosseiramente rabiscado para parecer: TRÊS POR UM DÓLAR. Havia também uma máquina chamada Prolong, que fornecia uma pomada anestésica destinada, segundo o anúncio, a "ajudar na prevenção de um clímax prematuro". Mas John, o Libertino loiro, que vem se demonstrando um verdadeiro compêndio de informações sexuais, diz que a pomada para hemorroidas é muito melhor. O Prolong é forte demais — nunca dá para saber se o cara já ejaculou ou não.

No meio da tarde, Mac anunciou inesperadamente que íamos passar mais uma noite no Viaje Feliz. Estava com um sorriso contente e intencionalmente misterioso — sem dúvida, tinha combinado um encontro com Sue ou Nell na cabine para essa noite. Howard se comportava feito um cachorro excitado nessa atmosfera de intriga. Apesar de sua fanfarronice, desconfio (e Mac confirmou) que ele nunca tinha estado com uma mulher. Na verdade, Mac de vez em quando arranja alguma garota para ele, mas Howard — que tanto vocifera na consumação imaginária — fica tímido e ríspido perante a realidade, e as coisas sempre "desandam" no último instante.

Voltei ao meu diário e às minhas xícaras de café. De vez em quando saía para esticar as pernas e espiar curioso todos os caminhoneiros por ali, roncando na boleia, para comparar os rostos e as posturas que adotavam no repouso.

***

Às 4h20 surgiu a aurora a leste, vaga e indistinta. Um caminhoneiro acordou e foi até o alojamento para urinar. Voltou ao caminhão, conferiu a carga, alçou-se até a cabine e bateu a porta. Ligou o motor num ronco e saiu devagar. Os outros caminhões continuaram dormindo em silêncio.

Às cinco, o alvorecer fora abortado e substituído por uma garoa fina e constante. Um frangote arrepiado estava armando barulho e a zoeira dos insetos entre o capim já se iniciara.

Seis horas, o bar recende a bolinhos e manteiga, a ovos e bacon. As garçonetes do período noturno vão embora e me desejam boa sorte nas minhas andanças pelo país. Chega o pessoal do diurno, e sorriem ao me ver sentado à mesa que ontem ocupei durante o dia todo.

Agora posso entrar e sair à vontade do estabelecimento. Não me cobram mais nada. Tomei mais de setenta xícaras de café nas últimas trinta horas, e essa proeza merece alguma pequena concessão.

Oito horas, e Mac e Howard acabam de sair às pressas para o centro de Coleman, para ajudar os caras do Mayflower a desembalar a carga. O ritmo, de súbito, é outro, pois hoje não disseram nada, pularam o desjejum e não se lavaram. A maleta Gladstone de Mac foi posta de lado por mais uma semana.

Esgueirei-me para a boleia que Mac acabava de desocupar — ainda estava morna das suas horas úmidas de sono —, cobri-me com o seu cobertor velho e gasto e logo adormeci. Fui logo despertado, às dez, por uma chuvarada forte no teto da cabine, mas ainda não havia nem sinal de Mac e de Howard.

Finalmente apareceram às 12h30, com roupas e sapatos encharcados de ficarem transferindo a carga pesada durante um temporal.

"Bom Deus!", disse Mac. "Estou moído. Vamos comer e pegamos a estrada daqui a uma hora."

Isso foi há três horas, e ainda não saímos do lugar! Estão fumando, contando vantagem, bulindo, flertando, como se tivessem mil anos pela frente, sem a menor pressa. Louco de impaciência, fui para a cabine com os meus cadernos. John Libertino tentou me acalmar:

"Fica frio, garoto! Se Mac diz que chega a Nova York na quarta-feira, é porque chega, mesmo que fique aqui no Viaje Feliz até terça à noite."

Depois de quarenta horas aqui, essa parada de caminhões é absolutamente familiar. Conheço inúmeros caras — seus gostos e desgostos, suas piadas e manias. E eles conhecem os meus também, ou pelo menos pensam que sim, e me chamam de "doutor" ou "professor" com indulgência.

Conheço todos os caminhões — a tonelagem e as cargas, o desempenho e as peculiaridades, e as insígnias.

Conheço todas as garçonetes em Viaje Feliz — Carol, a patroa, tirou uma foto polaroide em que apareço entre Sue e Nell, com a barba por fazer, ofuscado pela luz do flash. Ela pendurou entre suas outras fotos, de forma que agora tenho o meu lugarzinho nessa família de milhares de irmãos, os seus "namorados" que vêm e vão nas longas rotas que atravessam o país.

"É!", dirá ela para algum futuro cliente surpreso, examinando a foto. "Este é o 'Doutor'. Grande sujeito, ele era, um pouco estranho talvez. Estava com Mac e Howard, aqueles dois ali. Muitas vezes me pergunto que fim ele terá levado."

MUSCLE BEACH

Quando finalmente cheguei a Nova York em junho de 1961, peguei dinheiro emprestado com um primo e comprei uma moto nova, uma BMW R60 — o modelo de BMW mais confiável de todos. Não queria mais saber de motos usadas, como a R69 que algum idiota ou criminoso havia equipado com os pistões errados, os pistões que tinham travado no Alabama.

Passei alguns dias em Nova York e então a estrada me chamou outra vez. Cobri milhares de quilômetros no meu retorno lento e sinuoso à Califórnia. As estradas eram esplendorosamente desertas e, viajando por Dakota do Sul e pelo Wyoming, podia passar horas sem ver uma alma viva. O silêncio da moto, a facilidade na direção concediam um ar mágico, onírico ao deslocamento.

Existe união direta entre um indivíduo e uma motocicleta, pois ela é tão equipada para a cinestesia, para os movimentos e posições das pessoas, que reage quase como se fizesse parte do seu corpo. Moto e motociclista se tornam uma entidade única e indivisível; é muito parecido com montar a cavalo. Isso não ocorre entre o carro e a pessoa.

Cheguei de volta a San Francisco no final de junho, bem a tempo de trocar minha roupa de couro de motoqueiro pelo avental branco de residente no Mount Zion Hospital.

Durante a minha longa viagem, comendo apenas uma coisa aqui e ali, eu perdera peso, porém, tendo malhado em academia sempre que possível, estava em boa forma, com menos de noventa quilos, quando apareci em junho em Nova York, com a minha moto nova e o meu novo físico. Mas, quando voltei a San

Francisco, decidi "ganhar massa" (como dizem os fisiculturistas) e tentar um recorde de levantamento de peso, um que achei que estaria ao meu alcance. No Mount Zion, era muito fácil ganhar peso, pois a cantina oferecia cheeseburgers duplos e milk-shakes enormes, que eram gratuitos para os estagiários e residentes. Impondo-me cinco cheeseburgers duplos e meia dúzia de milk-shakes no fim da tarde e malhando muito, ganhei massa rápido, passando da categoria meio-pesado (até noventa quilos) para pesado (até 110 quilos) e superpesado (sem limite de peso). Contei aos meus pais — como lhes contava quase tudo — e eles ficaram um pouco desconcertados, o que me surpreendeu, pois meu pai não era nenhum peso-pena e pesava mais de 110 quilos.[1]

Eu tinha praticado um pouco de levantamento de peso quando estudava medicina em Londres, nos anos 1950. Fazia parte de um clube de esportes judaico, o Maccabi, e disputávamos torneios com outros clubes esportivos, nas três modalidades de flexão em rosca, supino e agachamento.

Muito diferentes eram os três tipos olímpicos — o supino, o arranco e o arremesso — e aqui em nossa pequena academia tínhamos halterofilistas de categoria mundial. Um deles, Ben Helfgott, fora o capitão do time britânico de levantamento de peso nas Olimpíadas de 1956. Ficamos bons amigos (e mesmo agora, octogenário, ele ainda tem uma força e uma agilidade extraordinárias).[2] Experimentei os pesos olímpicos, mas era desajeitado demais. Os meus arrancos, principalmente, eram um perigo para quem estava em volta, e me disseram em termos nada ambíguos para sair da plataforma de levantamento olímpico e voltar para o levantamento de força.

Além do Maccabi, às vezes eu treinava na ACM Central de Londres, que tinha uma sala de levantamento de peso supervisionada por Ken McDonald, que fora o halterofilista representante da Austrália nas Olimpíadas. Ken carregava um bom peso no próprio corpo, principalmente da cintura para baixo; tinha coxas enormes e era um agachador de categoria mundial. Eu admirava sua capacidade de agachamento, e também queria desenvolver coxas como aquelas, bem como a potência nas costas, que é fundamental para o agachamento de arranco. Ken dava preferência a puxadas desde o chão, sem flexionar as pernas — levantamento concebido, na melhor das hipóteses, para machucar as costas, pois a carga inteira fica concentrada na região lombar e não é impulsionada, como deveria, pelas pernas. Quando melhorei com a sua supervisão, Ken me convidou para ir com ele a uma apresentação de levantamento de peso — nós dois nos alternando no levantamento terra. Ken ergueu 317 quilos. Consegui apenas 238, mas fui aplaudido e senti um breve prazer e orgulho por estar na companhia de Ken, mesmo sendo novato, nessa sua quebra do recorde de levantamento terra. O meu prazer foi muito efêmero, pois, alguns dias mais tarde, tive uma dor tão forte na região lombar que mal conseguia me mexer ou respirar; fiquei imaginando se não tinha fraturado uma vértebra. O raio X não mostrou nada errado, e a dor e os espasmos sumiram depois de alguns dias, mas eu viria a sofrer crises lombares excruciantes nos próximos quarenta anos (só desapareceram aos 65 anos ou foram, talvez, "substituídas" pela ciática).

Minha admiração pela rotina de treinamento de Ken se estendia à dieta especial, com muito líquido, que ele desenvolvera para ganhar massa. Ken aparecia para malhar com uma garrafa de dois litros com uma mistura densa e substanciosa de melado e leite, enriquecida com levedura e uma variedade de vitaminas. Resolvi fazer a mesma coisa, mas não levei em conta que, depois de algum tempo, a levedura fermenta o açúcar. Quando tirei a garrafa da minha sacola de ginástica, ela tinha inflado de uma maneira sinistra. Era evidente que a mistura havia fermentado; eu colocara a levedura com horas de antecedência, enquanto Ken (como me disse depois) polvilhava por cima pouco antes de ir para a academia. O conteúdo da garrafa estava sob pressão e fiquei com certo receio; era como se de repente me visse portando uma bomba. Achei que, se girasse a tampa bem devagar, a descompressão seria gradual, mas, logo que afrouxei um pouco a tampa, ela voou longe; os dois litros daquela gosma escura e pegajosa (e agora ligeiramente alcoólica) subiram feito um gêiser e se esparramaram por toda a sala. No começo foi uma gargalhada e depois veio a bronca, com a advertência categórica de nunca mais trazer à academia nada além de água.

***

A ACM Central em San Francisco tinha instalações especialmente caprichadas para o fisiculturismo. Na primeira vez em que fui até lá, chamou-me a atenção uma barra de supino com cerca de 180 quilos. Ninguém no Maccabi conseguia fazer supino com um peso daqueles e, quando olhei em volta, não vi nenhuma pessoa na ACM que encarasse esse peso. Pelo menos até a hora em que um sujeito baixo, mas muito troncudo e com um tórax tremendo, um gorila de cabelo branco, entrou manquejando na academia — tinha pernas um pouco arqueadas —, deitou-se na prancha e, como aquecimento, fez facilmente uma dúzia de repetições com a barra. Acrescentou outros pesos para a sequência de exercícios, chegando quase a 227 quilos. Eu estava com uma polaroide e tirei uma foto enquanto o sujeito descansava entre os exercícios. Depois fui conversar; ele era muito simpático. Disse que se chamava Karl Norberg, era sueco, trabalhara a vida inteira como estivador e agora estava com setenta anos. Desenvolvera naturalmente aquela força fenomenal; o seu único exercício tinha sido erguer caixas e barricas nas docas, muitas vezes uma em cada ombro, caixas e barricas que nenhuma pessoa "normal" conseguiria sequer tirar do chão.

Karl me inspirou e decidi erguer pesos maiores, para trabalhar no único tipo de levantamento em que já era bom: o agachamento. Com treino intensivo, até obsessivo, numa pequena academia em San Rafael, malhei até conseguir fazer cinco sequências de cinco repetições com 250 quilos [555 libras] a cada cinco dias. A simetria da coisa me agradava, mas o pessoal da academia achava graça: "Sacks e seus cincos". Não me dei conta de que era algo excepcional, até que outro halterofilista me incentivou a tentar o recorde de agachamento da Califórnia. Tentei, desconfiado, e para meu grande prazer consegui estabelecer um novo recorde, um agachamento erguendo uma barra com 272 quilos nos ombros. Esta viria a ser a minha apresentação ao mundo da musculação; um recorde de levantamento de peso nesses círculos equivale à publicação de um livro ou um artigo científico nos meios acadêmicos.

***

Na primavera de 1962, eu estava concluindo meu período de estagiário no Mount Zion, e a minha residência na Ucla devia começar em 1º de julho. Mas eu precisava de tempo para visitar Londres antes que a residência começasse. Fazia dois anos que não via meus pais, e minha mãe acabava de fraturar o quadril, e assim fiquei muito contente em estar com ela logo após sua operação. Mamãe lidou bem com o trauma, a cirurgia e as semanas subsequentes de dor e reabilitação, mostrando grande força de espírito, e estava decidida a retomar o atendimento dos seus pacientes tão logo deixasse as muletas.

A nossa escada em curva, com uma passadeira velha e os varões dos degraus às vezes frouxos, não oferecia segurança para alguém de muletas, e assim eu subia e descia com mamãe no colo, sempre que precisava — ela tinha sido contra os meus exercícios de musculação, mas agora ficava contente com a minha força —, e adiei minha volta até que ela conseguisse subir e descer as escadas sozinha.[3]

Na Ucla, nós, os residentes, tínhamos um semanário chamado *Journal Club*; líamos e debatíamos os artigos mais recentes de neurologia. Creio que às vezes o grupo ficava amolado comigo, pois eu dizia que também devíamos debater os textos dos nossos antepassados oitocentistas, comparando o que víamos nos pacientes com as observações e reflexões *deles*. Os colegas viam isso como um arcaísmo; dispúnhamos de pouco tempo e tínhamos coisas melhores a fazer do que examinar essas questões "obsoletas". Tal atitude se refletia implicitamente em muitos dos artigos que líamos; poucas referências faziam a qualquer coisa de mais de cinco anos antes. Era como se a neurologia *não tivesse* história.

Isso me parecia espantoso, pois penso em termos históricos e narrativos. Quando menino, doido por química, devorei livros e mais livros sobre a história da química, a evolução das suas ideias e a vida dos meus químicos favoritos. A química, para mim, também tinha uma dimensão histórica e humana.

Ocorreu algo parecido quando meus interesses passaram da química para a biologia. Aqui, claro, minha grande paixão era Darwin, e li não só a *Origem* e a *Descent* [Ascendência], não só *A viagem do Beagle*, mas também todos os seus livros de botânica, bem como *Coral Reefs* [Recifes de coral] e *Earthworms* [Minhocas]. O que mais amei foi a autobiografia.

Eric Korn tinha uma paixão semelhante; acabou desistindo da carreira acadêmica em zoologia e se tornou livreiro antiquário especializado em darwiniana e na ciência do século XIX. (Era consultado por livreiros e acadêmicos do mundo inteiro, devido ao seu conhecimento inigualável de Darwin e da sua época, e era bom amigo de Stephen Jay Gould. Chegaram a pedir a Eric — ninguém mais teria condições disso — para reconstituir a biblioteca pessoal de Darwin na Down House.)

Eu, pessoalmente, não era colecionador de livros e, quando comprava, era para lê-los, não para mostrá-los. Assim, Eric me reservava os livros do seu acervo que estivessem rasgados ou danificados, sem capa ou página de rosto — os quais nenhum colecionador iria querer, mas que eu teria condições de comprar. Quando os meus interesses se transferiram para a neurologia, foi Eric quem me conseguiu o *Manual* de Gowers de 1888, as *Conferências* de Charcot e uma profusão de textos do século XIX menos conhecidos, mas para mim belos e inspiradores. Muitos deles adquiriram importância central nos livros que vim a escrever mais tarde.

***

Fiquei fascinado por uma das primeiras pacientes que vi na Ucla. Não é raro que a pessoa tenha uma contração mioclônica súbita ao adormecer, mas aquela jovem tinha uma mioclonia muito mais grave e reagia a uma luz bruxuleante de determinada frequência com súbitas contrações convulsivas do corpo ou, de vez em quando, com acessos inteiros. Esses problemas existiam na sua família fazia cinco gerações. Com os meus colegas Chris

Herrmann e Mary Jane Aguilar, escrevi o meu primeiro artigo (para o periódico *Neurology*) sobre ela e, fascinado pelas contrações mioclônicas e pelas várias condições e circunstâncias em que podem ocorrer, escrevi um livrinho sobre todas elas, a que dei o título de *Myoclonus*.

Em 1963, quando Charles Luttrell, neurologista conhecido pelo seu destacado trabalho sobre mioclonia, visitou a Ucla, falei-lhe do meu interesse no tema e disse que agradeceria muito a sua opinião sobre o meu livrinho. Ele foi muito amável e lhe dei o manuscrito original, do qual não tinha nenhuma cópia. Passou-se uma semana, depois outra, e mais outra, e após seis semanas não consegui conter mais minha impaciência e escrevi ao dr. Luttrell. Soube então que ele morrera. Fiquei chocado. Escrevi uma carta de condolências à sra. Luttrell, em que comentei minha admiração pelo trabalho de seu marido, mas achei que, naquelas circunstâncias, seria impróprio pedir que me devolvesse o manuscrito. Nunca pedi e o manuscrito nunca voltou. Não sei se ainda existe; provavelmente foi jogado fora, mas talvez ainda esteja esquecido no fundo de alguma gaveta.

**

Em 1964, atendi um rapaz enigmático, Frank C., na clínica neurológica da Ucla. Ele tinha repuxões incessantes na cabeça e nos membros, que haviam começado aos dezenove anos de idade, piorando gradualmente com o tempo; em data mais recente, o seu corpo inteiro passara a ser sacudido por fortes contrações durante o sono. Ele tentara tranquilizantes, mas nada parecia diminuir os repuxões, e Frank, deprimido, passara a beber muito. Contou que o pai começara a ter os mesmos movimentos com vinte e poucos anos, entrara em depressão, tornara-se alcoólatra e finalmente se suicidara aos 37 anos. Frank agora estava, ele também, com 37 anos, e disse que imaginava muito bem como o pai se sentira; tinha medo de dar o mesmo passo.

Ele estivera no hospital seis meses antes, e vários diagnósticos foram aventados — Huntington, parkinsonismo pós--encefalítico, doença de Wilson e outros —, mas nenhum deles pôde ser confirmado. Assim, Frank e sua estranha doença apresentavam um enigma. A certa altura, fitei a cabeça dele, pensando: "O que se passa ali dentro? Gostaria de ver o seu cérebro".

Meia hora depois de Frank ter saído da clínica, uma enfermeira entrou correndo e disse: "Dr. Sacks, o seu paciente acabou de morrer, atropelado por um caminhão; a morte foi instantânea". Fez-se uma autópsia imediata e, duas horas depois, eu estava com o cérebro de Frank nas mãos. Senti-me péssimo — e culpado. Será que o meu desejo de ver o seu cérebro tivera algum papel no seu acidente fatal? Outra dúvida que me perseguia era se ele decidira pôr fim à situação e entrara de propósito na frente do caminhão.

O seu cérebro era de tamanho normal e não mostrava nenhuma grande anormalidade, mas, quando examinei algumas lâminas sob o microscópio, alguns dias depois, fiquei surpreso ao ver um grande inchaço e tortuosidade dos axônios nervosos, massas esféricas pálidas e pigmentação marrom-avermelhada decorrente de depósitos de ferro na substância negra, no globo pálido e nos núcleos subtalâmicos — todos eles partes do cérebro que regulam o movimento —, e em nenhum outro lugar.

Eu nunca havia visto inchaços tão grandes restritos aos axônios nervosos ou fragmentos soltos de axônios; não ocorriam na doença de Huntington nem em nenhuma doença que eu conhecesse. Mas tinha visto imagens desses inchaços axonais, fotos ilustrando uma doença muito rara descrita por dois patologistas alemães, Hallervorden e Spatz, em 1922 — doença que começava na juventude com movimentos anormais, mas então, conforme avançava, provocava sintomas neurológicos generalizados, demência e morte. Hallervorden e Spatz observaram essa doença fatal em cinco irmãs. A autópsia revelou que os seus cérebros continham inchaços axonais e fragmentos soltos de axônios, além de descolorações amarronzadas no globo pálido e na substância negra.

Assim, parecia que Frank podia ter a doença Hallervorden-Spatz e que sua morte trágica nos permitira ver sua base neuronal num estágio muito incipiente.

Se eu estivesse certo, tínhamos um caso que exemplificava,

melhor do que qualquer outro já descrito, as alterações iniciais e fundamentais na doença Hallervorden-Spatz, ainda isenta de todas as características secundárias vistas em casos mais adiantados. Estava intrigado com a estranheza de uma patologia que parecia afetar apenas os axônios nervosos, deixando intocados os corpos das células nervosas e as camadas de mielina dos axônios.

No ano anterior, eu vira um artigo de David Cowen e Edwin Olmstead, neuropatologistas da Universidade Columbia, descrevendo uma doença axonal primária em tenra idade: aqui, a doença podia se apresentar já no segundo ano de vida da criança e ser fatal aos sete anos. Mas, à diferença da doença Hallervorden--Spatz, em que as anormalidades axonais se restringiam a áreas pequenas, porém cruciais, na distrofia neuroaxonal infantil (como a chamaram Cowen e Olmstead) havia uma distribuição generalizada de fragmentos e inchaços axonais.

Perguntei-me se haveria algum modelo animal de distrofia axonal, e então descobri por acaso que dois pesquisadores no nosso departamento de neuropatologia estavam trabalhando exatamente nessa questão.[4] Um deles, Stirling Carpenter, estava trabalhando com ratos alimentados com uma dieta deficiente em vitamina E; esses pobres ratos perdiam o controle das caudas e dos membros traseiros porque a sensação proveniente dessas áreas era bloqueada pela lesão axonal nas partes sensoriais da medula espinhal e os seus núcleos no cérebro — uma distribuição da lesão axonal totalmente diferente da que se tinha na doença Hallervorden-Spatz, mas que talvez lançasse alguma luz sobre o mecanismo patogênico envolvido.

Outro colega na Ucla, Anthony Verity, estava trabalhando numa síndrome neurológica aguda que podia ser produzida em animais de laboratório ministrando-lhes um composto tóxico de nitrogênio, iminodipropionitril (IDPN).[5] Camundongos que receberam o composto desenvolveram uma agitação desenfreada, girando em círculos ou correndo para trás incessantemente, acompanhada por contrações involuntárias, olhos esbugalhados e priapismo; também tiveram grandes mudanças axonais, mas localizadas nos sistemas de excitação do cérebro.

Às vezes se usava a expressão "camundongos valsando" para esses roedores ativos excitados e em atividade incessante, mas o termo tão decoroso é incapaz de transmitir a tremenda gravidade dessa síndrome. O silêncio habitual do departamento de neuropatologia era pontuado por gritos e guinchos agudos dos camundongos hiperexcitados. Embora os camundongos intoxicados com IDPN fossem muito diferentes dos ratos com deficiência de vitamina E arrastando atrás de si os membros abertos, e muito diferentes das condições humanas da doença de Hallervorden--Spatz e da distrofia neuroaxonal infantil, todos pareciam ter uma mesma patologia em comum: uma séria lesão restrita aos axônios das células nervosas.

Seria possível concluir que era o mesmo tipo de distrofia axonal, embora em regiões diferentes do sistema nervoso, que gerava síndromes humanas e animais tão diferentes?

Depois que me mudei para Los Angeles, sentia falta dos passeios matinais aos domingos até Stinson Beach com os meus amigos motociclistas, e voltei a ser um motoqueiro solitário; nos fins de semana, saía em longos percursos solo. Logo que encerrava o trabalho na sexta-feira, selava o meu cavalo — às vezes via a minha moto como um cavalo — e partia para o Grand Canyon, a oitocentos quilômetros de distância, mas pela Rota 66, em linha reta. Viajava de noite, debruçado sobre o tanque; a moto tinha apenas trinta cavalos, mas, se eu ficasse bem inclinado, conseguia chegar quase a 160 por hora e, abaixado assim, conseguia manter a moto deslizando por horas e horas. Iluminada pelo farol — ou pela lua cheia, quando havia —, a estrada prateada desaparecia sob a roda dianteira, e às vezes eu tinha estranhas ilusões e inversões perceptuais. Algumas vezes sentia que estava inscrevendo uma linha na superfície da terra, outras vezes que estava imóvel, equilibrado no solo, o planeta inteiro girando em silêncio sob mim. Eu parava apenas nos postos de gasolina, para completar o tanque, esticar as pernas e trocar algumas palavras com o frentista. Se mantivesse velocidade máxima, conseguia chegar ao Grand Canyon a tempo de ver o pôr do sol.

De vez em quando, eu parava num hotelzinho a alguma distância do cânion, onde podia dormir um pouco, mas geralmente ficava ao ar livre, no meu saco de dormir. Às vezes havia nisso alguns riscos — e não só ursos, coiotes ou insetos. Uma noite, indo pela Rota 33, a estrada deserta de Los Angeles a San Francisco, parei e estendi o meu saco de dormir sobre algo que, no escuro, parecia ser um leito natural de um belo musgo macio. Respirando o ar límpido do deserto, dormi muito bem, mas de manhã percebi que me deitara sobre um volume enorme de esporos de fungos, que devo ter inalado durante a noite inteira. Era o *Coccidiomyces*, um famoso fungo nativo do Vale Central que pode causar desde leves problemas respiratórios até a chamada febre do Vale e, vez por outra, uma meningite ou pneumonia fatal. Fiz um exame de pele para o fungo que deu positivo, mas felizmente não desenvolvi nenhum sintoma.

Eu transcorria os meus fins de semana passeando no Grand Canyon ou às vezes no Oak Creek Canyon, com os seus roxos e vermelhos maravilhosos. Às vezes ia até Jerome, uma cidade-fantasma (apenas anos depois é que ela foi embelezada para os turistas) e uma vez visitei o túmulo de Wyatt Earp — uma das grandes figuras românticas do Velho Oeste.

Voltava para Los Angeles no domingo à noite e, com a resistência da juventude, aparecia radiante e bem-disposto às oito da manhã da segunda-feira, para os turnos de neurologia, nem parecendo que percorrera mais de 1,6 mil quilômetros no fim de semana.

***

Algumas pessoas, talvez mais nos Estados Unidos que na Europa, têm um "problema" com motocicletas e motociclistas — uma fobia ou um ódio irracional que pode desencadear alguma ação.

Minha primeira experiência nesse sentido foi em 1963, quando estava no Sunset Boulevard, em velocidade de passeio, aproveitando o belo dia de primavera e cuidando da minha vida. Ao ver pelo retrovisor um carro atrás de mim, fiz sinal para o motorista me ultrapassar. Ele acelerou, mas, quando chegou ao meu lado, de repente virou bruscamente para cima de mim, me obrigando a desviar para evitar uma batida. Não me passou pela cabeça que fosse algo deliberado; achei que o motorista era barbeiro ou talvez estivesse bêbado. Depois de me ultrapassar, o carro diminuiu a marcha. Diminuí também, mas ele me fez sinal para passar. Quando passei, ele deu uma guinada para o meio da avenida e evitei por um triz que me batesse na lateral. Dessa vez, não restava dúvida que era de propósito.

Nunca comecei uma briga. Nunca agredi ninguém, a menos que fosse agredido antes. Mas essa segunda agressão, potencialmente assassina, me deixou furioso, e resolvi revidar. Mantive uma distância de uns cem metros atrás do carro, fora da sua linha de visão, mas preparado para avançar se ele tivesse de parar num semáforo. Foi o que aconteceu quando chegamos ao Westwood Boulevard. Sem barulho — minha moto era bem silenciosa — cortei pelo lado do motorista, na intenção de quebrar uma janela ou de riscar a pintura do carro quando emparelhasse com ele. Mas, ao ver que a janela do motorista estava aberta, meti o braço por ela, agarrei o nariz dele e torci com toda a força que tinha; o sujeito deu um berro e, quando soltei, a cara dele estava roxa. Ele ficou perplexo demais para fazer qualquer coisa e eu segui em frente, sentindo que não havia feito nada que não me tivesse sido justificado pelo seu atentado contra a minha vida.

Um segundo episódio desses aconteceu quando eu estava indo para San Francisco pela Rota 33, estrada deserta que raramente era usada; eu adorava o vazio da estrada, a ausência de tráfego, e lá ia eu em marcha lenta, nos meus 110 por hora, quando vi um carro pelo retrovisor, indo (imaginei) a uns 145 por hora. O motorista tinha a estrada inteira para me ultrapassar, mas (como o motorista de Los Angeles) tentou me tirar da pista. Conseguiu, e tive de sair para o acostamento reservado para panes e emergências, um acostamento de terra. Por milagre, consegui manter a moto em pé, levantando uma enorme nuvem de poeira, e retomei a estrada. Meu agressor estava agora uns duzentos metros adiante. Minha reação principal foi mais de raiva que de medo, e peguei um monopé do bagageiro (naquela época, eu gostava muito de fotografar paisagens e sempre viajava com câmera, tripé, monopé etc., amarrados na moto). Comecei a girar o monopé por cima da cabeça, como o coronel louco sentado em cima da bomba na cena final de *Dr. Fantástico*. Eu devia parecer demente — e perigoso —, pois o carro acelerou. Acelerei também e, forçando o motor até onde dava, comecei a alcançá-lo. O motorista tentou me tirar da estrada dirigindo de modo instável, diminuindo de repente ou ziguezagueando de um lado para outro na estrada vazia; não conseguindo, ele entrou numa estrada secundária que apareceu de repente, a qual ia dar na cidadezinha de Coalinga — um erro, pois ele entrou num labirinto de estradas menores, estando eu na sua cola, e por fim ficou preso numa via sem saída. Saltei da moto (eu e os meus 120 quilos) e corri até o carro bloqueado, agitando o monopé. Enxerguei dentro do carro dois casais de adolescentes aterrorizados, mas, quando vi a juventude, o desamparo, o medo daquelas quatro pessoas, descerrei a mão e deixei cair o monopé.

Dei de ombros, apanhei o monopé, voltei para a moto e fiz sinal para que fossem embora. Todos nós, acredito, temíamos pelas nossas vidas, sentimos a proximidade da morte, naquele nosso duelo bobo e potencialmente fatídico.

***

Quando percorria a Califórnia na minha motocicleta, sempre levava minha Nikon F com um conjunto de lentes. Gostava especialmente das lentes macro, que me permitiam tirar closes de flores e cascas de árvores, de liquens e musgos. Também tinha uma câmera Linhof 4 por 5 com um tripé robusto. Tudo isso, embrulhado no meu saco de dormir, ficava protegido contra vibrações e solavancos.

Eu conhecera a magia de revelar e imprimir fotos nos tempos de garoto, quando o meu pequeno laboratório de química, com as suas cortinas escuras, também servia como quarto de revelação, e agora revivia essa magia na Ucla; tínhamos uma câmara escura magnificamente equipada no departamento de neuropatologia, e eu adorava ver as imagens aparecendo aos poucos enquanto agitava as folhas nas bandejas de revelação. A fotografia de paisagens era minha favorita, e os meus passeios de moto nos fins de semana às vezes se inspiravam na revista *Arizona Highways*, com fotos maravilhosas de Ansel Adams, Eliot Porter e outros — fotógrafos que se tornaram meus modelos.

Consegui um apartamento perto da Muscle Beach, em Venice, ao sul de Santa Monica. Havia grandes nomes na Muscle Beach, entre eles Dave Ashman e Dave Sheppard, ambos levantadores de peso nas Olimpíadas. Dave Ashman, um policial, tinha uma modéstia e sobriedade muito raras num mundo de maníacos pela forma física, usuários de esteroides, bebuns e fanfarrões. (Embora naquela época eu estivesse consumindo montes de outras drogas, nunca usei esteroides.) Disseram-me que ninguém batia Dave no agachamento frontal, um levantamento muito mais difícil e complicado que o agachamento costal, porque a pessoa segura a barra na frente do tórax e não sobre os ombros, e é preciso se manter reto e em equilíbrio perfeito. Quando fui num domingo à tarde até a plataforma de levantamento de pesos na Venice Beach, Dave me olhou, o garoto novo no pedaço, e me desafiou para um agachamento frontal. Eu não podia recusar o desafio; ficaria marcado como fracote ou covarde. Falei: "Tudo bem!", numa voz que pretendia transmitir força e confiança, mas que saiu como um débil grasnido. Fui empatando com ele vez a vez, até 227 quilos, mas achei que estava liquidado quando ele passou de 227 para 250 quilos. Para a minha surpresa — eu quase nunca tinha feito agachamentos frontais antes —, empatei com ele. Dave disse que era o seu limite, mas eu, num impulso de fanfarrice, propus 260 quilos. Consegui — por pouco —, embora sentindo os olhos quase fora das órbitas e receando o nível da pressão sanguínea na cabeça. Depois disso, fui aceito na Muscle Beach e ganhei o apelido de Dr. Agacha.

Havia muitos outros sujeitos fortes na Muscle Beach. Mac Batchelor, dono de um bar que todos frequentávamos, tinha as mãos maiores e mais fortes que vi na vida; era o campeão mundial inconteste de queda de braço, e diziam que ele conseguia dobrar um dólar de prata com as mãos, mas nunca vi. Havia dois gigantes — Chuck Ahrens e Steve Merjanian — que gozavam do status de semideuses e ficavam um pouco afastados do restante do pessoal da Muscle Beach. Chuck conseguia fazer o levantamento lateral com um braço com um haltere de 170 quilos, e Steve inventara um novo exercício — o levantamento em banco inclinado. Ambos pesavam cerca de 135 quilos e exibiam peitos e braços enormes; eram companheiros inseparáveis e ocupavam todo o espaço do Fusca que tinham.

Mesmo sendo enorme, Chuck queria ficar ainda maior, e um dia ele apareceu de surpresa, ocupando todo o vão da porta, enquanto eu estava trabalhando na neuropatologia da Ucla. Falou que andava pensando sobre o hormônio de crescimento humano — será que eu podia lhe mostrar onde ficava a pituitária? Eu estava cercado por cérebros em formol e tirei um do frasco para mostrar a Chuck a pituitária, do tamanho de uma ervilha, na base do cérebro. "Então é aí que fica", disse Chuck, e foi embora satisfeito. Mas fiquei preocupado: no que ele estava pensando? Será que não fiz mal em lhe mostrar a pituitária? Pus-me a imaginar que ele invadiria o laboratório de neuropatologia, iria até os cérebros — não se deteria diante de um pouco de formol — e arrancaria as pituitárias como se colhesse amoras, e, numa fantasia ainda mais medonha, iniciaria uma série de assassinatos bizarros, em que quebraria a cabeça das vítimas, arrancaria os cérebros e devoraria as pituitárias.

Havia também Hal Connolly, um lançador de martelo olímpico que eu costumava ver na Academia de Muscle Beach. Um dos braços de Hal era quase paralisado e pendia frouxo do ombro, com uma postura de flexão no pulso conhecida como "gorjeta do garçom". O neurologista dentro de mim reconheceu instantaneamente uma paralisia de Erb; essas paralisias decorrem da tração no plexo braquial durante o parto se, como às vezes acontece, o bebê está de lado e precisa ser puxado por um braço. Mas, se um dos braços de Hal era imprestável, o outro era recordista mundial. A sua atividade atlética era uma lição comovente sobre a força de vontade e a compensação; lembrava-me daquilo que eu via às vezes na Ucla — pacientes com paralisia cerebral e braços quase inúteis que aprendiam a escrever ou a jogar xadrez com os pés.

Eu tirava fotos na Muscle Beach, tentando captar os seus vários personagens e as suas obsessões; essa atividade fazia parte do projeto para um livro sobre a praia — descrições de pessoas e lugares, cenas e acontecimentos, naquele estranho mundo que era a Muscle Beach no começo dos anos 1960.

Não sei se eu *chegaria* a escrever esse livro, uma montagem de descrições e retratos escritos intercalados por fotos. Quando saí da Ucla, empacotei todas as minhas fotos, tudo o que tirei entre 1962 e 1965, junto com os meus rascunhos e anotações, e pus tudo dentro de uma mala. A mala nunca chegou a Nova York; ninguém parecia saber o que acontecera com ela na Ucla, nem consegui resposta dos correios em Los Angeles e Nova York. Assim, perdi quase todas as fotografias que tirei nos meus três anos frequentando a praia; sobreviveram apenas umas dez ou doze. Gosto de imaginar que a mala ainda existe e pode aparecer algum dia.

***

Jim Hamilton era um dos levantadores de peso na Muscle Beach, mas muito diferente dos outros. Tinha uma cabeça enorme de cabelos crespos, bigode e barba enormes, também crespos, e assim as únicas coisas que se viam do rosto dele eram a ponta do nariz e os seus olhos fundos e risonhos. Era largo, com um tórax de contorno alterado e uma barriga de proporções falstaffianas; era um dos melhores em supino na praia. Mancava ao andar; uma das pernas era mais curta do que a outra e apresentava cicatrizes de cirurgia de cima a baixo. Ele me contou que sofrera um acidente de moto, com múltiplas fraturas compostas, e passara mais de um ano internado no hospital. Tinha dezoito anos na época, recém-saído do colegial. Foi um período muito difícil, solitário, doloroso, que teria sido insuportável se não tivesse descoberto, para surpresa sua e dos demais, que possuía um notável talento matemático. Esse talento não se mostrara na escola, da qual ele não gostava, mas agora Jim só pedia livros de matemática e de teoria dos jogos. Os dezoito meses de inatividade física forçada — passara por mais de dez operações para reconstituir a perna esfacelada — foram um período de grande atividade mental, muito estimulante, conforme aumentava sua segurança e liberdade em transitar pelo universo da matemática.

Quando concluiu o ensino médio, Jim não fazia ideia do que iria "fazer", mas, quando saiu do hospital, as suas habilidades matemáticas lhe valeram um emprego como programador de computação na Rand Corporation. Dos seus amigos e companheiros de copo na Muscle Beach, poucos sabiam desse lado matemático de Jim.

Jim não tinha endereço fixo; revendo a nossa correspondência dos anos 1960, encontro cartões-postais enviados de hotéis em Santa Monica, Van Nuys, Venice, Brentwood, Westwood, Hollywood e dezenas de outros lugares. Não tenho a menor ideia do endereço na sua carteira de motorista; desconfio que talvez fosse o endereço da infância em Salt Lake City. Ele provinha de uma ilustre família mórmon, descendente de Brigham Young.

Para Jim, era fácil mudar de um hotel para outro ou dormir no carro, pois os seus poucos pertences — roupas e livros, basicamente — ficavam na Rand e às vezes ele passava a noite lá. Jim desenvolveu uma série de programas de xadrez para os supercomputadores da empresa, os quais testava (e testava a si mesmo) jogando contra a máquina. Gostava sobretudo quando estava numa viagem de LSD; sentia que as suas jogadas ficavam mais imprevisíveis, mais inspiradas.

Além do círculo de amigos na Muscle Beach, Jim tinha também outro círculo de colegas matemáticos e, como o famoso matemático húngaro Paul Erdös, aparecia na casa deles no meio da noite, passava algumas horas em altas discussões intelectuais e então dormia no sofá até a manhã seguinte.

Antes que eu o conhecesse, Jim às vezes passava alguns fins de semana em Las Vegas, observando as mesas de vinte e um, e elaborou uma estratégia que garantia ao jogador um sucesso lento, mas constante, nas partidas. Tirou uma licença de três meses da Rand, enfiou-se num quarto de hotel em Las Vegas e ficou jogando vinte e um durante todas as horas que passava acordado. Devagar e sempre, ele ganhou e acumulou mais de 100 mil dólares, soma muito considerável no final dos anos 1950, mas aí recebeu a visita de dois senhores bastante corpulentos. Disseram que as suas vitórias constantes haviam chamado a atenção — ele devia ter algum "método" — e que agora era hora de sair da cidade. Jim entendeu o recado e saiu de Las Vegas no mesmo dia.

Jim tinha um enorme conversível outrora branco, mas agora encardido, cheio de caixas de leite vazias e outros trastes; todos os dias, enquanto dirigia, ele tomava quatro litros de leite ou mais e atirava as embalagens vazias no banco de trás. Nós dois nos demos muito bem entre o pessoal da musculação na praia. Eu gostava de puxar assunto sobre as paixões especiais de Jim — lógica matemática, teoria dos jogos, jogos de computador — e ele puxava assunto sobre os meus interesses e paixões pessoais. Enquanto morei na minha casinha em Topanga Canyon, ele e sua namorada Kathy iam me visitar com frequência.

***

Como neurologista, meu interesse profissional se concentrava nos estados cerebrais e mentais, de todas as espécies, inclusive os induzidos ou alterados por drogas. No começo dos anos 1960, vinham se acumulando rapidamente novos conhecimentos sobre as drogas psicoativas e seus efeitos sobre os neurotransmissores do cérebro, e eu tinha muita vontade de testá-las em mim mesmo. Julgava que essas experiências me ajudariam a entender o estado de alguns dos meus pacientes.

Alguns amigos meus da Muscle Beach me haviam sugerido que experimentasse Artane, que eu conhecia apenas como medicamento contra o mal de Parkinson. "Tome vinte cápsulas", disseram, "você ainda vai manter uma parte do controle. Vai ver que é uma experiência muito diferente." Assim, num domingo de manhã, como descrevi em *A mente assombrada*:

> Contei então as minhas vinte pílulas, engoli-as com água e me sentei para esperar o efeito. Será que o mundo se transformaria, recém-nascido como

Huxley descreveu em *As portas da percepção*, e como eu mesmo havia experimentado com mescalina e LSD? Haveria ondas de sensações deliciosas, voluptuosas? Haveria ansiedade, desorganização, paranoia? Eu estava preparado para todas essas coisas, mas nenhuma delas aconteceu. Fiquei com a boca seca, pupilas dilatadas, tive dificuldade para ler, e mais nada. Não houve nenhum tipo de efeito psíquico — que decepção! Eu não sabia exatamente o que esperar, mas esperava *alguma coisa*.

Eu estava na cozinha, pondo a chaleira no fogo para fazer um chá, quando ouvi baterem à porta. Eram meus amigos Jim e Kathy; eles costumavam aparecer lá em casa nas manhãs de domingo. "Entrem, a porta está aberta", falei, e quando eles se acomodaram na sala perguntei: "Como querem os ovos?". Jim disse que preferia ovo frito de um lado só e com a gema bem mole. Kathy queria frito dos dois lados, e a gema não tão líquida. Ficamos batendo papo enquanto eu fritava presunto com ovos para eles — a cozinha era separada da sala por portas de vaivém baixas, por isso podíamos nos ouvir facilmente. Cinco minutos depois, anunciei "Está pronto!". Pus o presunto com ovos numa bandeja, entrei na sala — e ela estava totalmente vazia. Nada de Jim, nem de Kathy, nem sinal de que tinham estado lá. Pasmo, quase derrubei a bandeja.

Não me ocorreu logo de saída que as vozes de Jim e Kathy, suas "presenças", eram irreais, alucinatórias. Tivéramos uma conversa comum entre amigos, como as de costume. Suas vozes eram as mesmas de sempre; não havia nenhum indício, até que abri as portas e descobri a sala vazia, de que toda a conversa, ou pelo menos a parte deles nela, havia sido completamente inventada pelo meu cérebro.

Além de chocado, fiquei assustado. Com o LSD e outras drogas, eu sabia o que estava acontecendo. O mundo parecia diferente, dava-me sensações diferentes; havia todas as características de um modo de experiência especial, extremo. Mas a minha "conversa" com Jim e Kathy não tivera nenhuma qualidade especial; fora absolutamente corriqueira, sem nada que a marcasse como uma alucinação. Pensei nos esquizofrênicos que conversavam com suas "vozes", mas as vozes típicas da esquizofrenia eram zombeteiras ou acusadoras, não falavam sobre presunto com ovos nem sobre o tempo.

"Cuidado, Oliver", eu disse a mim mesmo. "Seja responsável. Não permita que isso volte a acontecer." Mergulhado em reflexões, comi devagar meu presunto com ovos (e os de Jim e Kathy), depois decidi ir até a praia, onde encontraria Jim e Kathy de verdade e todos os meus amigos, aproveitaria para nadar e teria uma tarde de ócio.*

---

* *A mente assombrada*. Trad. Laura Teixeira Motta. São Paulo: Companhia das Letras, 2013.

***

Jim era parte importante da minha vida na Califórnia do Sul — víamo-nos duas ou três vezes por semana — e senti muito sua falta quando me mudei para Nova York. A partir de 1970, seu interesse por jogos de computador (inclusive jogos de guerra) passou a abarcar o uso da animação computadorizada em desenhos e filmes de ficção científica, o que o manteve em Los Angeles.

Quando foi me visitar em Nova York em 1972, Jim parecia bem, feliz da vida, cheio de expectativas sobre o futuro, embora ainda indeciso entre a Califórnia e a América do Sul (ele havia passado alguns anos no Paraguai, onde se divertira muito e comprara uma fazenda).

Jim me falou que fazia dois anos que não bebia nada, o que me deixou especialmente contente, pois antes ele tinha o hábito perigoso de se entregar de repente a tremendas bebedeiras, e a última de que eu tinha notícia lhe causara uma pancreatite.

Ele estava a caminho de Salt Lake City para passar algum tempo com a família. Três dias depois recebi um telefonema de Kathy, avisando que Jim havia morrido: tomou outra bebedeira e sofreu de novo uma pancreatite, mas dessa vez se seguiu a necrose do pâncreas e uma peritonite generalizada. Tinha apenas 35 anos.[6]

Certo dia, em 1963, fui fazer surfe de peito em Venice Beach; o mar estava bravo e não havia mais ninguém ali, mas, do alto da minha força (e grandiosidade), eu achava que daria conta. A água me jogava de um lado para outro — o que era divertido —, mas aí veio uma onda imensa muito acima de mim. Quando tentei mergulhar por baixo dela, fui apanhado pelas costas e a onda foi me rolando e derrubando sem que eu pudesse fazer algo. Não percebi para onde ela me levara, até que vi que estava prestes a me arremessar na costa. Esses impactos são a causa mais frequente de fratura do pescoço na costa do Pacífico; só tive tempo de esticar o braço direito. O impacto fez meu braço recuar e deslocou meu ombro, mas salvei o pescoço. Com um dos braços incapacitado, não conseguiria nadar com rapidez suficiente para escapar da imensa onda seguinte, que vinha logo após a primeira. Mas, no último instante, fui agarrado por dois braços fortes que me puxaram para um local seguro. Era Chet Yorton, um jovem fisiculturista muito forte. Quando eu estava a salvo na praia, com uma dor lancinante e a cabeça do úmero despontando no lugar errado, Chet e alguns dos seus amigos fisiculturistas me agarraram — dois pela cintura, dois puxando o braço — até que o ombro voltou ao lugar num grande tranco. Chet depois ganhou o título de Mr. Universo e ainda tinha um físico impressionante aos setenta anos de idade; eu não estaria aqui se ele não me tivesse tirado da água em 1963.[7] No instante em que o braço voltou ao lugar, a dor do ombro desapareceu e senti outras dores no peito e nos braços. Peguei a minha moto e fui para o pronto-socorro da Ucla, onde descobriram que eu tinha quebrado um braço e várias costelas.

***

Em alguns fins de semana eu dava plantão na Ucla, e em outros eu complementava meu magro salário fazendo bico no Doctors Hospital em Beverly Hills. Certa vez, vi Mae West, que estava ali para alguma pequena cirurgia. (Não reconheci pelo rosto, pois sou péssimo para gravar fisionomias, e sim pela voz — quem não reconheceria?). Batemos o maior papo. Quando fui me despedir dela, Mae me convidou para visitá-la na sua mansão em Malibu; ela gostava de se ver cercada de jovens musculosos. Pena que nunca atendi ao convite.

Uma vez, minha força física foi muito útil na própria ala neurológica. Estávamos examinando os campos visuais de um paciente que tivera o azar de desenvolver uma meningite coccidiomicótica e um pouco de hidrocefalia. Enquanto o examinávamos, de repente seus olhos giraram para dentro da cavidade ocular e ele começou a ter um colapso. Estava "em cone"; este é um termo muito brando usado para designar um episódio terrível em que, devido à pressão excessiva na cabeça, as amígdalas cerebelares e o tronco cerebral são empurrados pelo forâmen magno na base do crânio. O cone de pressão pode matar em poucos segundos, e num reflexo rápido agarrei nosso paciente e o segurei de cabeça para baixo; suas amígdalas cerebelares e o tronco cerebral voltaram para dentro do crânio e senti como se o tivesse arrancado das garras da própria morte.

Outra paciente na enfermaria, cega e paralítica, estava à beira da morte devido a uma rara condição chamada neuromielite óptica ou doença de Devic. Quando ela soube que eu tinha uma motocicleta e morava em Topanga Canyon, manifestou um último desejo especial: quis fazer um passeio de moto comigo, subindo e descendo pelas curvas da estrada de Topanga Canyon. Num domingo, fui ao hospital com três amigos halterofilistas e conseguimos raptar a paciente e prendê-la com toda a segurança na garupa da moto. Saí devagar e lhe dei o passeio por Topanga que ela queria. Foi um escândalo quando voltei, e achei que seria demitido na mesma hora. Mas os meus colegas — e a paciente — falaram em minha defesa, e recebi uma advertência severa, porém não fui demitido. De modo geral, eu era uma espécie de estorvo para o departamento de neurologia, mas também uma espécie de galardão — o único residente que tinha artigos publicados —, e creio que isso pode ter salvado meu pescoço em diversas ocasiões.

***

Às vezes me pergunto por que me dediquei tanto à musculação. Creio que a minha motivação não era incomum; se não chegava a ser o fracote de 45 quilos dos anúncios de musculação, era, porém, tímido, acanhado, inseguro, submisso. Fiquei forte — muito forte — com todo o meu halterofilismo, mas descobri que ele não resultou em nada para o meu caráter, que continuou exatamente igual. E, como muitos excessos, a musculação cobrou seu preço. Nos exercícios de agachamento, eu forçara os meus quadríceps muito além dos seus limites naturais, predispondo-os assim a lesões; quando rompi o tendão de um quadríceps em 1974 e outro em 1984, a ocorrência certamente tinha alguma relação com meus levantamentos malucos. Quan-

do estava no hospital em 1984, sentindo pena de mim mesmo, com uma longa atadura rígida na perna, recebi a visita de Dave Sheppard, o poderoso Dave, dos tempos da Muscle Beach. Ele entrou no quarto claudicando devagar e com grande esforço; estava com uma artrite muito grave nos dois quadris e aguardava a artroplastia total da bacia. Olhamos um para o outro, os nossos corpos semidestruídos pelo fisiculturismo.
"Como a gente era bobo", disse Dave. Acenei com a cabeça, concordando.

Gostei dele na mesma hora em que o vi malhando na ACM Central em San Francisco; era o começo de 1961. Gostei do seu nome: Mel, que em grego significa "mel" ou "doce". Logo que ele me disse como se chamava, ocorreu-me uma sucessão de palavras em mel: "meloso", "melífero", "melífluo", "melívoro"...
"Nome bonito, Mel", disse eu. "O meu é Oliver."
Ele tinha um belo corpo robusto, de atleta, com ombros e coxas fortes, e uma pele impecavelmente alva e macia. Tinha apenas dezenove anos, disse-me. Estava na Marinha — o seu navio, o USS *Norton Sound*, estava estacionado em San Francisco — e, sempre que podia, vinha malhar na ACM. Eu também estava treinando muito naquela época, preparando-me para o que esperava ser um novo recorde em agachamento, e às vezes nossos horários coincidiam.
Depois do treino e da ducha, levei Mel de moto até o seu navio. Ele estava com uma jaqueta marrom macia, de pele de gamo — que ele mesmo abatera, disse-me, na sua Minnesota natal — e lhe dei o capacete de reserva que sempre tinha na moto. Achei que formávamos uma boa dupla, e senti uma leve excitação quando ele sentou na garupa e me abraçou firme pela cintura; era a primeira vez que andava de moto, disse Mel.
Desfrutamos a companhia um do outro durante um ano — o meu ano de estágio no Mount Zion. Saíamos juntos de moto nos fins de semana, acampávamos, nadávamos em lagos e lagoas, às vezes lutávamos corpo a corpo. Havia uma vibração erótica nisso para mim e talvez para Mel também. Erótica pelo embate

fremente entre os nossos corpos, embora não houvesse nenhum elemento sexual explícito e nenhum observador pensaria que fôssemos algo além de uma dupla de rapazes num corpo a corpo. Nós dois tínhamos orgulho do nosso abdômen "tanquinho" e fazíamos séries de flexões, cem ou mais por vez. Mel sentava por cima de mim, dando socos de brincadeira na minha barriga a cada flexão, e eu fazia o mesmo com ele.

Isso para mim era sexualmente excitante, e creio que para ele também; Mel vivia dizendo: "Vamos lutar", "Vamos fazer abdominais", embora não fosse um ato sexual calculado. Podíamos fazer os nossos abdominais ou lutar corpo a corpo e, ao mesmo tempo, ter prazer com isso. Desde que as coisas não fossem além.

Eu sentia a fragilidade de Mel, o seu medo latente, não plenamente consciente, de contato físico com outro homem, mas sentia também a afeição especial que ele tinha por mim, a qual eu ousava pensar que poderia superar esse medo. Percebi que teria de ir com muita delicadeza.

Nossa lua de mel idílica e, em certo sentido, inocente, com prazer no presente e pouca preocupação quanto ao futuro, durou um ano, mas, com a chegada do verão de 1962, tínhamos de fazer nossos planos.

O serviço militar de Mel estava terminando — ele saíra direto do ensino médio para a Marinha — e agora queria ir para a faculdade. Eu tinha o compromisso de me mudar para Los Angeles para a minha residência na Ucla, e assim combinamos que dividiríamos um apartamento em Venice, na Califórnia — perto de Venice Beach e da Academia de Muscle Beach, onde podíamos treinar. Ajudei Mel a preencher os formulários de matrícula na Faculdade Santa Monica e lhe comprei uma BMW usada, igual à minha. Ele não gostava de receber dinheiro ou presentes meus e conseguiu emprego numa fábrica de carpetes, a curta distância a pé do nosso apartamento.

O apartamento era pequeno, uma quitinete. Mel e eu tínhamos camas separadas, e o resto do apartamento era cheio de livros e da quantidade crescente de diários e artigos que eu vinha escrevendo ao longo de anos; os pertences de Mel eram parcos.

As manhãs eram agradáveis: tomávamos o café da manhã juntos e cada um seguia para o seu serviço — Mel para a fábrica de carpetes, eu para a Ucla. Depois do expediente, íamos até a Academia de Muscle Beach e então ao Sid's Café na praia, onde o pessoal da musculação costumava se reunir. Uma vez por semana, íamos ao cinema, e umas duas vezes por semana Mel saía sozinho, para dar um passeio de moto.

As noites podiam ser tensas: eu sentia dificuldade em me concentrar e tinha consciência, quase uma hiperpercepção, da presença física de Mel, bem como do seu cheiro másculo animal, que eu adorava. Mel gostava de receber massagens e se deitava nu, de bruços na sua cama, e me pedia para massagear as costas. Eu montava em cima dele, com o meu calção de treino, vertia óleo nas suas costas — óleo mineral para couro, que usávamos nas nossas jaquetas de motociclistas para preservar a maciez do couro — e massageava devagar os seus músculos fortes e definidos. Ele gostava, relaxando e se entregando às minhas mãos, e eu gostava também; na verdade, eu chegava à beira do orgasmo. À beira estava bem — no limite; dava para fingir que não estava acontecendo nada demais. Numa ocasião, porém, não consegui me conter e o sêmen jorrou pelas costas inteiras dele. Senti que Mel se enrijeceu subitamente e, sem dizer uma palavra, levantou e foi tomar uma chuveirada.

Não falou comigo pelo resto da noite; estava evidente que eu tinha ido longe demais. (De repente pensei nas palavras da minha mãe e notei que as iniciais do nome dela eram *MEL* — Muriel Elsie Landau.)

Na manhã seguinte, Mel foi lacônico: "Preciso mudar, encontrar um lugar só para mim". Não respondi nada, mas me senti a ponto de chorar. Ele comentou que algumas semanas antes, num dos seus passeios de moto à noite, havia conhecido uma moça — na verdade, nem tão moça: já tinha um casal de filhos adolescentes — e ela o convidara para ficar na sua casa. Ele declinara por causa da nossa amizade, porém agora sentia que precisava me deixar. Mas esperava que continuássemos "bons amigos".

Eu não conhecia a mulher, mas sentia que ela tirara Mel de

mim. Perguntei-me, pensando em Richard dez anos antes, se o meu destino era me apaixonar por homens "normais".

Senti-me desesperadamente sozinho e rejeitado quando Mel se mudou, e foi nessa conjuntura que me voltei para as drogas, como uma espécie de compensação. Aluguei a casinha em Topanga Canyon; era bastante isolada, no alto de uma estradinha de terra, e decidi que nunca mais ia morar com alguém.[8]

***

Na verdade, Mel e eu mantivemos contato por mais quinze anos, embora sempre com vibrações inquietantes sob a superfície — mais, talvez, da parte de Mel, pois ele nunca se sentia plenamente à vontade com a sua sexualidade e desejava contato físico comigo, ao passo que eu, no que se referia ao sexo, desistira das minhas ilusões e expectativas em relação a ele.

Nosso último encontro foi não menos ambíguo. Eu estava de passagem por San Francisco em 1978 e Mel combinou que viria do Oregon. Ele estava estranhamente nervoso, de maneira pouco usual, e insistiu que fôssemos a uma sauna juntos. Eu nunca tinha ido a uma sauna; as saunas gays de San Francisco não faziam o meu gênero. Quando tiramos a roupa, vi que a pele de Mel, antes tão leitosa e imaculada, agora estava cheia de manchas amarronzadas, cor de café com leite. "É, é neurofibromatose", disse ele. "Meu irmão também tem. Achei que você devia ver." Abracei Mel e chorei. Pensei em Richard Selig me mostrando seu linfoma — os homens que eu amava estavam fadados a ter doenças terríveis? Quando saímos da sauna, despedimo-nos com um aperto de mãos bastante formal. Nunca mais nos vimos nem trocamos cartas.

Durante a nossa "lua de mel", eu sonhava que passaríamos a vida juntos, até uma velhice feliz; eu tinha apenas 28 anos na época. Agora estou com oitenta, tentando reconstituir uma espécie de autobiografia. Vejo-me pensando em Mel, em nós dois juntos, naqueles primeiros tempos, líricos e inocentes, perguntando-me o que terá acontecido com ele, se ainda está vivo (a neurofibromatose, ou doença de Von Recklinghausen, é um bicho imprevisível).

Pergunto-me se ele lerá o que acabo de escrever e pensará com mais gentileza em nossos eus jovens, ardentes, tão confusos.

Eu recebera a delicada recusa de Richard Selig ("Não sou assim, mas agradeço teu amor e te amo também, à minha maneira") sem me sentir magoado nem rejeitado, ao passo que a rejeição quase enojada de Mel me afetou profundamente, tirando-me (assim sentia eu) qualquer esperança de uma vida de *verdadeiro* amor, fazendo com que eu me introvertesse e me degradasse para encontrar qualquer eventual satisfação possível à base de fantasias e prazeres movidos a drogas.

Durante os meus dois anos em San Francisco, me envolvera numa espécie de duplicidade inofensiva de fim de semana, trocando o meu avental branco de médico por um casaco de couro e saindo de moto, mas agora eu embarcava numa duplicidade mais sombria e mais perigosa. De segunda a sexta, dedicava-me aos meus pacientes na Ucla, mas, naqueles fins de semana em que não saía de moto, me dedicava a viagens virtuais — viagens de maconha, de sementes de ipomeia, de LSD. Eram secretas: não partilhava com ninguém, não mencionava a ninguém.

Um dia, um amigo me ofereceu um baseado "especial"; não falou o que havia de especial nele. Dei uma tragada nervosa, depois outra, e aí, numa vontade voraz, fumei tudo, voraz porque aquilo estava provocando algo que a maconha sozinha nunca provocara — uma sensação voluptuosa, quase orgásmica, de grande intensidade. Quando perguntei o que havia naquele baseado, soube que estava misturado com anfetamina.

Não sei até que ponto a propensão ao vício é "programada" ou até que ponto depende das circunstâncias ou do estado de espírito. Só sei que, naquela noite, um baseado encharcado de anfetamina me pegou e depois disso eu passaria os quatro anos seguintes consumindo. Sob o domínio das anfetaminas, o sono era impossível, a comida ficava de lado, tudo se subordinava à estimulação dos centros de prazer no meu cérebro.

Foi na época em que lutava contra a dependência da anfetamina — eu passara rapidamente da maconha turbinada para a metanfetamina por via oral ou injetável — que li sobre os experimentos de James Olds com ratos. Implantavam-se eletrodos nos centros de recompensa dos cérebros dos ratos (o núcleo accumbens e outras estruturas subcorticais profundas), e os ratos podiam estimular esses centros pressionando uma alavanca. Pressionavam sem cessar, ininterruptamente, até morrerem de exaustão. Quando eu me entupia de anfetaminas, sentia-me impelido de modo tão incontrolável quanto os ratos de Olds. Tomava doses cada vez maiores, que elevavam meus batimentos cardíacos e a pressão arterial a níveis letais. Era um estado insaciável; nunca era suficiente. O êxtase das anfetaminas era irrefletido e totalmente suficiente — eu não precisava de nada nem de ninguém para "completar" meu prazer; era completo na sua essência, embora totalmente vazio. Todos os demais motivos, objetivos, interesses, desejos desapareciam no vácuo do êxtase.

Pouco pensava no que isso causava ao meu corpo e talvez ao meu cérebro. Conhecia várias pessoas na Muscle Beach e Venice Beach que haviam morrido de doses maciças de anfetamina, e tive muita sorte em não sofrer um derrame ou um ataque cardíaco. Percebia, e ao mesmo tempo não percebia, que estava brincando com a morte.

Voltava ao trabalho nas segundas de manhã — tremendo, quase narcoléptico —, mas creio que ninguém percebia que eu estivera no espaço interestelar ou reduzido a um rato eletrizado durante o fim de semana. Quando me perguntavam o que tinha feito no fim de semana, eu respondia que estivera "fora" — mas decerto não imaginavam onde e o que significava esse "fora".

***

A essa altura, eu estava com alguns artigos publicados em periódicos de neurologia, mas tinha esperança de fazer algo mais — uma apresentação no próximo congresso anual da American Academy of Neurology (AAN).

Com a ajuda do excelente fotógrafo do departamento, Tom Dolan — um amigo que também se interessava por biologia marinha e invertebrados —, passei da fotografia de paisagens do Oeste americano para as paisagens interiores da neuropatologia. Esforçamo-nos em conseguir as melhores imagens possíveis para transmitir a aparência microscópica dos axônios imensamente distendidos, vistos na doença de Hallervorden-Spatz, na deficiência de vitamina E em ratos e na intoxicação de camundongos com IDPN. Convertemos em grandes transparências Kodachrome e construímos um transiluminador especial para iluminar as transparências a partir de dentro, junto com legendas acompanhando as fotografias. Foram meses para fazer tudo isso, embalar e montar para o encontro de primavera de 1965 da AAN em Cleveland. Nossa apresentação foi um sucesso, à altura das minhas expectativas, e eu, normalmente tímido e reticente, me vi ali atraindo as pessoas para a apresentação, discorrendo longamente sobre as belezas e particularidades especiais das nossas três distrofias axonais, tão diferentes em termos clínicos e topográficos, porém tão semelhantes no nível das células e axônios individuais.

A exibição foi a minha forma de me apresentar à comunidade neurológica dos Estados Unidos, dizendo: "Aqui estou eu, vejam o que posso fazer", assim como o meu recorde de agachamento na Califórnia, quatro anos antes, havia sido minha apresentação à comunidade fisiculturista na Muscle Beach.

Eu andava com medo de ficar desempregado ao término da minha residência em junho de 1965. Mas a apresentação da distrofia axonal trouxe propostas de emprego de todo o país, inclusive duas especialmente valorizadas de Nova York — uma de Cowen e Olmstead na Universidade Columbia, a outra de Robert Terry, importante neuropatologista no Albert Einstein College of Medicine. Eu me apaixonara pelo trabalho pioneiro de Terry quando ele esteve na Ucla em 1964, apresentando suas últimas descobertas de microscopia eletrônica sobre o mal de Alzheimer; na época, eu estava particularmente interessado em doenças degenerativas do sistema nervoso, quer ocorressem na juventude, como a doença de Hallervorden-Spatz, ou na velhice, como o Alzheimer.

Talvez pudesse ter continuado na Ucla, morando na minha casinha em Topanga Canyon, mas senti que precisava seguir adiante e ir especificamente para Nova York. Senti que estava gostando demais da Califórnia, habituando-me a uma vida fácil e displicente, sem falar da dependência cada vez maior das drogas. Senti que precisava ir para um lugar mais concreto, mais severo, onde pudesse me dedicar ao trabalho e quem sabe descobrir ou criar uma identidade real, uma voz própria. Apesar do meu interesse pela distrofia axonal — campo especializado de Cowen e Olmstead —, eu queria fazer alguma outra coisa, queria juntar neuropatologia e neuroquímica de algum modo mais íntimo. A Einstein era uma faculdade muito recente, que oferecia bolsas especiais de pesquisas interdisciplinares em neuropatologia e neuroquímica — disciplinas reunidas pelo gênio de Saul Korey —, e assim aceitei a proposta de lá.[9]

***

Nos meus três anos na Ucla, trabalhei muito, me diverti muito e não tirei nenhum período de férias. De tempos em tempos, eu ia até o meu chefe, o temível (mas bondoso) Augustus Rose, para pedir alguns dias de licença, mas ele sempre respondia: "Todo dia é dia de folga para você, Sacks", e eu, intimidado, deixava a ideia de lado.

Porém continuava com os meus passeios de moto nos fins de semana, e ia com frequência até o vale da Morte, às vezes até Anza-Borrego; adorava o deserto. De vez em quando descia até a Baja California, tendo contato com uma cultura completamente diferente, embora a estrada fosse muito ruim depois de Ensenada. Quando saí da Ucla e me mudei para Nova York, tinha rodado quase 160 mil quilômetros de moto. As estradas, em 1965, estavam começando a ficar mais movimentadas, principalmente na Costa Leste, e nunca mais vim a sentir no motociclismo, na vida da estrada, o tipo de alegria e liberdade que sentia na Califórnia.

Às vezes me pergunto por que estou há mais de cinquenta anos em Nova York, sendo a Costa Oeste, e sobretudo a Sudoeste, que tanto me fascinava. Agora tenho muitos vínculos em Nova York — com os meus pacientes, os meus alunos, os meus amigos e o meu analista —, mas a cidade nunca mexeu comigo como a Califórnia. Desconfio que essa minha saudade talvez não seja do lugar em si, mas da juventude, de uma época muito diferente, de estar apaixonado, de poder dizer: "Tenho o futuro pela frente".

FORA DO ALCANCE

Em setembro de 1965, mudei-me para Nova York, com a minha bolsa de pesquisa em neuroquímica e neuropatologia no Albert Einstein College of Medicine. Ainda tinha esperança de me tornar um cientista de verdade, um cientista experimental, muito embora a minha pesquisa em Oxford tivesse resultado num desastre, o que deveria me servir de advertência contra qualquer nova repetição. Mas, com a ligeireza da negação, achei que devia tentar outra vez.

Quando cheguei a Nova York, o impetuoso Robert Terry, cujos belos estudos em microscopia eletrônica sobre o mal de Alzheimer tanto me haviam fascinado quando ele falou na Ucla, estava passando o ano sabático fora, e na sua ausência o chefe do departamento de neuropatologia era Ivan Herzog, um imigrante húngaro de temperamento calmo e cordato que mostrava uma admirável tolerância e paciência com o seu colega mais errante.

Em 1966, eu estava tomando doses realmente pesadas de anfetaminas e me tornei — psicótico? maníaco? desinibido? intenso? Nem sei que termo usar, mas isso vinha acompanhado de uma extraordinária intensificação do sentido do olfato e das minhas faculdades de imaginação e memória, em geral medíocres.

Tínhamos uma arguição todas as terças-feiras, quando Ivan nos dizia para identificarmos fotomicrografias de condições neuropatológicas raras. Eu era muito ruim nisso, mas certa terça-feira Ivan apresentou algumas fotos, dizendo: "Esta é uma condição excepcionalmente rara — duvido que vocês identifiquem".

Exclamei: "Microgliose!". Todos me olharam espantados. Normalmente eu era o calado.
"De fato", continuei, "a bibliografia mundial traz a descrição de apenas seis casos." E descrevi todos eles em detalhes. Ivan me olhava perplexo.
"Como você sabe tudo isso?", ele perguntou.
"Ah, apenas leituras eventuais", respondi, mas eu estava tão perplexo quanto ele. Não tinha ideia como e nem mesmo quando podia ter absorvido esses conhecimentos de maneira tão rápida e inconsciente. Fazia parte daquela estranha intensificação da anfetamina.

***

Como residente, eu ficara especialmente interessado em doenças raras, muitas vezes hereditárias, chamadas lipidoses, em que há o acúmulo de gorduras anormais nas células cerebrais. Fiquei empolgado quando descobriram que esses lipídios também podem se acumular nas células nervosas existentes na parede do intestino. Isso permitiria diagnosticar tais doenças antes mesmo do surgimento de qualquer sintoma, fazendo uma biópsia não do cérebro, mas do reto — procedimento muito menos traumático. (Eu lera o relatório original sobre isso no *British Journal of Surgery*.) Bastava encontrar um simples neurônio distendido pela gordura para fazer o diagnóstico. Fiquei pensando se outras doenças — Alzheimer, por exemplo — também causariam alterações nos neurônios do intestino, podendo assim ser diagnosticadas muito cedo. Desenvolvi, ou adaptei, uma técnica para "limpar" a parede do reto, até ficar quase transparente, tingindo depois as células nervosas com azul de metileno; assim era possível enxergar dezenas de células nervosas num microscópio simples de baixa potência, aumentando as chances de encontrar alguma anormalidade. Examinando as nossas lâminas, persuadi a mim mesmo e ao meu chefe Ivan de que podíamos ver alterações nas células nervosas retais — as redes neurofibrilares e os corpos de Lewy que pareciam característicos do mal de Parkinson e de Alzheimer. Eu tinha em alta conta a importância dessas nossas descobertas; seria uma técnica diagnóstica revolucionária, de valor inestimável. Em 1967, submetemos um resumo do artigo que pretendíamos apresentar no próximo congresso da American Academy of Neurology.

Infelizmente, nesse ponto as coisas deram errado. Precisávamos de um volume de material muito maior do que as poucas biópsias retais de que dispúnhamos, mas não conseguimos outras.

Não podíamos prosseguir com a nossa pesquisa, e Ivan e eu avaliamos a questão — deveríamos retirar nosso resumo preliminar? Acabamos não retirando, por considerar que outros examinariam o assunto e o futuro decidiria. E decidiu mesmo: a "descoberta" que, esperava eu, iria me dar renome como neuropatologista se revelou uma distorção.

***

Eu tinha um apartamento em Greenwich Village e, exceto em dias de muita neve, ia de moto até o meu trabalho no Bronx. A moto não tinha bolsas laterais, mas dispunha de um robusto bagageiro na traseira, onde eu podia prender o que precisasse com tiras de elástico resistente.

Meu projeto em neuroquímica era extrair mielina, a matéria graxa que reveste as fibras nervosas maiores, permitindo que elas conduzam os impulsos nervosos com maior rapidez. Na época, havia muitas perguntas em aberto: se fosse possível extrair mielina de invertebrados, ela seria de estrutura ou composição diferente da mielina de vertebrados? Como cobaias, escolhi minhocas; sempre gostei muito delas, e dispõem de enormes fibras nervosas revestidas de mielina, excelentes condutoras que lhes permitem grandes movimentos súbitos quando se sentem ameaçadas. (Foi por isso que eu escolhera trabalhar com minhocas dez anos antes, para estudar os efeitos de desmielinização do TOCP.)

Pratiquei um verdadeiro genocídio de minhocas no jardim da faculdade: para extrair uma amostra respeitável de mielina, precisaria de milhares de minhocas; sentia-me uma Marie Curie processando suas toneladas de uraninita para obter um decigrama de rádio puro. Ganhei grande prática em remover numa única excisão rápida o cordão nervoso e os gânglios cerebrais, que então esmagava até formarem uma papa espessa, rica em mielina, pronta para o fracionamento e a centrifugação.

Eu anotava cuidadosamente os dados no meu registro de pesquisas, um caderno verde grosso que às vezes levava para casa, para refletir à noite. E esse foi o meu azar, pois certa manhã, tendo dormido demais e estando com muita pressa de ir para o trabalho, me esqueci de ajustar os elásticos no bagageiro da moto, e o meu precioso caderno, que continha nove meses de dados experimentais minuciosos, escapou das tiras frouxas e voou da moto quando eu estava na Cross Bronx Express. Puxando a moto de lado, vi o caderno ser desmembrado página por página pelo trânsito barulhento. Tentei entrar correndo na pista umas duas ou três vezes para recuperá-lo, mas era uma loucura, pois o trânsito estava muito rápido e carregado. Só pude ficar ali olhando desalentado, até o caderno ficar totalmente destroçado.

Quando cheguei ao laboratório, consolei-me pensando: pelo menos tenho a própria mielina; posso analisá-la, examiná-la ao microscópio eletrônico e recriar alguns dos dados perdidos. Nas semanas seguintes, consegui fazer um bom trabalho e voltei a sentir algum otimismo, apesar de outros reveses, como quando, no laboratório de neuropatologia, aparafusei a objetiva de imersão em óleo do meu microscópio em várias lâminas insubstituíveis.

Pior ainda, do ponto de vista dos meus chefes, deixei farelos de hambúrguer não só na minha bancada, mas numa das centrífugas, instrumento que estava usando para refinar as amostras de mielina.

Então veio o golpe final e irreversível: *perdi* a mielina. Ela sumiu de alguma maneira — talvez, espanando a bancada, eu tenha derrubado no cesto de lixo por engano —, mas aquela amostra minúscula que levara dez meses para ser extraída estava irremediavelmente perdida.

Convocou-se uma reunião: ninguém negava os meus dotes, mas ninguém podia negar os meus defeitos. Em tom firme, embora gentil, os meus chefes me disseram: "Sacks, você é um perigo no laboratório. Por que não vai atender pacientes? O estrago vai ser menor". E esse foi o desairoso início de uma carreira clínica.[1]

***

"Pó de anjo" — que nome mais doce e sedutor! Enganoso também, pois os seus efeitos podem não ser nada doces. Usuário de drogas imprudente nos anos 1960, eu estava disposto a provar praticamente de tudo; sabendo da minha curiosidade afoita e insaciável, um amigo me convidou para uma "festa" de pó de anjo num apartamento de East Village.

Cheguei um pouco atrasado — a festa já tinha começado — e, quando abri a porta, topei com uma cena tão surreal, tão insana, que o chá do Chapeleiro Maluco, em comparação, ficava parecendo o suprassumo do decoro e da sanidade. Havia umas dez ou onze pessoas ali, todas afogueadas, algumas com os olhos injetados, várias cambaleando. Um sujeito soltava guinchos agudos e saltava pelos móveis; talvez se imaginasse um chimpanzé. Outro estava "limpando" o vizinho, catando insetos imaginários nos seus braços. Um tinha defecado no chão e brincava com as fezes, desenhando nelas com o indicador. Dois convidados estavam imóveis, catatônicos, e outro fazia caretas e falava à toa, uma algaravia que lembrava uma "salada de palavras" dos esquizofrênicos. Liguei para a emergência, e todos os presentes foram levados ao Bellevue; alguns precisaram ficar hospitalizados durante semanas. Fiquei muito contente em ter chegado atrasado e não ter ingerido nenhum pó de anjo.

***

Mais tarde, trabalhando como neurologista no Bronx State, vi um grande número de pessoas que haviam caído em estados de tipo esquizofrênico, que às vezes se prolongavam por meses a fio, devido ao pó de anjo (fenilciclidina ou PCP). Algumas também tinham ataques, e muitas, como vim a descobrir, apresentavam atividades extremamente anormais nos eletroencefalogramas, mesmo um ano depois de terem consumido a droga. Um dos meus pacientes matou a namorada quando estavam com PCP, embora ele não guardasse nenhuma lembrança do que fez. (Anos depois, publiquei um relato desse episódio complexo e trágico e as suas sequelas igualmente complexas e trágicas em *O homem que confundiu sua mulher com um chapéu*.) A PCP surgiu originalmente como um anestésico nos anos 1950, mas em 1965 já não estava mais em uso médico devido aos seus pavorosos efeitos colaterais. A maioria dos alucinógenos tem seus efeitos primários na serotonina, um dos diversos neurotransmissores do cérebro, mas a PCP, como a quetamina, prejudica o transmissor glutamina, e seus efeitos são muito mais perigosos e mais prolongados que os de outros alucinógenos. Sabe-se que ela causa lesões estruturais, além de alterações químicas, nos cérebros dos ratos.[2]

O verão de 1965 foi um período especialmente difícil e perigoso para mim, pois dispunha de três meses sem nenhuma programação entre o fim da residência na Ucla e o começo no Einstein.

Vendi minha fiel BMW R60 e fui passar algumas semanas na Europa, onde comprei outro modelo, mais simples, uma R50, na fábrica da BMW em Munique. Primeiro fui ao pequeno povoado de Gunzenhausen, perto de Munique, para visitar os túmulos de diversos antepassados, alguns dos quais eram rabinos e haviam adotado Gunzenhausen como sobrenome.

Então fui a Amsterdam, que por muito tempo fora a minha cidade favorita na Europa e onde tivera o meu batismo sexual, a minha iniciação na vida gay, dez anos antes. Em visitas anteriores, havia conhecido muitas pessoas na cidade e agora, durante um jantar, conheci um jovem diretor teatral alemão chamado Karl. Estava vestido com elegância e se expressava bem; falava com conhecimento e perspicácia sobre Bertolt Brecht, tendo encenado várias peças suas. Ele me pareceu muito educado e cativante, mas não o considerei especialmente atraente em termos sexuais e nem pensei nele ao voltar a Londres.

Assim, fiquei surpreso ao receber algumas semanas depois um cartão-postal de Karl, sugerindo que nos encontrássemos em Paris. (Minha mãe viu o postal, perguntou de quem era e talvez tivesse alguma vaga suspeita; respondi: "De um velho amigo", e ficou por isso mesmo.)

O convite me deixou curioso, e então fui a Paris por terra, atravessando a Mancha com a minha moto nova na balsa. Karl encontrara um quarto confortável num hotel, com uma cama de casal muito cômoda. Passamos o nosso longo fim de semana em Paris visitando os pontos turísticos e fazendo amor. Eu tinha levado uma caixa de anfetaminas e engoli umas vinte cápsulas antes de irmos para a cama. Ardendo de excitação e desejo, que não sentia antes de tomar os comprimidos, fui um amante fogoso. Karl, surpreso com o meu ardor e desejo insaciável, perguntou o que eu havia tomado. Anfetamina, respondi, e mostrei o frasco. Curioso, ele pegou uma, gostou do efeito, pegou outra e outra e mais outra e logo, como eu, ficou na maior efervescência, excitado como se tivesse estado no "orgasmatron" de Woody Allen. Depois de não sei quantas horas, separamo-nos, exaustos, demos uma pequena pausa e recomeçamos.

O fato de ficarmos agitados como dois animais no cio talvez não fosse uma surpresa completa, em vista das circunstâncias e da anfetamina. Mas o que eu não esperava, com essa experiência, era que nos apaixonássemos.

Quando voltei a Nova York em outubro, escrevi cartas febris de amor a Karl e recebi cartas igualmente febris em resposta. Um idealizava o outro; víamo-nos passando uma longa vida criativa juntos — Karl se realizando como artista, eu como cientista.

Mas aí o sentimento começou a diminuir. Perguntávamo-nos se a nossa experiência era real, autêntica, em vista do enorme impulso afrodisíaco das anfetaminas. Essa pergunta me parecia muito humilhante: será que se apaixonar, que é um arrebatamento tão elevado, pode ser reduzido a algo puramente fisiológico?

Em novembro, oscilamos entre a dúvida e a certeza, arremessados de um polo ao outro. Em dezembro, não estávamos mais apaixonados e (sem negarmos nem nos arrependermos da estranha febre que se apoderara de nós) não sentíamos mais vontade de prosseguir a correspondência. Na minha última carta a ele, escrevi: "Tenho lembranças de uma alegria ardente, intensa, irracional... que sumiu totalmente".

Três anos depois, recebi uma carta de Karl, dizendo que estava de mudança para Nova York. Fiquei curioso em vê-lo, em reencontrá-lo, agora que eu tinha parado com as drogas. Ele alugara um apartamento pequeno na Christopher Street, perto do rio, e notei ao entrar o ar malcheiroso e denso de fumaça. O próprio Karl, antes tão elegante, estava sujo, desleixado, com a barba por fazer. Havia um colchão encardido no chão e frascos de comprimidos numa prateleira por cima dele. Não vi nenhum livro, nenhum resquício da sua vida de leitor e diretor. Parecia não ter nenhum interesse em nada cultural ou intelectual. Tornara-se traficante e não falava de outra coisa a não ser drogas e que o LSD salvaria o mundo. Tinha um olhar opaco e fanático. Tudo aquilo me aturdiu e me chocou. O que acontecera com o homem refinado, culto, talentoso que eu conhecera apenas três anos antes?

Tive uma sensação de horror — e, em parte, de culpa. Não fora eu que apresentara Karl às drogas? Eu não seria responsável, em alguma medida, por esse esfacelamento de um ser humano outrora nobre? Não voltei a ver Karl. Nos anos 1980, soube que ele estava com aids e que retornara à Alemanha para morrer lá.

Enquanto eu cumpria a residência na Ucla, Carol Burnett, minha amiga do Mount Zion, voltara para Nova York para a sua residência em pediatria. Quando me mudei para Nova York, retomamos a amizade; muitas vezes íamos ao Barney Greengrass (o "Rei do Esturjão") nos domingos de manhã, para um brunch com peixe defumado. Carol crescera no Upper West Side, crescera indo ao Barney Greengrass e aprendera o seu iídiche fluente e cheio de expressões idiomáticas ouvindo os papos em iídiche que enchiam a loja e o restaurante nos domingos de manhã.

Em novembro de 1965, eu consumia doses enormes de anfetaminas todos os dias e depois, não conseguindo dormir, consumia doses enormes de hidrato de cloral, um hipnótico, todas as noites. Certo dia, sentado num café, comecei a ter as alucinações mais desvairadas, que vieram de repente, como descrevi em *A mente assombrada*:

Enquanto eu mexia o café, ele ficou verde, depois roxo. Ergui os olhos, sobressaltado, e vi que um cliente que estava no caixa pagando a conta tinha uma cabeçorra proboscídea, como uma foca-elefante. Entrei em pânico; pus uma nota de cinco dólares sobre a mesa e atravessei correndo a rua para pegar um ônibus. Mas cada passageiro do ônibus me parecia ter a cabeça branca e lisa como um ovo gigante, com olhos enormes e rebrilhantes lembrando os olhos compostos e multifacetados dos insetos — os olhos pareciam mover-se em arrancos, o que aumentou para mim sua aparência assustadora e alienígena. Percebi que estava tendo uma alucinação ou sofrendo algum bizarro distúrbio perceptual, que eu não podia impedir o que se passava em meu cérebro e que tinha de manter pelo menos um controle externo e não me desesperar, gritar ou me tornar catatônico diante daqueles monstros de olhos insetoides.*

Quando desci do ônibus, os prédios em torno de mim balançavam e oscilavam de um lado para outro, como bandeiras se agitando em uma ventania. Liguei para Carol.

"Carol", disse eu logo que ela atendeu, "quero me despedir. Fiquei louco, psicótico, insano. Começou hoje de manhã e vem piorando sem parar."

"Oliver!", exclamou Carol. "O que você tomou?"

"Nada", respondi. "É por isso que estou tão assustado."

Carol pensou um minuto e então perguntou:

"O que você *parou* de tomar?"

"É isso!", exclamei. "Eu estava tomando uma dose maciça de hidrato de cloral, mas acabou ontem à noite."

"Oliver, seu tonto! Você sempre exagera nas coisas", disse ela. "Foi você mesmo que criou o *delirium tremens* com a abstinência."

Carol ficou comigo, cuidou de mim, deu-me apoio durante os quatro dias do meu delírio, enquanto as ondas de alucinações ameaçavam me engolir; ela era o único ponto estável num mundo caótico e estilhaçado.

A segunda vez que liguei para ela em pânico foi três anos depois, numa noite em que comecei a me sentir um pouco zonzo, com a cabeça vazia e uma estranha excitação sem nenhum moti-

---

* *A mente assombrada*. Trad. Laura Teixeira Motta. São Paulo: Companhia das Letras, 2013.

vo. Não conseguia dormir e fiquei alarmado ao ver uns pedacinhos da minha pele mudando de cor. Minha senhoria na época era uma idosa valente e muito simpática, que passara anos combatendo a esclerodermia, doença muito rara que enrijece e repuxa gradualmente a pele, às vezes exigindo amputação. Marie teve esse problema por mais de cinquenta anos; disse-me com orgulho que ela era o caso de sobrevivência mais prolongada na história da medicina. No meio da noite, quando a textura da minha pele em alguns pontos parecia ter mudado, ficando dura e cerosa, tive uma percepção súbita e penetrante: eu também estava com esclerodermia, com uma "esclerodermia galopante". Na verdade, nunca tinha ouvido falar nisso: a esclerodermia é normalmente a doença mais vagarosa de todas. Mas sempre existe um primeiro caso disso ou daquilo, e pensei que eu também iria surpreender a medicina, como o primeiro caso do mundo de esclerodermia *aguda*.

Liguei para Carol e ela veio me ver, de valise preta na mão. Bastou dar uma olhada — eu estava com febre alta e coberto de bolhas — e ela disse: "Oliver, seu idiota, você está com catapora".

E prosseguiu: "Você examinou alguém com herpes-zóster ultimamente?". Confirmei. Eu tinha examinado duas semanas antes um velho amigo no Beth Abraham que estava com cobrelo. "*Experientia docet*, a experiência ensina", disse Carol. "Agora você sabe, e não só porque os livros dizem, que a catapora e o cobrelo vêm do mesmo vírus."

Carol, essa pessoa brilhante, espirituosa, generosa, enfrentando sua própria diabete juvenil, bem como os preconceitos contra negros e mulheres na sua profissão, veio a se tornar diretora no Monte Sinai e teve nesse cargo um papel fundamental, durante muitos anos, em assegurar o respeito e o tratamento igualitário a médicas mulheres e a médicos e médicas de diferentes etnias. Ela nunca esqueceu o episódio com os cirurgiões no Mount Zion.

Comecei a consumir mais drogas no meu início em Nova York, movido em parte pela desandada do caso com Karl, em parte porque o meu trabalho ia mal, e sentia que, para começo de conversa, nem devia ter escolhido a área de pesquisa. Em dezembro de 1965, eu passara a ligar para o serviço dizendo que estava doente, faltando dias seguidos ao trabalho. Tomava anfetaminas constantemente e comia muito pouco; emagreci tanto — quase quarenta quilos em três meses — que mal conseguia suportar a minha imagem no espelho, de tão macilento que estava.

Na véspera do Ano-Novo, tive um súbito momento de lucidez no meio de um êxtase de anfetamina e disse a mim mesmo: "Oliver, se você não procurar ajuda, não vai viver para ver outro Ano-Novo. É preciso alguma intervenção". Sentia que havia problemas psicológicos muito profundos por trás da minha dependência e tendência autodestrutiva, e que, se não fossem tratadas, eu estaria sempre voltando às drogas e, mais cedo ou mais tarde, elas acabariam comigo.

Cerca de um ano antes, quando ainda estava em Los Angeles, Augusta Bonnard, uma amiga da família que era psicanalista, sugerira que eu consultasse alguém. Relutante, fui ver o psicanalista que ela recomendou, um certo dr. Seymour Bird. Quando ele perguntou: "Bom, o que o traz aqui, dr. Sacks?", respondi ríspido: "Pergunte à dra. Bonnard — foi ela que me encaminhou".

Não era apenas uma resistência minha a todo esse lance de psicanálise; eu vivia chapado a maior parte do tempo. A pessoa pode ficar muito ágil e loquaz na base de anfetamina, e as coisas parecem avançar com uma rapidez incrível, mas tudo se desvanece sem deixar nenhuma marca.

Foi totalmente diferente no começo de 1966, quando eu mesmo procurei um analista em Nova York, sabendo que precisaria de auxílio para sobreviver. De início desconfiei do dr. Shengold, pois ele era muito jovem, pouco mais velho do que eu. Pensei: que experiência de vida, que conhecimento, que capacidade terapêutica vai ter alguém que é praticamente da minha idade? Logo percebi que ele era um indivíduo de competência e caráter de fato excepcionais, alguém capaz de atravessar as minhas defesas sem se deixar desviar pela minha loquacidade, alguém ciente de que eu conseguiria aguentar e me beneficiar com uma análise intensiva e os sentimentos intensos e ambíguos presentes no mecanismo de transferência.

Mas desde o início Shengold insistiu que só funcionaria se eu deixasse as drogas. Com o uso de drogas, disse ele, eu ficava fora do alcance da análise; não poderia continuar a me atender a menos que eu parasse com elas. Bird talvez também pensasse a mesma coisa, mas nunca disse, ao passo que Shengold repisava a mesma questão a cada sessão. Fiquei apavorado à ideia de ficar "fora do alcance" e ainda mais apavorado em perder Shengold. De vez em quando, ainda ficava meio psicótico devido às anfetaminas que continuava a usar. Pensando no meu irmão esquizofrênico, Michael, perguntei a Shengold se eu também era esquizofrênico.

"Não", respondeu ele.

Então eu era "apenas neurótico"?

"Não", respondeu ele.

Deixei por isso mesmo, deixamos por isso mesmo, e faz 49 anos que continua por isso mesmo.

***

O ano de 1966, enquanto eu tentava largar as drogas, foi terrível — terrível também porque a minha pesquisa não estava indo a lugar algum e eu percebia que nunca chegaria a lugar nenhum, pois não dispunha do necessário para ser um cientista pesquisador.

Senti que continuaria a procurar prazer nas drogas a menos que tivesse um trabalho satisfatório — e, se possível, também criativo. Era essencial que eu encontrasse algo dotado de sentido, o que, para mim, consistia em atender pacientes.

Logo que comecei a prática clínica em outubro de 1966, passei a me sentir melhor. Considerava meus pacientes fascinantes e *me importava* com eles. Comecei a apreciar minhas capacidades clínicas e terapêuticas e, acima de tudo, o senso de autonomia e responsabilidade que me fora negado quando ainda fazia a residência. Recorria menos às drogas e podia estar mais aberto ao processo de análise.

Tive mais uma viagem ou frenesi de drogas em fevereiro de 1967 e, paradoxalmente, à diferença de todas as minhas viagens anteriores, essa tomou um rumo criativo e me mostrou o que eu devia e podia fazer: escrever um bom livro sobre a enxaqueca e talvez outros depois dele. Não era apenas uma vaga sensação de ter potencial para isso, mas uma visão muito clara e concentrada de uma obra neurológica futura, trabalhando e escrevendo, que me ocorria quando estava chapado, mas ficava apenas dentro de mim.

Nunca mais tomei anfetaminas — apesar de uma vontade às vezes muito grande (o cérebro de um drogado ou de um alcoólatra se transforma para sempre; a possibilidade, a tentação de retomar nunca desaparece em definitivo). Com isso, eu não estava mais fora do alcance e a análise podia chegar a algum lugar.

Na verdade, creio que ela me salvou a vida várias vezes. Em 1966, os meus amigos não acreditavam que eu chegaria aos 35 anos, e eu também não. Mas com a análise, as boas amizades, as satisfações do trabalho clínico e da escrita e, acima de tudo, com a sorte, aqui estou eu, contra todas as expectativas, com mais de oitenta anos.

Ainda consulto o dr. Shengold duas vezes por semana, como venho fazendo faz quase cinquenta anos. Mantemos as normas do decoro — ele é sempre "dr. Shengold", eu sou sempre "dr. Sacks" —, mas é porque as normas do decoro existem que é possível existir tal liberdade de comunicação. E isso é algo que sinto também com os meus pacientes. Eles podem me contar coisas e eu posso perguntar coisas que seriam inconcebíveis num contato social comum. Acima de tudo, o dr. Shengold me ensinou a prestar atenção, a escutar o que está por trás da consciência ou das palavras.

Senti um tremendo alívio quando, em setembro de 1966, parei com o trabalho de laboratório e comecei a atender pacientes de carne e osso no Bronx, com problemas de dores de cabeça.

Eu pensava que o meu trabalho se concentraria nas cefaleias e alguma coisa a mais, mas logo descobri que a situação podia ser muito mais complexa, pelo menos nos pacientes com a chamada enxaqueca clássica, que podia provocar um sofrimento intenso, mas também um leque enorme de sintomas, quase uma enciclopédia inteira de neurologia.

Muitos desses pacientes me diziam que haviam sido examinados por especialistas em doenças internas, por ginecologistas, por oftalmologistas e outros, mas não tinham recebido a devida atenção. Isso me dava uma ideia do que parecia errado na medicina americana: o fato de consistir cada vez mais em especialistas. Era cada vez menor o número de clínicos gerais, que constituem a base da pirâmide. Meu pai e meus dois irmãos mais velhos eram clínicos gerais, e comecei a me sentir não um superespecialista em enxaquecas, mas o clínico geral que aquelas pessoas deviam ter consultado antes de mais nada. Senti que a minha função, a minha responsabilidade, era examinar todos os aspectos da vida delas.

Examinei um rapaz que tinha "dores de cabeça doentias" todos os domingos. Ele descreveu os zigue-zagues cintilantes que via antes que a dor de cabeça começasse, e assim foi fácil diagnosticar a enxaqueca clássica. Disse-lhe que tínhamos medicamentos próprios para isso e que, se ele pusesse um comprimido de ergotamina debaixo da língua logo que começasse a ver os zigue-zagues, isso poderia impedir o ataque. Ele me telefonou uma semana depois, tomado de entusiasmo, dizendo: "Deus o abençoe, doutor!", e pensei: "Puxa, fácil a medicina!".

No outro final de semana, não tive notícias dele e, curioso em saber como estava passando, telefonei para a sua casa. Ele me disse com voz desanimada que o comprimido funcionara outra vez, mas aí fez uma queixa curiosa: estava entediado. Nos últimos quinze anos, todos os domingos haviam sido dedicados às enxaquecas — a família ia visitá-lo, ele era o centro das atenções — e agora sentia falta de tudo isso.

Na semana seguinte, recebi uma ligação de emergência da sua irmã, dizendo que ele estava tendo uma crise séria de asma e recebendo oxigênio e adrenalina. A voz dela parecia insinuar que talvez fosse culpa minha, que eu havia de alguma maneira "bagunçado o coreto". Mais tarde, no mesmo dia, liguei para o meu paciente e ele me falou que sofrera de crises asmáticas quando criança, mas que haviam sido "substituídas" pela enxaqueca. Restringindo-me aos seus sintomas atuais, eu deixara passar essa parte importante de seu histórico.

"Podemos lhe dar alguma coisa para a asma", sugeri.

"Não", ele respondeu. "Vou só tomar alguma outra coisa... Você acha que eu *preciso* ficar doente aos domingos?"

Fiquei surpreso, mas disse:

"Vamos conversar sobre isso."

Então passamos dois meses examinando a sua suposta necessidade de ficar doente aos domingos. Enquanto isso, suas enxaquecas foram diminuindo de intensidade e por fim quase desapareceram. Para mim, foi um exemplo de que as motivações inconscientes às vezes podem se aliar a propensões fisiológicas e que não podemos isolar uma enfermidade e o seu respectivo tratamento do quadro geral, do contexto, do regime geral da vida do indivíduo.

Outro paciente na clínica de cefaleias era um jovem matemático que também tinha enxaquecas dominicais. Começava a ficar nervoso e irritadiço nas quartas, piorava nas quintas e nas sextas já nem conseguia trabalhar. Nos sábados, sentia-se atormentado; nos domingos, vinha uma enxaqueca terrível. Mas à tarde a enxaqueca se dissolvia. Às vezes, quando uma enxaqueca desaparece, pode sobrevir um brando acesso de suor ou a eliminação de litros de uma urina pálida; é quase como se fosse uma catarse em dois níveis, o fisiológico e o emocional. Quando a enxaqueca e a tensão deixavam o rapaz, ele se sentia renovado e revigorado, calmo e criativo, e nos domingos à noite, nas segundas e terças ele desenvolvia um trabalho extremamente original em matemática. Então voltava a ficar irritadiço.

Quando lhe dei a medicação e curei as suas enxaquecas, também o curei da sua matemática, rompendo esse estranho ciclo semanal de doença e aflição, seguidas por uma espécie transcendente de saúde e criatividade.

No atendimento das enxaquecas, não havia dois pacientes

iguais e todos eles eram extraordinários. Tive o meu verdadeiro aprendizado em medicina trabalhando com eles.

***

O diretor da clínica de cefaleias era um indivíduo de certo destaque chamado Arnold P. Friedman. Ele havia escrito muito sobre o tema e dirigia essa clínica — a primeira do gênero — fazia mais de vinte anos. Creio que Friedman se encantou comigo. Considerava-me brilhante, e creio que queria me adotar como uma espécie de protegido. Era amistoso comigo e conseguiu que eu tivesse maior número de consultas do que todos os outros e recebesse um pouco acima dos demais. Apresentou-me a filha, e até fiquei imaginando se ele me via como possível genro.

Então aconteceu um episódio estranho. Eu me reunia com ele aos sábados de manhã e lhe falava sobre os pacientes interessantes que havia examinado durante a semana. Num sábado, no começo de 1967, comentei sobre um paciente que não sentia dor de cabeça após o zigue-zague cintilante que dá início a muitas enxaquecas, mas em vez disso tinha agudas dores abdominais e acessos de vômito. Falei que vira alguns outros pacientes assim, que aparentemente haviam trocado a dor de cabeça pela dor abdominal, e que eu me perguntava se não seria o caso de desenterrar a velha expressão vitoriana da "enxaqueca abdominal". Quando falei isso, Friedman de repente virou outro homem. Ficou vermelho e gritou: "O que você pretende, falando em 'enxaqueca abdominal'? Esta é uma clínica de *dor de cabeça*. A palavra 'migrânea' vem de hemi-*crania*! Significa dor de cabeça! Não vou admitir que você fale de enxaquecas e migrâneas sem dores de cabeça!".

Recuei, espantado. (Esta é uma das razões pelas quais enfatizei, na primeiríssima frase do livro que escrevi depois, que a dor de cabeça nunca é o único sintoma de uma enxaqueca — e uma das razões pelas quais dediquei o segundo capítulo inteiro de *Enxaqueca* a formas de enxaqueca *sem* dor de cabeça.) Mas essa explosão foi pequena. A maior ocorreu no verão de 1967.

Em *A mente assombrada*, contei que, em fevereiro de 1967,

num arroubo movido a anfetaminas, li de cabo a rabo o livro de Edward Liveing, *On Megrim* (1873), e decidi escrever um livro equivalente, uma *Migraine* minha, uma *Migraine* para os anos 1960, incorporando muitos exemplos a partir dos meus pacientes.

No verão de 1967, depois de um ano trabalhando na clínica de cefaleias, fui passar umas férias na Inglaterra e, para minha grande surpresa, escrevi um livro sobre a enxaqueca no decorrer de umas duas ou três semanas. Saiu de repente, sem nenhum planejamento deliberado.

Mandei um telegrama de Londres para Friedman, dizendo que de alguma maneira jorrara um livro, o qual levei à Faber & Faber, uma editora britânica (que havia publicado um livro da minha mãe), e que estavam interessados em lançá-lo.[3] Eu achava que Friedman iria gostar do livro e escreveria um prefácio. Ele enviou um telegrama de resposta, dizendo: "Pare! Suspenda tudo".

Quando voltei a Nova York, Friedman não parecia nada amistoso, e sim muito perturbado. E quase rasgou o manuscrito do livro ao arrancá-lo das minhas mãos. Quem eu achava que era para escrever um livro sobre enxaquecas?, perguntou. Quanta presunção! Respondi: "Desculpe, simplesmente saiu". Friedman disse que enviaria o manuscrito a uma grande sumidade no mundo da enxaqueca para dar o seu parecer.

Fiquei muito espantado com essas reações. Alguns dias depois, vi o assistente de Friedman fotocopiando o meu manuscrito. Notei, mas não dei muita atenção. Cerca de três semanas mais tarde, Friedman me entregou uma carta do parecerista, sendo que todas as características de identificação do remetente haviam sido removidas. Era uma carta sem nenhum conteúdo crítico efetivo, construtivo, mas repleta de críticas pessoais e muitas vezes venenosas ao estilo e ao autor do livro. Quando comentei isso, Friedman respondeu: "Pelo contrário, ele está certíssimo. É nisso que consiste o seu livro; não passa de uma bobagem, basicamente". E prosseguiu, dizendo que não me daria mais acesso a nenhuma das minhas próprias anotações sobre os pacientes que examinava e tudo ficaria trancado. Advertiu-me que nem pensasse em retomar o livro, dizendo que, se o fizesse, não só me despediria, mas iria providenciar para que eu nunca mais conseguisse emprego nenhum em neurologia nos Estados Unidos. Naquela época, ele era presidente da seção de cefaleias da American Neurological Association e, de fato, para mim seria impossível conseguir outro emprego sem a sua recomendação.

Mencionei as ameaças de Friedman aos meus pais, supondo que me dariam apoio, mas meu pai, de uma forma que me pareceu bastante covarde, disse: "É melhor que você não irrite esse homem — ele pode arruinar sua vida". Assim, reprimi meus sentimentos por vários meses; foram uns dos piores meses da minha vida. Continuei a atender pacientes na clínica de enxaquecas e então, em junho de 1968, concluí por fim que não dava para aguentar mais. Combinei com o zelador que ele me deixaria entrar na clínica à noite. Entre a meia-noite e as três da manhã, peguei as minhas próprias anotações e copiei laboriosamente à mão tudo o que consegui. Então falei a Friedman que queria tirar férias prolongadas em Londres, e ele perguntou de imediato:

"Você vai voltar àquele seu livro?"

Respondi: "Preciso".

E ele: "Vai ser a última coisa que você vai fazer".

Voltei para a Inglaterra num grande nervosismo, literalmente tremendo, e uma semana depois recebi um telegrama de Friedman, me demitindo. Com isso, meus tremores pioraram ainda mais, mas aí, de repente, tive uma sensação totalmente diferente. Pensei: "Esse maluco não está mais nas minhas costas. Estou livre para fazer o que quero".

***

Agora eu estava livre para escrever, mas também tinha uma sensação intensa, literal, quase insana de um prazo final iminente. Estava insatisfeito com o meu manuscrito de 1967 e resolvi reescrever o livro. Era o dia 1º de setembro e disse a mim mesmo: "Se o manuscrito não estiver pronto e entregue nas mãos da Faber até 10 de setembro, vou ter de me matar". E, sob essa ameaça, comecei a escrever. Depois de um ou dois dias, a sensação de ameaça havia desaparecido, substituída pela alegria de escrever. Não estava mais usando drogas, mas foi um período de excepcional energia e entusiasmo. Era quase como se estivessem ditando o livro, tudo se organizando sozinho, com rapidez, automaticamente. Eu dormia apenas umas três, quatro horas por noite. E um dia antes da data marcada, em 9 de setembro, levei o livro à Faber & Faber. Os escritórios da editora ficavam na Great Russell Street, perto do Museu Britânico, e, depois de entregar o manuscrito, fui até o museu. Olhando os artefatos de lá — as cerâmicas, as esculturas, as ferramentas, especialmente os livros e manuscritos, que perduraram tanto tempo depois dos seus criadores —, tive a sensação de que também eu havia produzido algo. Algo modesto, talvez, mas com realidade e existência própria, algo que podia sobreviver depois que eu me fosse.

Eu nunca vivera um sentimento tão forte, um sentimento de ter feito algo real e de algum valor, como senti com aquele primeiro livro, escrito diante das ameaças de Friedman e, aliás, de mim mesmo. Voltando a Nova York, senti imensa alegria e quase uma bem-aventurança. Tinha vontade de gritar "Aleluia!", mas a timidez me impedia. Em vez disso, todas as noites ia a algum concerto — óperas de Mozart e Fischer-Dieskau cantando Schubert — transbordando de exuberância e vitalidade.

Naquelas seis semanas de entusiasmo e exaltação, no outono de 1968, continuei a escrever, pensando que poderia acrescentar ao livro da enxaqueca uma descrição muito mais detalhada dos padrões geométricos que podem ser vistos numa aura visual, além de algumas reflexões sobre o que podia estar se passando no cérebro. Enviei esses adendos frenéticos a William Gooddy, um neurologista inglês que escrevera um prefácio encantador ao livro. E Gooddy disse: "Não, deixe assim. O livro está bom do jeito que está. Estas aqui são ideias às quais você voltará diversas vezes nos próximos anos".[4] Fico contente que ele tenha protegido o livro contra a minha desorganização e exuberância, que àquela altura, creio eu, haviam se tornado quase maníacas.

Trabalhei muito com o meu editor para organizar as ilustrações e a bibliografia, e na primavera de 1969 estava tudo pronto. Mas, tendo se passado o ano de 1969 e, depois, o de 1970 sem que o livro fosse publicado, fiquei cada vez mais frustrado e furioso. Acabei contratando um agente literário, Innes Rose, e ele fez alguma pressão sobre a editora, que finalmente lançou o livro em janeiro de 1971 (embora na página de rosto conste o ano de 1970).

Fui a Londres para o lançamento. Fiquei, como sempre, na 37 Mapesbury, e no dia da publicação meu pai entrou no meu quarto, pálido e agitado, com o *Times* na mão. Disse em tom cavernoso: "Você saiu no jornal". Havia um artigo no jornal resenhando o livro, dizendo que *Enxaqueca* era "equilibrado, de peso, brilhante", ou algo parecido. Mas, para o meu pai, isso não fazia a menor diferença; eu cometera uma grave impropriedade, se não uma aberração criminosa, ao aparecer no jornal. Naqueles tempos, a pessoa podia perder o Registro Médico na Inglaterra por qualquer concessão a um dos "quatro As": alcoolismo, adicção, adultério ou anúncio; meu pai pensava que uma resenha de *Enxaqueca* na grande imprensa poderia ser interpretada como um anúncio. Eu me tornara público, me fizera visível. Ele, por sua vez, sempre tinha, ou acreditava que tinha, um "perfil discreto". Era conhecido e amado pelos pacientes, pela família e pelos amigos, mas não por círculos mais amplos. Eu havia transposto um limite, cometera uma transgressão, e ele temia por mim. Tal posição coincidia com os meus próprios sentimentos, e naqueles tempos muitas vezes eu ouvia a palavra "publicar" [*publish*] e entendia "punir" [*punish*]. Sentia que seria punido se publicasse qualquer coisa, e, no entanto, precisava publicar; esse conflito quase me dilacerava.

Para o meu pai, ter bom nome, *shem tov*, ser respeitado pelos outros era o que tinha maior importância — maior do que qualquer poder ou sucesso mundano. Ele era modesto e até depreciativo em relação a si mesmo. Minimizava o fato de ser, entre outras coisas, um diagnosticador admirável; não raro, especialistas lhe encaminhavam os seus casos mais complicados, sabendo que ele possuía uma habilidade misteriosa de se sair com diagnósticos inesperados.[5] Mas ele se sentia seguro, calmo e feliz com o seu trabalho, com o seu lugar no mundo, com o bom nome e a reputação que tinha. Ele esperava que todos os filhos, em qualquer atividade que tivéssemos, também conquistássemos um bom nome e não desonrássemos o sobrenome Sacks.

Aos poucos, meu pai, que ficara tão alarmado ao ver a resenha no *Times*, começou a ficar mais tranquilo quando viu boas notícias na imprensa médica também; afinal, o *British Medical Journal* e *The Lancet* haviam sido criados no século XIX por médicos e para médicos. Creio que, nesse ponto, ele começou a achar que o livro que eu escrevera devia ser passável e que eu havia feito bem em perseverar, muito embora tivesse custado o meu emprego (e talvez qualquer outro emprego neurológico nos Estados Unidos, se o poder de Friedman estivesse à altura das suas ameaças).

Minha mãe gostou do livro logo de saída, e pela primeira vez em muitos anos senti que meus pais estavam do meu lado, reconhecendo que o filho maluco e renegado, depois de anos de loucura e mau comportamento, agora estava no caminho clínico certo — que, afinal, eu poderia ter algo de bom em mim.

Meu pai, que costumava se referir a si mesmo, em tom de brincadeira e desvalorização pessoal, como "o marido da eminente ginecologista Elsie Landau" ou "o tio de Abba Eban", agora começou a se dizer "o pai de Oliver Sacks".[6]

Creio que posso ter subestimado meu pai tal como ele subestimava a si próprio. Fiquei muito surpreso e profundamente emocionado quando, alguns anos após sua morte, o rabino-mor da Inglaterra, Jonathan Sacks (nenhuma relação com a nossa família), escreveu para mim: "Conheci seu finado pai. Sentamos juntos algumas vezes na sinagoga. Ele era um autêntico *tzaddik* — penso nele como um dos [...] trinta e seis justos, cuja bondade sustenta o mundo".

Ainda agora, muitos anos depois da sua morte, aparecem pessoas me falando ou escrevendo sobre a bondade do meu pai, contando que foram (elas mesmas, ou os seus pais ou os seus avós) pacientes dele durante os setenta anos em que exerceu a medicina. Outras, na dúvida, perguntam se tenho algum parentesco com Sammy Sacks, como era chamado em Whitechapel. E fico feliz e orgulhoso em poder dizer que sim.

***

Após o lançamento de *Enxaqueca*, recebi algumas cartas de colegas perplexos, perguntando por que eu havia publicado versões anteriores de alguns capítulos com o pseudônimo de A. P. Friedman. Respondi dizendo que nunca havia feito nada do gênero e que deviam dirigir a pergunta ao dr. Friedman em Nova York. Tolamente, Friedman apostou que eu não publicaria o livro e, quando publiquei, deve ter percebido que estava numa enrascada. Eu nunca lhe disse uma palavra e nunca mais o vi.

Creio que Friedman tinha ilusões de proprietário, sentindo que era o dono não só de toda a área da enxaqueca, mas da clínica e de todos os que trabalhavam lá, estando portanto autorizado a se apropriar dos seus trabalhos e reflexões. Essa história penosa — para ambos os lados — não é incomum: um homem mais velho, uma figura paterna, e o seu jovem filho na ciência passam por uma inversão de papéis quando o filho começa a se destacar mais do que o pai. Isso aconteceu com Humphry Davy e Michael Faraday — Davy, de início, dando todo incentivo a Faraday, depois tentando bloquear sua carreira. Aconteceu também com o astrofísico Arthur Eddington e o seu jovem discípulo brilhante, Subrahmanyan Chandrasekhar. Não sou nenhum Faraday nem Chandrasekhar, e Friedman não era nenhum Davy nem Eddington, mas creio que, num nível muito mais modesto, foi a mesma dinâmica mortal que entrou em ação.

Helena Penina Landau, a minha tia Lennie, nasceu em 1892, dois anos antes da minha mãe. Os treze filhos do meu avô e da sua segunda esposa eram todos muito chegados, mantendo correspondência constante quando separados pela distância, mas entre Lennie e a minha mãe havia uma ligação especial que durou a vida toda.

Eram sete irmãs, e quatro delas — Annie, Violet, Lennie e Doogie — fundaram escolas.[7] (Minha mãe, Elsie, seguiu a medicina, tornando-se uma das primeiras cirurgiãs mulheres na Inglaterra.) Lennie foi professora no East End de Londres, antes de fundar, nos anos 1920, a Escola Judaica ao Ar Livre para Crianças Delicadas. ("Delicadas" podia significar qualquer coisa, do autismo à asma ou simplesmente "nervosismo".) A escola era situada na floresta Delamere, em Cheshire, e como era meio complicado dizer "Escola Judaica ao Ar Livre" ou "EJAL", todos nós dizíamos "Delamere". Eu adorava ir até lá, misturando-me com as crianças "delicadas"; a mim, não pareciam tão delicadas assim. Cada uma delas (e mesmo eu, de visita) recebia um metro quadrado de terra cercada por uma muretinha de pedras, onde podíamos plantar o que quiséssemos. Eu adorava observar as plantas com a minha tia ou as professoras na floresta de Delamere — as cavalinhas, em particular, ficaram gravadas na minha lembrança — e nadar no laguinho raso de Hatchmere ("Hatchmere de feliz memória", como certa vez escreveu minha tia, muito tempo depois de deixar Delamere). Nos pavorosos anos de guerra quando fui evacuado para Braefield, sonhava ardentemente em estar em Delamere.

Lennie se aposentou em 1959, depois de quase quarenta anos em Delamere, e no final de 1960 ela encontrou um pequeno apartamento em Londres, mas naquela época eu já tinha ido para o Canadá e os Estados Unidos. Trocamos quatro ou cinco cartas nos anos 1950, mas apenas quando o oceano se interpôs é que começamos a trocar uma longa e assídua correspondência.

Lennie me enviara duas cartas em maio de 1955 — a primeira quando lhe mandei um exemplar de *Seed*, uma revista de vida brevíssima (teve apenas um número) que alguns amigos e eu havíamos montado no meu terceiro ano em Oxford.

"Estou gostando muito de *Seed*", escreveu Lennie, "e todo o formato me agrada — o projeto de capa, o papel de qualidade, a bela impressão e a sensibilidade que todos vocês, os colaboradores, têm pelas palavras, sejam sérias ou divertidas... Ficarão tristes se eu disser que todos vocês são gloriosamente jovens (e, claro, cheios de vitalidade)?".

Esta carta, como todas as suas outras, começava com "Querido Bol" (às vezes "Boliver"), enquanto meus pais começavam mais sobriamente com "Caro Oliver". Não me parecia que ela usasse o termo "Querido" à toa; sentia-me muito amado por ela e também a amava intensamente; era um amor inequívoco, incondicional. Ela não se chocaria nem rejeitaria nada que eu dissesse; tinha uma capacidade de compreensão e empatia, uma generosidade e uma largueza de coração que pareciam ilimitadas.

Quando Lennie viajava, enviava-me cartões-postais. "Aqui estou eu me aquecendo à luz do sol no jardim de Grieg", escreveu em 1958, "contemplando um fiorde mágico. Não admira que ele se inspirasse para compor. (Que pena que você não está aqui. Há no grupo uma quantidade de rapazes agradáveis... formamos uma turma muito civilizada de várias idades e sexos.)"

Por coincidência, também fui à Noruega em 1958 e fiquei numa ilhota minúscula chamada Krokholmen, no fiorde de Oslo (onde um amigo meu, Gene Sharp, tinha uma casinha). "Quando recebi o seu cartão idílico de Krokholmen", escreveu Lennie, "fiquei com vontade de ir e ser o Sexta-Feira do seu Robinson Crusoé." Terminava a carta desejando-me "tudo de maravilhoso para os seus exames finais em dezembro".

***

O ano de 1960 foi de profunda mudança para nós dois. Lennie deixou Delamere depois de dirigir a escola por quase quarenta anos, e eu deixei a Inglaterra. Estava com 27 anos e ela com 67, mas nós dois sentíamos que partíamos para uma vida nova. Lennie decidiu fazer uma viagem de navio ao redor do mundo antes de se estabelecer em Londres, e eu já estava no Canadá quando recebi uma carta do navio em que ela estava, o *Strathmore*.

"Chegamos a Cingapura amanhã", dizia Lennie. "Durante alguns dias [depois de sair de Perth], além de golfinhos brincalhões, tivemos magníficos albatrozes a nos seguir... maravilhosamente graciosos, mergulhando e alçando voo, com uma envergadura de asas enorme."

Em outubro, quando eu começara a trabalhar em San Francisco, ela escreveu: "Fiquei encantada em receber a sua carta... sem dúvida, você parece ter encontrado uma vazão mais satisfatória para o seu espírito inquieto e inquiridor... Sinto saudades suas". Ao transmitir um recado da minha mãe, Lennie acrescentou: "O esporte favorito dela ainda é embrulhar pacotes para você!".

Em fevereiro de 1961, Lennie escreveu sobre um problema recorrente com o meu irmão Michael: "Eu nunca tinha visto Michael num estado tão alarmante como o desta vez e, para o meu próprio pesar, minha piedade se transformou em repugnância e medo, e a feroz proteção da sua mãe de certa maneira dava a entender (mas espero que eu não tenha deixado transparecer os meus sentimentos) que todos nós estávamos descompassados, exceto Michael".

Quando Michael era pequeno, Lennie gostava muito dele; como titia Annie, ela admirava a sua inteligência precoce e lhe levava todos os livros que ele queria. Mas agora, a seu ver, os meus pais estavam fechando os olhos para a gravidade — e o risco — da situação. "Nas últimas semanas antes do retorno de Michael a Barnet [um hospital psiquiátrico], temi pela vida deles. Que vida patética, destroçada." Ele estava com 32 anos.

Depois de procurar muito — os aluguéis em Londres eram caros e Lennie nunca foi de economizar grande coisa ("Como você, o dinheiro escorrega por entre os meus dedos") —, ela encontrara um lugar em Wembley: "Creio que você vai gostar desse meu apartamentinho. Gosto de ter a minha própria casa, e agora me sinto parcialmente compensada depois de perder Delamere. Enquanto escrevo, as amendoeiras que vejo pela janela estão em flor, há crocos, galantos e alguns asfódelos prematuros, e até tentilhões fazendo de conta que a primavera chegou".

Agora que estava em Londres, escreveu ela, era muito mais fácil ir ao teatro. "Ansiosa em ir amanhã à noite ver *O zelador*, de Harold Pinter... Esses novos autores jovens não têm o fraseio redondo e bem acabado da minha geração, mas têm algo real a dizer, e dizem com grande vigor." Ela também gostava muito da nova geração de sobrinhos-netos e sobrinhas-netas, como gostara da minha geração — principalmente os filhos do meu irmão David.

***

Em maio de 1961, enviei a Lennie o manuscrito de "Canadá: Pausa 1960", discorrendo sobre as minhas viagens pelo Canadá, e outro diário ("99") sobre um percurso de San Francisco a Los Angeles à noite. Em certo sentido, eram as minhas primeiras "peças" — em tom acanhado e rebuscado, mas que eu esperava poder publicar algum dia.

"Recebi os fantásticos fragmentos dos seus diários", respondeu Len. "A coisa toda é de tirar o fôlego. Percebi de repente que eu estava literalmente ofegando." Eu não tinha mostrado essas peças a mais ninguém, exceto Thom Gunn, e o entusiasmo da tia Len, não isento de crítica, foi de importância fundamental para mim.

Lennie tinha afeto especial por Jonathan Miller e pela sua mulher Rachel, e a recíproca era verdadeira. Jonathan, escreveu ela, "continua o mesmo gênio puro, simples, complexo, brilhante, encantador, desmazelado — como você... Batemos um longo papo numa tarde em que estávamos ambos em Mapesbury... É incrível como ele consegue colocar tudo o que faz dentro de uma vida só".

Ela curtiu as fotografias da Califórnia que lhe mandei. Percorrendo longas distâncias com a minha moto, sempre com uma câmera, enviei-lhe fotos das paisagens californianas. "Que imagens lindas", escreveu. "Tão extraordinariamente parecidas com o panorama grego que vi durante a minha visita, que foi de uma brevidade agoniante, quando voltava da Austrália... Tenha cuidado nesse seu corcel!"

Len gostou do "Viaje feliz" que lhe enviei no começo de 1962, mas achou que abusei dos "foda-se" e "merdas" dos caminhoneiros. Eles me pareciam exóticos, muito americanos — na Inglaterra, nunca íamos além de "caramba" —, mas para Len pareciam "maçantes quando escritos com tanta frequência".

Em novembro de 1962, ela escreveu: "A sua mãe começou a operar de novo [tinha fraturado um quadril meses antes], o que lhe agrada muito, e não se sente mais frustrada. O seu pai continua o mesmo de sempre, um encanto, avoado, distraído, espalhando pedacinhos de bondade sob a forma de óculos, seringas, agendas etc. por todos os lugares onde passa. E mãos ansiosas e prestimosas recolhem e lhes entregam, como se fosse a maior honra do mundo".

Lennie ficou vibrando com a notícia de que eu ia fazer uma apresentação num congresso de neurologia — a minha estreia na academia —, mas "não vibrando que você esteja ficando outra vez com um peso enorme — é um rapaz tão bonito quando está normal".

Uns dois meses depois, comentei com ela que tivera uma crise de depressão. "Sei que todos nós temos de vez em quando", escreveu Len. "Bom, não tenha mais. Você conta com tanta coisa a seu favor — inteligência, simpatia, boa aparência, senso do ridículo e nosso bando inteiro de gente que acredita em você."

Desde os meus primeiros anos, a crença de Len em mim tinha sido importante, visto que meus pais, pensava eu, *não* acreditavam em mim, e a minha crença em mim mesmo era bastante frágil.

Quando saí da minha depressão, enviei a Lennie um pacote de livros e, embora me censurando pela "extravagância", ela respondeu com "todos os meus agradecimentos ao meu sobrinho favorito". (Gostei disso, pois a minha tia favorita era ela, sem dúvida.) E prosseguia: "Imagine-me aconchegada junto à lareira, um prato de deliciosas maçãs ao lado, imersa na elegante excelência de Henry James, e então percebendo de repente que já é de madrugada". Essa carta trazia umas partes ilegíveis — "Não, a minha letra não ficou senil, é que estou tentando me acostumar com uma nova caneta-tinteiro, depois de perder a minha preciosa caneta de cinquenta anos de idade".

Ela sempre escrevia com uma caneta de bico largo (como ainda faço, cinquenta anos depois). "Querido Bol", terminava a carta, "que você seja feliz."

***

"Eu soube da sua batalha com as ondas, seu mergulhão maluco", escreveu-me ela em 1964. Eu lhe escrevera contando como desloquei o ombro quando fui atingido por uma onda gigante em Venice Beach e como o meu amigo Chet me havia tirado da água.

Lennie esperava que eu lhe mandasse alguns dos meus artigos sobre neurologia, "dos quais não vou entender nenhuma palavra, mas vou brilhar de orgulho e carinho pelo meu sobrinho incrível, inteligente e absolutamente encantador".
E assim nossa correspondência continuava, sete ou oito cartas por ano. Escrevi a Lennie quando saí da Califórnia, com as minhas primeiras impressões de Nova York:

> É uma cidade de fato maravilhosa, rica, estimulante, de extensão e profundidade ilimitadas — como Londres, embora as duas cidades sejam extremamente diferentes. Nova York é pontilhada de luzes, cintilante, tal como todas as cidades parecem vistas de um avião à noite: é um *mosaico* de características, pessoas, períodos, estilos, uma espécie de enorme quebra-cabeça urbano. Já Londres tem muito aquela característica de cidade *evoluída*, o presente como uma transparência sobre as folhas do passado, camada sobre camada, estendida no tempo, como a Troia de Schliemann ou a crosta terrestre. Mas, apesar de todo o seu ar sintético faiscante, Nova York é estranhamente antiga, arcaica. As enormes vigas de sustentação do "El" são uma excêntrica fantasia ferroviária dos anos 1880, a cauda de lagostim do Chrysler é pura ostentação eduardiana. Não consigo ver o Empire State Building sem a vasta silhueta do King Kong subindo pelos lados. O East Bronx é como Whitechapel no começo dos anos 1920 (antes do êxodo para Golders Green).

Len mandava notícias da família, escrevia sobre os livros que tinha lido, as peças a que assistira e, principalmente, as suas vigorosas caminhadas. Continuou a ser fã entusiástica de subir montanhas mesmo septuagenária, e agora tinha tempo livre para explorar as partes mais agrestes da Irlanda, da Escócia e do País de Gales.

Com as suas cartas, vinham pacotes de Blue Vinny, um queijo azul exclusivo de uma fazenda leiteira em Dorset; eu adorava esse queijo, que considerava superior ao Stilton. Amava aqueles pacotes de cheiro levemente acre que chegavam todos os meses, cada um com um quarto de fôrma de Blue Vinny. Ela começara a enviá-los para mim na época de Oxford e ainda continuava, quinze anos depois.

Em 1966, Len me escreveu sobre a segunda operação da minha mãe no quadril. Comentou: "A sua mãe passou uma semana muito dura... O seu pai estava bastante preocupado". Mas tudo transcorreu bem — minha mãe passou para as muletas e depois para uma bengala — e no mês seguinte Lennie escreveu: "A garra e a determinação dela são incríveis". (*Todos* os irmãos e irmãs Landau me pareciam dotados de uma tremenda garra e determinação.)

Escrevi a Lennie no começo de 1967, depois de ter lido *On Megrim*, de Liveing, decidido a escrever o meu próprio livro sobre o assunto. Lennie ficou entusiasmada; sempre sentira, desde os meus tempos de menino, que eu podia e *devia* ser "um escritor". Contei-lhe sobre a reação de Friedman ao meu manuscrito e que meu pai foi da opinião que eu devia ceder a ele, mas Lennie, com a sua típica clareza e firmeza de uma Landau, discordou.

"Esse seu dr. Friedman", escreveu em outubro de 1967, "parece uma figura extremamente desagradável, mas não deixe que ele o tire do sério. Mantenha sua confiança em si mesmo."

***

No outono de 1967, meus pais pararam em Nova York; estavam voltando da Austrália, onde foram visitar meu irmão mais velho, Marcus, e sua família. Nossos pais estavam preocupados comigo, por uma ou outra razão, e agora podiam ver com os próprios olhos que eu ia bem na vida profissional, apreciando e sendo apreciado pelos meus pacientes — meu irmão David estivera em Nova York alguns meses antes e lhes informou que eu era "adorado" pelos meus pacientes —, escrevendo sobre os extraordinários pacientes pós-encefalíticos que agora eu atendia em Nova York. Algumas semanas depois, Lennie escreveu: "Os seus pais chegaram totalmente reanimados depois de verem o primogênito e o caçula nos seus respectivos ambientes", acrescentando que Marcus, na Austrália, lhe escrevera uma carta de "um lirismo arrebatado" sobre a filhinha de colo.

Em 1968, avultavam ameaças maiores — a Guerra do Vietnã e uma intensificação do recrutamento; fui convocado para uma entrevista militar, mas consegui convencer as autoridades de que eu não era talhado para o exército.

"Como ficamos todos aliviados ao saber que você continua civil", escreveu Len. "Essa guerra vietnamita está a cada dia mais pavorosa, e a situação se torna cada vez mais complicada... Como você vê esse horrível tumulto pelo mundo todo (e os ocasionais bons acontecimentos)? Escreva e me conte o que anda fazendo."

TEMPO DE DESPERTAR

No outono de 1966, comecei a atender no Beth Abraham, um hospital de doenças crônicas filiado ao Albert Einstein College of Medicine. Logo percebi que, entre os quinhentos internados, cerca de oitenta pacientes, espalhados em várias alas, eram sobreviventes da extraordinária epidemia de encefalite letárgica (ou doença do sono) que grassara pelo mundo no começo dos anos 1920. A doença do sono matara muitos milhares de vítimas imediatamente, e os que pareciam recuperados eram com frequência acometidos, às vezes décadas depois, por estranhas síndromes pós-encefalíticas. Muitos estavam imobilizados em estados profundamente parkinsonianos, alguns em posturas catatônicas — não inconscientes, mas com a consciência suspensa naquele ponto em que a doença se apoderara de certas partes do cérebro. Fiquei surpreso ao saber que alguns dos pacientes estavam assim fazia trinta ou quarenta anos — com efeito, o hospital fora criado em 1920 para essas primeiras vítimas da encefalite letárgica.

Nos anos 1920 e 1930, vários hospitais em todo o mundo foram construídos ou adaptados para abrigar pacientes pós-encefalíticos; um deles, o Highlands Hospital na zona norte de Londres, era inicialmente um hospital para febres, com dezenas de pavilhões espalhados por muitos hectares, mas então foi usado para abrigar cerca de 20 mil pós-encefalíticos. No final dos anos 1930, porém, a maioria dos pacientes havia morrido e a própria doença — que antes ocupara as manchetes dos jornais — estava praticamente esquecida. Havia pouquíssimos registros na bibliografia médica sobre as estranhas síndromes pós-encefalíticas, que podiam levar décadas para se manifestar. As enfermeiras, que conheciam bem esses pacientes, tinham certeza de que, por trás da aparência de estátua — fechada, aprisionada —, a mente e a personalidade continuavam intactas. As enfermeiras também mencionaram que às vezes os pacientes se libertavam desse estado de imobilidade por um brevíssimo instante; a música, por exemplo, podia animá-los, permitindo-lhes dançar, embora não conseguissem andar, ou cantar, embora não conseguissem falar. Além disso, em algumas raras ocasiões, alguns se moviam de repente, espontaneamente, com enorme rapidez, na chamada "cinesia paradoxal".

O que me fascinou foi o espetáculo de uma doença que nunca era igual em dois pacientes, uma doença que podia assumir qualquer forma possível — com razão chamada de "fantasmagoria" pelos que a estudaram nos anos 1920 e 1930. Era uma síndrome que incluía um leque enorme de distúrbios em todos os níveis do sistema nervoso, uma desordem capaz de mostrar melhor do que qualquer outra como o sistema nervoso estava organizado, como o cérebro e o comportamento atuavam nos seus níveis mais primitivos.

Quando eu andava entre os meus pacientes pós-encefalíticos, às vezes me sentia um naturalista numa floresta tropical, às vezes, na verdade, numa floresta *primeva*, presenciando comportamentos pré-históricos e pré-humanos — catar, arranhar, lamber, chupar, arfar e um repertório inteiro de comportamentos fônicos e respiratórios estranhos. Eram "comportamentos fósseis", vestígios darwinianos de tempos primordiais que afloravam do limbo fisiológico com a estimulação de sistemas primitivos do tronco cerebral, prejudicados e sensibilizados pela encefalite, em primeiro lugar, e agora "despertados" pela L-dopa.[1]

Passei um ano e meio observando e tomando notas, às vezes filmando e gravando os pacientes, e naquele tempo vim a conhecê-los não só como pacientes, mas como pessoas. Muitos haviam sido abandonados pela família e não tinham contato com ninguém, a não ser o pessoal da enfermagem. Foi somente quando localizei seus registros dos anos 1920 e 1930 é que pude confirmar os diagnósticos, e nessa altura perguntei ao diretor do hospital se poderíamos transferir alguns deles para uma mesma ala, na esperança de que isso permitisse a formação de uma comunidade.

Desde o começo percebi que estava vendo indivíduos numa situação e estado sem precedentes, que nunca fora descrito, e algumas semanas depois de vê-los, em 1966, avaliei a possibilidade de escrever um livro a respeito deles; pensei em adotar o título de um dos livros de Jack London, *O povo do abismo*. Essa percepção da dinâmica da doença e da vida, do organismo ou sujeito lutando para sobreviver, às vezes premido pelas mais sombrias e estranhas circunstâncias, não era um ponto de vista que fosse ressaltado na minha época de estudante e residente, e tampouco se encontrava na bibliografia médica corrente. Mas, quando vi aqueles pacientes pós-encefalíticos, evidenciou-se como verdade clara e irresistível. O que fora descartado com desdém pela maioria dos meus colegas ("hospitais de doenças crônicas — você nunca verá nada de interessante *nesses* lugares") se revelou o exato contrário: uma situação ideal para ver o desenrolar de toda uma vida.

***

No final dos anos 1950, ficara estabelecido que o cérebro parkinsoniano tinha deficiência do transmissor dopamina e, portanto, era possível "normalizá-lo" elevando o nível de dopamina. Mas os efeitos das tentativas de ministrar L-dopa (precursora da dopamina) em quantidades de alguns miligramas não eram claros, e apenas quando George Cotzias, com grande ousadia, ministrou doses mil vezes maiores a um grupo de pacientes com mal de Parkinson, foi possível ver efeitos terapêuticos extraordinários. Com a publicação dos seus resultados em fevereiro de 1967, a situação dos pacientes com Parkinson mudou de uma hora para outra: a nova droga podia transformar a condição dos pacientes cuja única perspectiva, até então, fora a de esperar uma triste incapacitação cada vez maior. O clima fervia de entusiasmo e me perguntei se a L-dopa ajudaria meus pacientes, que eram muito diferentes.

Deveria dar L-dopa aos nossos pacientes no Beth Abraham? Hesitei; eles não tinham o mal de Parkinson usual, e sim uma desordem pós-encefalítica de complexidade, gravidade e estranheza incomparavelmente maiores. Como *esses* pacientes, com a sua doença tão diferente, iriam reagir? Senti que precisava ter cautela — uma cautela quase exagerada. Será que a L-dopa ativaria problemas neurológicos que alguns desses pacientes haviam tido nos anos iniciais da doença, antes de ficar encerrados no parkinsonismo?

Em 1967, um tanto apreensivo, solicitei à Drug Enforcement Administration (DEA) autorização especial de pesquisa para usar L-dopa, na época ainda uma droga experimental. A autorização demorou meses para chegar, e por várias razões foi apenas em março de 1969 que iniciei um teste duplo-cego de noventa dias com seis pacientes. Três receberiam um placebo, mas nenhum de nós sabia quem receberia a droga de verdade.

Passadas algumas semanas, porém, os efeitos da L-dopa se mostraram espetaculares. Pude inferir do índice exato de falha em cinquenta por cento que não havia nenhum efeito placebo significativo. Não poderia, em boa-fé, prosseguir com o placebo e decidi dar acesso à L-dopa para todos os pacientes preparados para experimentá-la.[2]

No começo, as respostas de praticamente todos os pacientes foram auspiciosas; houve um inesperado "despertar" festivo naquele verão, quando eles explodiram cheios de vida depois de décadas num estado quase inanimado.

Mas então quase todos tiveram problemas, desenvolvendo não só "efeitos colaterais" específicos da L-dopa, mas também certos padrões gerais de problemas: reações com flutuações súbitas e imprevisíveis, extrema sensibilidade à L-dopa. Alguns reagiam de maneira diferente a cada vez que recebiam a droga. Tentei alterar as dosagens, fazendo uma titulação cuidadosa, mas não funcionava mais; o "sistema" agora parecia ter uma dinâmica própria. No caso de muitos pacientes, parecia não existir nenhum grau intermediário entre L-dopa demais e L-dopa de menos.

Pensei em Michael e os seus problemas com os tranquilizantes (que amorteciam os sistemas da dopamina, ao passo que a L-dopa os ativava) enquanto tentava titular a dose para os meus próprios pacientes, encontrando as limitações insuperáveis de qualquer abordagem puramente médica ou medicamentosa quando tratamos com sistemas cerebrais que, aparentemente, perderam sua amplitude ou flexibilidade usual.[3]

***

Quando eu fazia residência na Ucla, a neurologia e a psiquiatria eram apresentadas como disciplinas que não guardavam quase nenhuma relação entre si, mas, quando saí da residência e fui conhecer a realidade completa dos pacientes, descobri que muitas vezes tinha de ser psiquiatra e ao mesmo tempo neurologista. Eu percebera claramente esse fato com os meus pacientes de enxaqueca, e ele se destacava com grande peso no caso dos pós-encefalíticos, pois apresentavam uma infinidade de desordens tanto "neurológicas" quanto "psiquiátricas": parkinsonismo, mioclonia, dança de São Vito, tiques, compulsões e necessidades estranhas, obsessões, "crises" súbitas e fortes surtos emocionais. Uma abordagem exclusivamente neurológica ou exclusivamente psiquiátrica com esses pacientes não levaria a lugar nenhum; era preciso associar o neurológico e o psiquiátrico.

Os pós-encefalíticos se encontravam num estado de suspensão por décadas — suspensão da memória, da percepção e da consciência. Estavam voltando à vida, à mobilidade e à plena consciência. Iriam se sentir anacrônicos, como Rip van Winkle, num mundo que não havia parado?

Quando dei L-dopa a esses pacientes, o "despertar" não foi apenas físico, mas também intelectual, perceptual e emocional. Essa reanimação ou despertar global contrariava os conceitos de neuroanatomia dos anos 1960, uma neuroanatomia que via o motor, o intelectual e o afetivo como compartimentos do cérebro totalmente separados e não comunicantes. O anatomista em mim, servil a essa ideia, dizia: "Não pode ser. Esse 'despertar' não devia acontecer".

Mas *estava* acontecendo, e claramente.

A DEA queria que eu preenchesse os nossos registros padronizados dos sintomas e reações à droga, mas o que estava ocorrendo era tão complexo em termos neurológicos e humanos que esses registros não dariam nem para começar a comportar a realidade daquilo que eu presenciava. Senti necessidade de manter notas e diários pormenorizados, como também fizeram alguns pacientes. Passei a andar com um gravador e uma câmera, e depois uma pequena filmadora em super-8, pois sabia que aquilo que eu via jamais seria visto outra vez; era indispensável ter um registro visual.

Alguns pacientes dormiam grande parte do dia, mas ficavam totalmente despertos à noite, e isso significava que eu também tinha de manter uma programação de 24 horas por dia. Embora isso acarretasse a privação do sono, me dava uma sensação de proximidade com eles, e também me permitia estar de plantão noturno para todos os quinhentos pacientes no Beth Abraham. Era uma situação que podia incluir o atendimento a um paciente com falência cardíaca aguda, o encaminhamento de outro a uma sala de emergência ou a solicitação de uma autópsia no caso de morte de outro. Embora normalmente houvesse um médico diferente por noite, de plantão telefônico, achei que também poderia ficar de plantão noturno permanente, e assim me ofereci como voluntário.

Os diretores do Beth Abraham gostaram da ideia e me ofereceram por um valor simbólico um apartamento num prédio vizinho ao hospital — o apartamento normalmente reservado a qualquer médico que estivesse de plantão. Era uma boa solução para todos: os outros médicos, na maioria, odiavam ficar de plantão para atendimentos de emergência, e eu estava encantado em ter um apartamento sempre aberto aos meus pacientes. Os integrantes das várias equipes — psicólogos, assistentes sociais, fisioterapeutas, fonoaudiólogos, terapeutas musicais, entre outros — volta e meia apareciam para discutir os casos dos pacientes. Quase todos os dias havia debates férteis e instigantes sobre os eventos inéditos que se desenrolavam diante das nossas vistas, que exigiam abordagens igualmente inéditas de todos nós.

James Purdon Martin, eminente neurologista de Londres que decidira passar a aposentadoria observando e trabalhando com os pacientes pós-encefalíticos no Highlands Hospital, publicara em 1967 um livro notável sobre as anormalidades nas suas posturas e equilíbrios. Em setembro de 1969, ele foi especialmente a Nova York para ver os meus pacientes; não deve ter sido fácil, pois Martin já era um septuagenário na época. Ficou fascinado ao ver os pacientes tratados com L-dopa e disse que nunca vira nada parecido desde os dias da epidemia aguda cinquenta anos antes. "Você precisa escrever sobre tudo isso, com muitos detalhes", insistiu ele.

Em 1970, comecei a escrever sobre a pós-encefalite numa forma que sempre me agradou muito, a carta ao editor. Numa semana, enviei quatro cartas ao editor de *The Lancet*, que foram prontamente aceitas para publicação. Mas o meu chefe, o diretor médico do Beth Abraham, não gostou. Perguntou: "Por que você está publicando essas coisas na Inglaterra? Você está aqui nos Estados Unidos; precisa escrever alguma coisa para o *Journal of the American Medical Association*. Não essas cartas sobre pacientes individuais, mas um levantamento estatístico de todos os pacientes e como eles estão reagindo".

Assim, no verão de 1970, relatei as minhas descobertas numa carta ao *JAMA*, descrevendo os efeitos totais da L-dopa em sessenta pacientes a quem eu ministrara a droga durante um ano. Notei que praticamente todos tinham reagido bem no início, mas depois quase todos, mais cedo ou mais tarde, escaparam ao controle, entrando em estados complexos imprevisíveis e às vezes bastante estranhos. Comentei que não podiam ser vistos como "efeitos colaterais", mas deviam ser encarados como partes de um todo dinâmico.

O *JAMA* publicou minha carta, mas, se eu havia recebido inúmeras reações positivas de colegas em resposta às minhas cartas em *The Lancet*, a carta no *JAMA* foi acolhida com um silêncio estranho, quase assustador.

O silêncio foi rompido alguns meses depois, quando a seção inteira de cartas do número de outubro do *JAMA* foi dedicada a reações extremamente críticas de vários colegas, algumas até enfurecidas. Diziam, em essência: "Sacks está maluco. Atendemos dezenas de pacientes, mas nunca vimos nada parecido". Um dos meus colegas em Nova York disse que acompanhara mais de cem pacientes parkinsonianos tratados com L-dopa, mas nunca vira nenhuma das reações complexas que eu descrevia. Escrevi uma réplica a ele, dizendo: "Prezado dr. M.: Quinze dos seus pacientes estão agora sob os meus cuidados no Beth Abraham. Gostaria de vir visitá-los e ver como eles estão?". Não recebi resposta.

Fiquei então com a impressão de que alguns colegas estavam minimizando determinados efeitos negativos da L-dopa. Uma carta dizia que, mesmo que o que eu relatava fosse verdade, não devia publicar porque traria "um impacto negativo ao clima de otimismo necessário para uma reação terapêutica à L-dopa".

Pareceu-me impróprio da parte do *JAMA* publicar esses ataques sem me dar a chance de responder no mesmo número. O que eu deixara claro era a extrema sensibilidade dos pacientes pós-encefalíticos, sensibilidade esta que os levava a reagir à L-dopa de maneira muito mais rápida e mais drástica do que os pacientes com o mal de Parkinson normal. Assim, em questão de dias ou semanas eu via efeitos nos meus pacientes que os meus colegas tratando o Parkinson normal levariam anos para ver.

Porém havia também questões mais profundas. Na minha carta ao *JAMA*, eu lançara dúvidas sobre o que, de início, parecia ser a questão muito simples de ministrar uma droga e controlar seus efeitos, mas não só: eu lançara dúvidas sobre a própria previsibilidade. Havia apresentado a contingência como fenômeno essencial e inevitável que surgia com a administração continuada da L-dopa.

Eu sabia que tivera a mais rara das oportunidades; sabia que tinha algo importante a expor, mas não enxergava nenhuma maneira de expô-la, de ser fiel às minhas experiências, sem deixar de ser "publicável" na área de medicina nem perder a aceitação dos colegas. Percebi isso muito agudamente quando um longo artigo que havia escrito sobre os pós-encefalíticos e as suas reações à L-dopa foi recusado pelo *Brain*, o periódico mais antigo e mais respeitado de neurologia.

Em 1958, quando eu estudava medicina, o grande neuropsicólogo soviético A. R. Lúria fora a Londres para apresentar uma palestra sobre o desenvolvimento da linguagem em dois gêmeos idênticos, e ele reunia uma grande capacidade de observação, profundidade teórica e calor humano de uma forma que, para mim, foi reveladora.

Em 1966, depois de chegar a Nova York, li dois livros de Lúria, *Higher Cortical Functions in Man* [Funções corticais superiores no homem] e *Human Brain and Psychological Processes* [O cérebro humano e os processos psicológicos]. Este último, que continha descrições minuciosas do histórico de pacientes com lesão no lobo frontal, me encheu de admiração.[4]

Em 1968, li *Mind of a Mnemonist* [A mente de um mnemônico], de Lúria. Li as trinta páginas iniciais pensando que era um romance. Mas então entendi que, na verdade, era um relato de caso — o mais profundo e mais detalhado que já lera na vida, um relato de caso com a força dramática, o sentimento e a estrutura de um romance.

Lúria alcançara renome internacional como fundador da neuropsicologia. Mas ele acreditava que seus relatos de caso, de rica sensibilidade humana, eram tão importantes quanto os seus grandes tratados neuropsicológicos. O empenho de Lúria — combinar clássico e romântico, ciência e narrativa — se tornou meu também, e o seu "livrinho", como ele sempre dizia (*The Mind of a Mnemonist* tem apenas 160 páginas em formato pequeno), transformou o foco e o rumo da minha vida, servindo-me como modelo não só para *Tempo de despertar*, mas para tudo o mais que vim a escrever.

No verão de 1969, depois de trabalhar dezoito horas por dia com os pós-encefalíticos, fui para Londres esgotado, mas muito animado. Inspirado pelo "livrinho" de Lúria, passei um mês e meio na casa dos meus pais, onde escrevi os nove primeiros relatos de caso de *Tempo de despertar*. Quando apresentei aos meus editores na Faber & Faber, disseram que não estavam interessados. Também escrevi um manuscrito de 40 mil palavras sobre tiques e comportamentos pós-encefalíticos e, além disso, planejei um tratado com o título de "Funções subcorticais no homem", um complemento a *Higher Cortical Functions in Man*, de Lúria. Também foi rejeitado pela Faber.

Quando cheguei ao Beth Abraham em 1966, além dos oitenta e poucos pacientes pós-encefalíticos, o hospital abrigava centenas com outras doenças neurológicas — pacientes mais jovens com disfunção neuronal motora (a esclerose lateral amiotrófica, ELA), siringomielia, doença de Charcot-Marie-Tooth e outras; pacientes de mais idade com mal de Parkinson, derrames, tumores cerebrais ou demência senil (naquela época, o termo "mal de Alzheimer" era reservado para raros pacientes com demência pré-senil).

O diretor de neurologia no Einstein me pediu que usasse essa população especial de pacientes para apresentar a neurologia aos estudantes de medicina da faculdade. Eu recebia oito ou nove estudantes por vez — que tinham interesse especial em neurologia e podiam vir nas tardes de sexta-feira durante dois meses (havia também sessões em outros dias para receber os estudantes ortodoxos que não podiam vir às sextas). Eles aprendiam sobre os distúrbios neurológicos e também o que significava estar internado e viver com uma disfunção crônica. A cada semana, passávamos das desordens do sistema nervoso periférico e da medula espinhal para as desordens do tronco encefálico e do cerebelo, depois para as desordens motoras e por fim para as desordens da percepção, da linguagem, do pensamento e do julgamento.

Sempre começávamos com as aulas ao lado da cama, reunindo-nos em volta do leito de um paciente para ouvir suas histórias, fazer perguntas e examiná-lo. Eu ficava ao lado do paciente, de modo geral sem interferir, mas garantindo que ele sempre fosse tratado com respeito, cortesia e plena atenção.

Eu só apresentava aos estudantes os pacientes que conhecia bem e que haviam concordado em ser interrogados e examinados por eles. Alguns pacientes eram professores natos. Goldie Kaplan, por exemplo, apresentava uma condição congênita rara, que afetava a medula espinhal, e ela dizia aos estudantes: "Não tentem decorar 'siringomielia' nos seus livros — pensem em *mim*. Observem essa queimadura grande aqui no meu braço esquerdo, quando encostei num aquecedor sem sentir calor nem dor. Lembrem como me sento torta na cadeira, a dificuldade que tenho em falar porque a siringe está começando a alcançar o meu tronco encefálico. Eu *exemplifico* a siringomielia", dizia ela. "Lembrem-se de *mim*!" Todos os alunos o fizeram, e alguns, escrevendo-me muitos anos depois, mencionavam Goldie, dizendo que ainda podiam enxergá-la mentalmente.

Após três horas examinando pacientes, fazíamos um intervalo para o chá servido na minha salinha lotada, as paredes cobertas por um palimpsesto de papéis que eu prendia ali: artigos, notas, reflexões, diagramas do tamanho de um cartaz. Então, se o clima permitisse, atravessávamos a rua e íamos até o Jardim Botânico de Nova York, onde nos instalávamos debaixo de uma árvore e falávamos de filosofia e da vida em geral. Acabávamos por nos conhecer bem ao longo das nossas nove tardes de sexta-feira.

A certa altura, o departamento de neurologia pediu que eu avaliasse e desse notas aos meus alunos. Apresentei o formulário, dando A a todos eles. Meu diretor ficou indignado. "Como todos podem ter tirado A?", perguntou. "É alguma piada?"

Respondi: não, não é piada, mas, quanto mais vim a conhecer cada aluno, mais me parecia inconfundível. O meu A não era uma tentativa de afirmar uma igualdade espúria, mas sim um reconhecimento da singularidade única de cada um. Achava que um estudante, tal como um paciente, não podia ser reduzido a um número ou a um exame. Como iria julgar a turma sem os enxergar numa ampla variedade de situações, como se saíam nas qualidades inclassificáveis de empatia, preocupação, responsabilidade, julgamento?

Acabaram desistindo de pedir que eu desse notas aos meus alunos.

De vez em quando, eu ficava com apenas um aluno de medicina por períodos mais longos. Um deles, Jonathan Kurtis, me visitou há pouco tempo e falou que agora, mais de quarenta anos depois, a única coisa de que se lembrava dos seus tempos de estudante era aquele período de três meses que passou comigo. Às vezes eu lhe dizia para ver uma paciente com, por exemplo, esclerose múltipla — que fosse até o seu quarto e passasse algumas horas com ela. Então teria de me fazer o relatório mais completo possível não só sobre seus problemas neurológicos e a maneira de viver com eles, mas também sobre a personalidade, os interesses, a família, a história de vida completa da paciente.[5]

Conversávamos sobre o paciente e a sua "condição" em termos mais gerais e depois eu sugeria leituras complementares; Jonathan ficava espantado que eu costumasse recomendar relatos originais, muitas vezes do século XIX. Nenhuma outra pessoa na escola de medicina, dizia Jonathan, jamais sugerira que ele lesse tais relatos; se chegavam a ser mencionados, eram descartados como "material velho", obsoleto, descabido, sem uso nem interesse para ninguém, a não ser para algum historiador.

***

As enfermeiras, auxiliares de enfermagem, acompanhantes e atendentes no Beth Abraham (como em qualquer outro hospital) trabalhavam muitas horas e recebiam pouco, e em 1972 o sindicato do setor, o regional 1199, convocou uma greve. Alguns trabalhavam no hospital fazia muitos anos e eram bastante apegados aos seus pacientes. Falei com eles quando estavam no piquete da greve e me contaram sobre o conflito que sentiram ao abandonar os pacientes; alguns choraram.

Fiquei receoso com alguns pacientes, principalmente os imobilizados que precisavam ser virados na cama com frequência para evitar escaras, e também careciam de exercícios passivos de amplitude de movimento (ROM) para as articulações, que do contrário endureceriam. Um único dia sem virar e exercitar o paciente podia dar início a um declínio da sua condição, e a greve pelo jeito ia durar uma semana ou mais.

Telefonei para uns alunos meus, expus a situação e perguntei se podiam ajudar. Eles concordaram em convocar uma reunião de emergência dos representantes discentes para discutir o assunto. Ligaram de volta duas horas depois, desculpando-se que o conselho estudantil não aceitava que furassem a greve em grupo. Mas, acrescentaram, os alunos tomados individualmente podiam seguir sua própria consciência. Os dois para quem telefonei disseram que viriam imediatamente.

Passei com eles pelo piquete — os trabalhadores em greve permitiram — e passamos as quatro horas seguintes virando pacientes, estendendo as suas articulações e cuidando das suas necessidades fisiológicas, e então dois estudantes foram substituídos em rodízio por outros dois. Era um trabalho exaustivo, 24 horas seguidas, e nos fez entender como era puxado o trabalho das enfermeiras, assistentes e atendentes na sua rotina normal, mas conseguimos impedir ferimentos na pele e qualquer outro problema entre os quinhentos e tantos pacientes.

As questões salariais e trabalhistas finalmente foram resolvidas e o pessoal voltou ao trabalho dez dias depois. Mas naquela última noite, quando fui até o meu carro, vi que tinham quebrado o para-brisa. Haviam deixado um bilhete grande, escrito à mão, que dizia: "Amamos você, dr. Sacks. Mas você é um fura-greve". Porém aguardaram até o final da greve, permitindo que eu e os estudantes cuidássemos dos pacientes.[6]

Quando a gente envelhece, os anos parecem se fundir uns nos outros, mas 1972 continua nitidamente gravado na minha memória. Os três anos anteriores tinham sido de enorme intensidade, com o despertar e as atribulações dos meus pacientes; tal experiência não é concedida duas vezes numa mesma vida e, em geral, nem sequer uma vez. O seu caráter tão precioso e profundo, a sua intensidade e alcance me faziam sentir que precisava expressar tal experiência de alguma maneira, mas não conseguia imaginar uma forma apropriada, capaz de combinar a objetividade da ciência com o extremo senso de identidade humana, a proximidade que eu tinha com os meus pacientes e o puro espanto (e às vezes a tragédia) de tudo aquilo. O ano de 1972 começou para mim com um sentimento agudo de frustração, uma incerteza de não saber se conseguiria encontrar um modo de amalgamar a experiência e elaborá-la dentro de alguma forma e unidade orgânica.

Ainda considerava a Inglaterra como o meu lar e os meus doze anos nos Estados Unidos como uma espécie de visita prolongada. Parecia-me que precisava voltar, ir para casa para escrever. "Casa" significava muitas coisas: Londres; a casa grande e espraiada em Mapesbury Road onde nascera e onde os meus pais, agora septuagenários, ainda moravam com Michael, e Hampstead Heath, onde eu costumava brincar na infância.

Decidi tirar férias no verão e alugar um apartamento no fim de Hampstead Heath, perto das trilhas, dos bosques cheios de cogumelos, dos lagos que eu amava, e igualmente perto de Mapesbury Road. Meus pais iam comemorar as bodas de ouro em junho, com uma festa reunindo toda a família — não só os meus três irmãos e eu, mas os irmãos e irmãs deles, sobrinhos e sobrinhas e toda a imensidão de primos.

Porém eu tinha uma razão mais específica para ficar perto: minha mãe era uma contadora de histórias nata. Contava casos médicos aos colegas, aos alunos, aos pacientes, aos amigos. E desde a nossa mais tenra infância ela contara a nós — os seus quatro filhos — histórias às vezes tristes e aterradoras, mas sempre evocando as qualidades pessoais, a bravura e o valor do paciente. Meu pai também era um grande narrador de casos médicos, e esse sentimento de espanto dos meus pais perante os caprichos da vida, o amálgama que eles faziam entre a percepção clínica e um quadro mental narrativo, foi vigorosamente transmitido a todos nós. Meu próprio impulso pessoal de escrever — não literatura ou poesia, mas crônicas e descrições — parece ter vindo diretamente deles.

Minha mãe ficara fascinada quando lhe contei sobre os

meus pacientes pós-encefalíticos, com o despertar e as atribulações quando lhes ministrava L-dopa. Ela vinha insistindo que eu escrevesse a história deles e, no verão de 1972, ela disse: "Agora! Agora é a hora".

Eu passava a manhã andando e nadando no Heath, e a tarde escrevendo ou ditando as histórias de *Tempo de despertar*. À noite, eu caminhava pela Frognal até a Mill Lane e então até a 37 Mapesbury Road, onde lia a parte mais recente para a minha mãe. Ela lia para mim quando eu era criança — foi como conheci Dickens, Trollope, D. H. Lawrence — e agora queria que eu lesse para ela, que desse uma forma narrativa completa às histórias que já ouvira fragmentariamente. Ela ouvia com grande atenção, sempre com emoção, mas também com um senso crítico penetrante, aguçado pelo seu conceito pessoal sobre o que tinha ou não realidade clínica. Ela tolerava com alguma boa vontade os meus meandros e digressões, o seu grande critério era "soar verdadeiro". "Isso não soa verdadeiro!", dizia às vezes, mas depois, com frequência cada vez maior: "Agora sim. Agora soa verdadeiro".

Assim, em certo sentido, escrevemos juntos naquele verão os relatos de caso em *Tempo de despertar*; era como se o tempo tivesse parado, com um halo de encantamento, um ponto privilegiado atemporal, longe da agitação do cotidiano, um tempo especial consagrado à criação.

Meu apartamento em Hampstead Heath também ficava perto do escritório de Colin Haycraft, em Gloucester Crescent. Lembro que conheci Colin em 1951, quando eu era calouro na Queen's. Ele estava no último ano — uma figura baixa, cheia de energia, com a sua toga de acadêmico, já gibboniano na sua confiança e nos seus maneirismos, mas de movimentos ágeis e rápidos, conhecido não só como especialista nos clássicos, mas também como excelente jogador de tênis e pingue-pongue. Porém só viemos a nos conhecer realmente vinte anos depois.

Eu havia escrito os nove primeiros relatos de caso de *Tempo de despertar* no verão de 1969, mas a Faber & Faber não os aceitou, recusa que me abalou e me fez pensar se algum dia escreveria ou publicaria outro livro.⁷ Deixei o manuscrito de lado e acabei por perdê-lo.

Colin Haycraft, nessa época, tinha uma editora muito respeitada, a Duckworth, que ficava do outro lado da rua onde morava Jonathan Miller. No final de 1971, vendo o meu dilema, Jonathan enviara uma cópia carbono desses nove relatos de caso; eu havia esquecido totalmente que ele tinha uma cópia.

Colin gostou das histórias e insistiu que eu escrevesse outras. Aquilo me incentivou, mas também me amedrontou. Colin pressionou gentilmente; eu desconversei; ele recuou, esperou, avançou outra vez; era uma pessoa muito sensível, muito delicada com a minha insegurança e as minhas ansiedades. Tergiversei durante seis meses.

Percebendo que eu precisava de mais um empurrão, Colin, daquela sua maneira impulsivo-intuitiva como sempre agia, pegou o texto datilografado que Jonathan lhe dera e mandou imprimir as provas. Fez isso em julho, sem avisar, sem me consultar. Foi uma iniciativa extremamente generosa, para não dizer extravagante — que garantia tinha ele de que eu continuaria o texto? —, e também um ato de confiança decisivo. Isso foi antes do surgimento da impressão digital, e ele tivera uma despesa considerável para produzir aquelas longas provas tipográficas. E, para mim, foi uma evidência de que ele realmente considerava o livro bom.

Contratei uma datilógrafa e estenógrafa; naquela época, eu estava com uma tremenda torção no pescoço, pois subira as escadas do porão correndo e batera a cabeça numa viga baixa, que enfraqueceu tanto a minha mão direita que nem conseguia segurar uma caneta. Obriguei-me a trabalhar e ditar todos os dias — obrigação que logo se tornou um prazer conforme avançava no trabalho. Ditar não é a palavra certa. Eu me instalava no sofá, com o meu colar cervical, folheava minhas anotações e então contava as minhas histórias à estenógrafa, observando suas expressões faciais enquanto taquigrafava. As reações dela eram fundamentais: eu estava falando não para uma máquina, mas para ela; parecia uma cena de Scheherazade ao contrário. Todas as manhãs ela me trazia as transcrições do dia anterior, belamente datilografadas, que eu lia à noite para minha mãe.

E quase todos os dias eu enviava um maço de folhas datilografadas prontas para Colin, que depois repassávamos em minúcias. Naquele verão, passamos juntos muitas horas fechados no escritório. E mesmo assim vejo, pelas cartas que trocamos, que preservávamos um grau considerável de formalidade: ele era sempre o "sr. Haycraft" e eu era sempre o "dr. Sacks". Em 30 de agosto de 1972, escrevi:

Prezado sr. Haycraft,

Envio em anexo mais cinco relatos de caso. Os dezesseis relatos até agora resultam ao todo em cerca de 240 páginas, o que estaria entre 50 e 60 mil palavras. [...] Estou pensando em acrescentar mais quatro [...] mas aqui, naturalmente, acatarei o seu juízo sobre o assunto. [...]
Tentei passar dos montes de dados e compilações de listas médicas para os relatos, mas, evidentemente, sem pleno sucesso. O senhor tem toda a razão sobre a forma da Arte e o amorfo da Vida — talvez eu devesse ter uma linha ou um tema mais nítido e definido em todos eles, mas são muito complexos, como tapeçarias. Em certa medida, são minérios brutos que outros (inclusive eu) poderão cavar e refinar mais tarde.
Meus cumprimentos,

Oliver Sacks

Uma semana depois, escrevi:

Prezado sr. Haycraft,
Passei vários dias numa introdução [...] que incluo em anexo. Parece que encontro o caminho certo apenas depois de cometer todas as asneiras possíveis e de esgotar finalmente todos os caminhos errados. [...] Preciso conversar logo com o senhor outra vez [...] como sempre, pois me ajuda a clarear as ideias.

No verão de 1972, Mary-Kay Wilmers, vizinha de Colin em Gloucester Crescent e editora de *The Listener*, um semanário publicado pela BBC, convidou-me para escrever um artigo sobre os meus pacientes e o "despertar" deles. Nunca ninguém me encomendara um artigo antes, e *The Listener* tinha excelente renome, de modo que me senti honrado e entusiasmado: seria minha primeira oportunidade de transmitir para um público geral o assombro de toda aquela experiência. E, em vez das recusas cobertas de recriminações que eu vinha recebendo dos periódicos de neurologia, estava sendo convidado para escrever, recebendo uma oportunidade de publicar livremente, na íntegra, o que viera se acumulando e crescendo por tanto tempo, ficando porém represado.

Na manhã seguinte, escrevi um artigo de uma assentada só e mandei entregar a Mary-Kay. Porém à tarde repensei e liguei para ela dizendo que achava que podia fazer algo melhor. Ela respondeu que o artigo enviado estava bom, mas, se eu quisesse fazer algum acréscimo ou alteração, leria de bom grado. "Mas ele não *precisa* de revisão", frisou ela. "Está muito claro, flui bem — ficaríamos satisfeitos em publicá-lo como está."

Mas eu achava que não havia dito tudo o que queria e, em vez de mexer no texto original, escrevi outro, com uma abordagem muito diversa. Mary-Kay também gostou deste segundo; os dois eram publicáveis tal como estavam, disse ela.

Na manhã seguinte, fiquei outra vez insatisfeito e escrevi um terceiro rascunho, e à tarde mais um quarto. Ao longo da semana, enviei a Mary-Kay nove textos ao todo. Então ela foi para a Escócia, dizendo que tentaria juntá-los de alguma maneira. Voltou dali a alguns dias, dizendo que foi impossível reuni-los; cada um tinha uma natureza própria, escrito de determinada perspectiva, todos diferentes entre si. Não eram versões paralelas, disse ela, eram "ortogonais". Eu precisava escolher uma delas e, se não conseguisse, ela mesma escolheria. Por fim, Mary-Kay escolheu a sétima (ou foi a sexta?) versão, que foi a que saiu em *The Listener* de 26 de outubro de 1972.

***

Tenho a impressão de que os meus pensamentos se revelam pelo ato de escrever, *no* ato de escrever. Às vezes, um texto sai perfeito, mas em geral os meus escritos precisam de muitos cortes e eliminações, pois expresso a mesma ideia de várias maneiras distintas. Posso ser assaltado por associações e pensamentos secundários no meio de uma frase, e isso leva a parênteses, a orações subordinadas, a frases do comprimento de um parágrafo. Nunca uso um adjetivo só quando acho melhor usar seis, a frase ficando mais incisiva pelo efeito cumulativo. Sou perseguido pela densidade do real e tento capturá-la com uma "descrição densa" (como diz Clifford Geertz). Tudo isso gera problemas de organização. Às vezes fico embriagado com as ideias que afluem e sou impaciente demais para colocá-las na ordem devida. Mas a cabeça fresca e alguns intervalos de sobriedade são tão necessários quanto a exuberância criativa.

Como Mary-Kay, Colin teve de escolher entre várias versões, precisou conter a minha prosa às vezes demasiado exuberante e criar uma continuidade. Às vezes, apontando uma passagem, ele dizia: "Isso não cabe aqui", e aí saltava várias páginas e dizia: "Isso cabe *aqui*". Logo eu percebia que ele tinha razão, mas — misteriosamente — não conseguia enxergar por mim mesmo.

Não era apenas esse clareamento que eu pedia a Colin naquela época; era apoio emocional quando me sentia bloqueado ou quando o meu ânimo e confiança esmoreciam quase por completo, como acontecia depois de esgotado o primeiro impulso.

19 de setembro de 1972

Prezado sr. Haycraft,

Sinto-me numa daquelas fases baixas de esterilidade e estagnação, quando não se consegue fazer nada ou apenas se gira em círculos. O diabo é que bastariam apenas três dias de trabalho para terminar o livro, mas não sei se sou capaz disso no momento.
Estou numa fase tão difícil e carregada de culpa no momento que não me creio capaz de suportar a ideia de que algum dos meus pacientes seja exposto de maneira identificável ou que o próprio hospital seja identificável em *Tempo de despertar* — esta talvez seja uma das coisas que estão me inibindo para terminar o livro.

Já passara o Dia do Trabalho, os Estados Unidos estavam de volta ao batente e eu também tinha de voltar à faina diária em

Nova York. Terminara mais onze relatos e não sabia como concluir o livro.

Voltei ao conhecido apartamento vizinho ao Beth Abraham onde morava desde 1969, mas no mês seguinte o diretor do hospital me disse de repente que eu teria de sair: ele precisava do apartamento para a sua mãe idosa e enferma. Respondi que entendia a necessidade dela, mas que, pelo que eu sabia, o apartamento era reservado ao médico de plantão do hospital e nessa função eu o ocupara nos últimos três anos e meio. O diretor não gostou da resposta e disse que, como eu estava contestando a sua autoridade, eu podia deixar o apartamento e o hospital. Assim, de uma tacada só, fiquei sem emprego, sem salário, sem pacientes e sem lugar para morar. (Continuei, porém, a visitar os meus pacientes, embora extraoficialmente, até 1975, quando o Beth Abraham formalizou minha reintegração.)

O apartamento, que eu enchera com as minhas coisas, inclusive um piano, ficou com um ar desolado depois que tudo foi removido, e ali estava eu no meu apartamento agora vazio em 13 de novembro, quando meu irmão David telefonou para avisar da morte da nossa mãe: ela sofrera um ataque cardíaco durante uma viagem a Israel e morreu quando andava no Negev.

Tomei o primeiro avião para a Inglaterra e, com os meus irmãos, carreguei o caixão no enterro. Perguntava-me como me sentiria durante o *shivá*. Não sabia se aguentaria passar o dia todo sentado numa banqueta com os outros enlutados por sete dias a fio, recebendo um fluxo constante de pessoas e falando, falando, falando sem parar sobre a finada. Mas esse compartilhamento integral das emoções e lembranças foi uma experiência profunda, construtiva, fundamental, ao passo que, sozinho, me sentia aniquilado com a morte da minha mãe.

Apenas seis meses antes eu consultara a dra. Margaret Seiden, neurologista em Columbia, depois de subir correndo a escada do subsolo no meu apartamento, batendo a cabeça numa viga baixa e machucando o pescoço. Depois de me examinar, ela perguntou se a minha mãe era uma certa "srta. Landau". Respondi que sim, e a dra. Seiden me contou que fora aluna da minha mãe; na época, ela era muito pobre e minha mãe pagara as suas taxas na escola de medicina. Foi somente no seu enterro, quando conheci muitos ex-alunos seus, que vim a saber que ela ajudara vários deles durante toda a faculdade, às vezes custeando o curso completo. Minha mãe nunca contara a mim (e talvez a ninguém) a que extremos ia para ajudar os seus alunos carentes. Sempre pensei nela como uma pessoa frugal, até parcimoniosa, mas nunca percebi o quanto era generosa. Entendi tarde demais que ela tinha muitas facetas que eu desconhecia totalmente.

O irmão mais velho da minha mãe, o tio Dave (nós o chamávamos de tio Tungstênio, e foi ele quem me apresentou à química na infância), me contou várias histórias da juventude de mamãe, histórias que me fascinaram, me confortaram e me fizeram rir algumas vezes. Aproximando-se o fim da semana, ele disse: "Venha ter uma boa conversa comigo quando vier outra vez à Inglaterra. Agora sou o único que se lembra da sua mãe quando ela era pequena".[8]

Fiquei especialmente emocionado ao ver tantos pacientes e alunos da minha mãe, e como guardavam lembranças tão vívidas, tão bem-humoradas e afetuosas — ao vê-la pelos olhos deles, como médica, professora e contadora de histórias. Enquanto falavam sobre ela, aquilo me recordou minha própria identidade como médico, professor e contador de histórias, e como isso nos aproximara ao longo dos anos, acrescentando uma nova dimensão ao nosso relacionamento. Fez-me sentir também que eu devia concluir *Tempo de despertar* como um último tributo a ela. A cada dia do período de luto, foi se fortalecendo dentro de mim um estranho sentimento de paz e sobriedade, com a noção do que realmente importava, com a percepção das dimensões alegóricas da vida e da morte.

A morte da minha mãe foi a perda mais devastadora da minha vida — a perda da relação mais profunda e talvez, em certo sentido, a mais real da minha existência. Era-me impossível ler qualquer coisa profana; quando finalmente me recolhia à cama a cada noite, só conseguia ler a Bíblia ou as *Devoções* de Donne.

Terminado o luto formal, fiquei em Londres e voltei a escrever, rodeado pela sensação de vida e morte da minha mãe e as *Devoções* de Donne dominando todos os meus pensamentos.

Nesse estado de espírito, escrevi as seções finais, mais alegóricas, de *Tempo de despertar*, com um sentimento, uma voz que nunca conhecera anteriormente.

***

Colin desanuviava e amenizava os meus estados de espírito, bem como os vaivéns intrincados, retorcidos, às vezes labirínticos do livro, de modo que ele finalmente ficou pronto em dezembro. Eu não conseguia suportar a casa vazia de Mapesbury, sem a presença materna, e no último mês de redação do livro praticamente me mudei para os escritórios da Duckworth na Old Piano Factory, voltando para a Mapesbury no começo da noite, para jantar com papai e Lennie (Michael, sentindo que a psicose aumentava de novo após a morte de mamãe, se internara por iniciativa própria). Colin me cedeu uma salinha na Duckworth e, como agora eu tinha um impulso muito grande de eliminar ou alterar o que acabava de escrever, combinamos que eu passaria por baixo da porta cada página que escrevesse. Não era apenas o crivo crítico que ele me fornecia; era uma sensação de abrigo e apoio, e por fim quase um lar, de que eu tanto precisava na época.

Em dezembro, portanto, o livro estava pronto.[9] Entregara a última página a Colin, e era hora de voltar para Nova York. Tomei um táxi para o aeroporto com a sensação de que o livro estava completo. Mas aí, dentro do táxi, percebi de repente que havia omitido algo absolutamente essencial — algo sem o qual a estrutura inteira viria abaixo. Escrevi às pressas, e esse foi o início de um período febril escrevendo notas de rodapé, que se prolongou por dois meses. Isso foi muito antes da existência do fax, mas em fevereiro de 1973 eu enviara para Colin mais de quatrocentas notas de rodapé por correio expresso.

Lennie estivera em contato com Colin, que lhe contou que eu estava "mexendo" no manuscrito e lhe enviando de Nova York uma enxurrada de notas, o que despertou uma rigorosa advertência da parte dela: *"Não, não, não* mexa mais nem acrescente nenhuma nota!", escreveu Lennie.

Colin disse: "Todas as notas são fascinantes, mas, somadas,

dão o triplo da extensão do livro e vão soterrá-lo". Autorizou-me a manter uma dúzia delas.

"Tudo bem", respondi. "Você escolhe."

Mas ele (muito sábio e prudente) disse: "Não, escolha você, pois do contrário você se zangará comigo e com a minha escolha". E assim a primeira edição teve apenas uma dúzia de notas. Juntos, Lennie e Colin salvaram *Tempo de despertar* dos meus excessos.

Fiquei empolgado ao ver as provas tipográficas de *Tempo de despertar* no começo de 1973. As provas finais saíram uns dois meses depois, mas Colin não me enviou, pois ficou com medo que eu aproveitasse a oportunidade para fazer inúmeras mudanças e acréscimos, como havia feito nas provas tipográficas, e isso atrasaria o cronograma da publicação.

Ironicamente, foi Colin, alguns meses depois, quem sugeriu que adiássemos a publicação, para que *The Sunday Times* pudesse publicar previamente algumas partes, mas me opus com veemência, pois queria ver o livro publicado antes ou durante o meu aniversário em julho. Ia fazer quarenta anos e queria poder dizer: "Posso estar com quarenta anos, perdi a minha juventude, mas pelo menos fiz alguma coisa, escrevi este livro". Colin achou que eu estava sendo irracional, porém, ao ver o meu estado de espírito, concordou em manter a data original de lançamento, no final de junho. (Mais tarde, ele lembrou que Gibbon havia se esforçado ao máximo para publicar o último volume do *Declínio e queda* na data do *seu* aniversário.)

Quando continuei em Oxford depois da graduação e nas frequentes visitas que fiz no final dos anos 1950, de vez em quando eu via W. H. Auden passeando pela cidade. Ele fora nomeado professor visitante de poesia em Oxford e, quando estava lá, ia todas as manhãs ao Café Cadena para conversar com qualquer um que quisesse parar. Era muito simpático, mas eu me sentia tímido demais para abordá-lo. Em 1967, porém, vim a conhecê-lo num coquetel em Nova York.

Ele me convidou a visitá-lo e às vezes eu ia até o seu apartamento na St. Mark's Place para tomar um chá. Era uma hora muito boa para vê-lo, pois às quatro ele já terminara o trabalho do dia, mas ainda não começara a beber. Auden bebia muito e fazia questão de dizer que não era alcoólatra, e sim beberrão. Uma vez perguntei qual era a diferença e ele respondeu: "O alcoólatra tem uma mudança de personalidade depois de um ou dois copos, mas o beberrão pode beber quanto quiser. Sou um beberrão". Sem dúvida bebia muito; ao jantar, seja na casa dele ou de outra pessoa, deixava a mesa às 9h30 e levava todas as garrafas junto. Mas, por mais que bebesse, estava em pé, trabalhando, às seis horas do dia seguinte. (Orlan Fox, o amigo que nos apresentou, dizia que Auden era o homem menos preguiçoso que vira na vida.)

Wystan, como eu, nascera num lar de médicos. O seu pai, George Auden, era médico em Birmingham, e serviu como oficial médico durante a grande epidemia de encefalite letárgica. (O dr. Auden se interessava especialmente pelas alterações da personalidade infantil causadas pela doença e publicou vários artigos sobre o tema.) Wystan gostava muito de conversas médicas e tinha um fraco por médicos. (No seu livro *Carta a um afilhado*, há quatro poemas dedicados a médicos, inclusive um a mim.) Sabendo disso, em 1969 convidei Wystan para visitar o Beth Abraham e conhecer os meus pacientes pós-encefalíticos. (Mais tarde, ele escreveu um poema chamado "Lar dos idosos", mas eu nunca soube bem se era sobre o Beth Abraham ou algum outro asilo.)

Em 1971, ele escrevera uma resenha encantadora sobre *Enxaqueca* e fiquei muito comovido; ele também teve um papel de importância fundamental para mim enquanto escrevia *Tempo de despertar*, principalmente por dizer: "Você precisará ir além do clínico... Seja metafórico, seja místico, seja o que for preciso".

***

No começo de 1972, Wystan decidira sair dos Estados Unidos e passar os seus dias restantes na Inglaterra e na Áustria. O início daquele inverno fora especialmente difícil para ele, com a sensação de doença e isolamento, além dos sentimentos complexos e contraditórios devido à sua decisão de deixar os Estados Unidos, país onde vivera por tanto tempo e que amara com tanta intensidade.

Esse sentimento começou a se dissolver de fato no dia do seu aniversário, 21 de fevereiro. Wystan sempre adorou aniversários e comemorações de todo tipo, e esse foi especialmente importante e comovente. Estava com 65 anos; era o seu último aniversário nos Estados Unidos e os seus editores organizaram uma festa especial, em que ele se viu rodeado por um número enorme de novos e velhos amigos (lembro que Hannah Arendt ficou sentada ao seu lado). Foi só então, nessa reunião extraordinária, que percebi na plenitude a riqueza da personalidade de Wystan, a sua capacidade de manter os mais diversos tipos de amizades. Ele se sentou ali fulgurando de alegria, quase escondido entre tantos amigos, completamente à vontade. Ou foi o que me pareceu: nunca o vira tão feliz. E no entanto, misturado com isso, havia também um ar de crepúsculo, de despedida.

Pouco antes de Wystan finalmente deixar os Estados Unidos, Orlan Fox e eu fomos ajudá-lo a separar e embalar os seus livros, uma tarefa dolorosa. Depois de horas lidando, paramos para tomar uma cerveja e ficamos sentados em silêncio durante algum tempo. Então Wystan levantou e me disse: "Pegue um livro, alguns livros, o que quiser". Parou e então, vendo minha imobilidade, disse: "Bom, então decido eu. Estes são os *meus* livros favoritos — dois deles, em todo caso!".

Ele me estendeu o seu libreto de *A flauta mágica* e um volume muito manuseado das cartas de Goethe, que tirou da mesinha de cabeceira onde ficava. O velho Goethe estava cheio de rabiscos, anotações e comentários afetuosos.[10]

No fim da semana — era sábado, 15 de abril de 1972 —, Orlan e eu levamos Wystan ao aeroporto. Chegamos com umas três horas de antecedência, porque Wystan era de uma pontualidade obsessiva e tinha absoluto horror de perder trens ou aviões. (Uma vez, ele contou um sonho recorrente que tinha: corria para pegar um trem, em estado de extrema agitação; sentia que a sua vida, que tudo dependia de pegá-lo. Surgiam obstáculos, um depois do outro, e ele entrava num estado de pânico, gritando em silêncio. E então, de repente, percebia que era tarde demais, que perdera o trem e que isso não tinha a menor importância. Nessa altura, ele sentia uma libertação que parecia um êxtase, então ejaculava e acordava sorrindo.)

Assim, chegamos cedo e passamos as horas em conversas avulsas e variadas; foi só mais tarde, depois que ele partiu, que notei que as digressões e meandros voltavam sempre ao mesmo ponto: o cerne da conversa era a despedida, o adeus — a nós, àqueles 33 anos, metade da sua vida, que passara nos Estados Unidos (ele se dizia um Goethe transatlântico, meio sério, meio brincando). Pouco antes da chamada para o embarque, um desconhecido apareceu e balbuciou: "O senhor deve ser o sr. Auden... Ficamos honrados em tê-lo em nosso país. O senhor sempre será bem-vindo entre nós como visitante de honra — e amigo". Estendeu a mão, dizendo: "Adeus, sr. Auden, Deus o abençoe por tudo!", e Wystan a apertou com grande cordialidade. Estava muito emocionado, com lágrimas nos olhos. Virei-me para ele e perguntei se esses contatos eram comuns.

"Comuns", respondeu, "mas nunca comuns. Há um amor genuíno nesses contatos fortuitos." Enquanto o recatado desconhecido se retirava discretamente, perguntei a Wystan como ele sentia o mundo, se lhe parecia um lugar grande ou pequeno.

"Nenhum dos dois", respondeu. "Nem grande nem pequeno. Acolhedor, muito acolhedor." E acrescentou baixinho: "Como um lar".

Não disse mais nada; não havia mais nada a dizer. A voz alta e impessoal da chamada retumbou e ele se dirigiu apressado para o portão de embarque. No portão, virou-se e beijou nós dois — o beijo de um padrinho nos afilhados, um beijo de bênção e despedida. De repente parecia extremamente velho e frágil, mas com a nobre formalidade de uma catedral gótica.

***

Em fevereiro de 1973, eu estava na Inglaterra e fui a Oxford para visitar Wystan, que então tinha os seus aposentos na Christ

Church. Queria lhe dar as provas de *Tempo de despertar* (ele pedira e de fato foi a única pessoa, além de Colin e da tia Len, a ver as provas). Fazia um lindo dia e, em vez de tomar um táxi na estação, decidi ir a pé. Cheguei um pouco atrasado e, quando vi Wystan, ele balançava um relógio. Disse: "Você está dezessete minutos atrasado".

Passamos um bom tempo discutindo um artigo da *Scientific American* que o empolgara muito — "Precocidade e originalidade na descoberta científica", de Gunther Stent. Auden escrevera uma réplica a Stent, fazendo uma contraposição entre a história intelectual da ciência e a da arte (saiu no número de fevereiro de 1973).

De volta a Nova York, recebi uma carta dele. Tinha a data de 21 de fevereiro — "o meu aniversário", acrescentou —, era breve e muito, muito afetuosa:

Caro Oliver,

Muito obrigado pela sua carta encantadora. Li *Tempo de despertar* e considero uma obra-prima. Os meus parabéns de verdade. A minha única sugestão, se você quiser que os leigos leiam — como deveriam —, é acrescentar um glossário com os termos técnicos que você usa.

Com amor,

Wystan

Chorei ao receber a carta de Auden. Ali estava um grande escritor, que não era dado a palavras fáceis ou lisonjeiras, julgando o meu livro "uma obra-prima". Seria, porém, um juízo puramente "literário"? *Tempo de despertar* teria algum valor *científico*? Eu esperava que sim.

Mais tarde, ainda naquela primavera, Wystan escreveu outra vez, dizendo que o coração andava "aprontando um pouco" e esperava que eu fosse visitá-lo na casa que dividia com Chester Kallman na Áustria. Mas, por uma razão ou outra, não fui e me arrependo profundamente de não tê-lo visitado naquele verão, pois ele morreu em 29 de setembro.

Em 28 de junho de 1973 (dia do lançamento de *Tempo de despertar*), *The Listener* publicou uma magnífica resenha de Richard Gregory sobre o livro e, no mesmo número, publicou também o meu artigo sobre Lúria (eu fora convidado a resenhar *O homem com um mundo estilhaçado* e a ampliar a minha resenha, incluindo a obra completa de Lúria). No mês seguinte, fiquei emocionado ao receber uma carta do próprio Lúria.

Mais tarde, ele contou que, quando era um rapaz de dezenove anos, fundara uma entidade de nome grandiloquente, a Associação Psicanalítica Kazan, e recebera uma carta de Freud (o qual não sabia que estava escrevendo a um adolescente). Lúria ficou entusiasmadíssimo por receber uma carta de Freud e eu senti um entusiasmo parecido ao receber uma carta de Lúria.

Ele me agradecia pelo artigo e tratava em detalhes de todos os pontos que eu levantara, apontando em termos muito corteses, mas inequívocos, que me considerava extremamente equivocado em vários aspectos.[11]

Poucos dias depois, recebi outra carta de Lúria, acusando o recebimento do exemplar de *Tempo de despertar* que Richard lhe enviara:

Meu caro dr. Sacks,

Recebi *Tempo de despertar* e li de uma vez só, com grande prazer. Sempre tive consciência e certeza de que uma boa descrição clínica dos casos desempenha um papel fundamental na medicina, sobretudo na neurologia e na psiquiatria. Infelizmente, a habilidade descritiva, que era tão comum para os grandes neurologistas e psiquiatras do século xix, agora se perdeu, talvez devido ao erro básico de supor que os dispositivos mecânicos e elétricos podem substituir o estudo da personalidade. O seu excelente livro mostra que é possível reviver, e com grande sucesso, a importante tradição dos estudos de casos clínicos. Muito obrigado pelo ótimo livro!

A. R. Lúria

Eu reverenciava Lúria como o fundador da neuropsicologia e da "ciência romântica", e sua carta me deu uma grande alegria e uma espécie de tranquilidade intelectual que jamais sentira.

***

No dia 9 de julho de 1973, foi o meu quadragésimo aniversário. Encontrava-me em Londres, *Tempo de despertar* acabara de sair e eu estava dando um mergulho de aniversário num dos lagos em Hampstead Heath, o lago onde o meu pai me submergira quando eu tinha alguns meses de idade.

Fui até uma das boias no lago e me segurei nela, contemplando a paisagem — existem poucos locais mais bonitos para nadar —, quando me agarraram por baixo da água. Dei um repuxão violento e a pessoa que me agarrara aflorou à superfície, um belo rapaz com um sorriso malicioso no rosto.

Retribuí o sorriso e começamos a conversar. Disse-me que estudava em Harvard e era a primeira vez que vinha à Inglaterra. Gostava especialmente de Londres, todos os dias ia "conhecer os pontos turísticos" da cidade e todas as noites ia assistir a peças e concertos. As suas noites eram bastante solitárias, acrescentou. Devia voltar aos Estados Unidos dali a uma semana. Um amigo, que agora estava fora da cidade, lhe emprestara o apartamento. Por que eu não ia visitá-lo?

Fui, feliz e contente, sem a minha usual carga de medos e inibições — feliz e contente por ser um rapaz tão atraente, por ter tomado a iniciativa, por ser tão franco e direto, e feliz e contente também porque era o meu aniversário e podia considerá-lo, podia considerar o nosso encontro como o presente de aniversário ideal.

Fomos ao seu apartamento, fizemos amor, almoçamos, de tarde fomos a Tate, à noite ao Wigmore Hall e voltamos para a cama.

Passamos uma grande semana juntos — os dias cheios de atividade, as noites cheias de intimidade, uma semana feliz, festiva, amorosa — antes que ele voltasse aos Estados Unidos. Não houve nenhum sentimento profundo ou torturante; um gostava do outro, um se divertia com a companhia do outro e, terminada a nossa semana, despedimo-nos sem pesares nem promessas.

Ainda bem que eu não tinha nenhuma premonição do futuro, pois, após aquele agradável romance de aniversário, eu passaria os 35 anos seguintes sem nenhuma relação sexual.[12]

No começo de 1970, *The Lancet* havia publicado as minhas quatro cartas ao editor sobre os meus pacientes pós-encefalíticos e as suas reações à L-dopa. Eu imaginava que essas cartas seriam lidas apenas pelos colegas de medicina e, um mês depois, fiquei surpreso quando a irmã de Rose R., uma das minhas pacientes, apareceu com um exemplar do jornal nova-iorquino *Daily News*, que havia republicado, na verdade dando destaque, uma das minhas cartas sob uma manchete.

"É esta a sua discrição médica?", perguntou ela, abanando o jornal na minha frente. Ainda que apenas um parente ou amigo próximo pudesse identificar a paciente a partir da descrição dada, fiquei tão chocado quanto ela — não me ocorreu que *The Lancet* liberaria um artigo para uma agência de notícias; eu pensava que textos profissionais tinham uma circulação muito restrita, sem chegar à esfera pública.

Eu escrevera diversos artigos um pouco mais técnicos em meados dos anos 1960 — para periódicos como *Neurology* e *Acta Neuropathologica* — e jamais houve vazamento para as agências de notícias. Mas agora, com o "despertar" dos meus pacientes, eu havia ingressado numa arena bem mais ampla, e essa foi a minha apresentação a um campo muito delicado e às vezes ambíguo — uma linha ou área fronteiriça entre o que pode e o que não pode ser dito.

É claro que eu não poderia ter escrito *Tempo de despertar* sem o incentivo e a permissão dos próprios pacientes, que viviam sob a sensação acachapante de terem sido descartados, postos de lado, esquecidos pela sociedade, e queriam que alguém narrasse a sua história. Mesmo assim, depois do episódio com o *Daily News*, hesitei em publicar *Tempo de despertar* nos Estados Unidos. Mas uma das minhas pacientes ficou sabendo de alguma maneira sobre a edição inglesa e escreveu a Colin, que lhe enviou um exemplar de *Tempo de despertar*. E então saiu.

***

Ao contrário de *Enxaqueca*, que recebeu avaliações positivas tanto de críticos gerais quanto de críticos médicos, a publicação de *Tempo de despertar* foi acolhida de maneira ambígua. Recebeu ótimas resenhas na imprensa em geral. Na verdade, ganhou o Prêmio Hawthornden de 1974, um prêmio respeitável para "literatura imaginativa". (Fiquei emocionado ao me juntar a uma lista que inclui, entre outros, Robert Graves e Graham Greene — para nem citar James Hilton, com *Horizonte perdido*, livro que eu adorava quando menino.)

Mas não houve um pio por parte dos meus colegas médicos. Nenhum periódico de medicina publicou resenha alguma. Por fim, em janeiro de 1974, o editor de um periódico bastante efêmero, chamado *The British Clinical Journal*, escreveu comentando que dois dos fenômenos mais estranhos na Inglaterra no ano anterior tinham sido a publicação de *Tempo de despertar* e a ausência completa de qualquer reação médica, no "estranho mutismo", disse ele, da categoria.[13]

Apesar disso, o livro teve o voto de cinco autores eminentes como Livro do Ano, e em dezembro de 1973 Colin se lançou a uma dupla iniciativa: uma publicação e uma festa de Natal. Havia muitas pessoas na festa que eu conhecia de nome e admirava muito, mas nunca conhecera nem sonhara em conhecer pessoalmente. O meu pai, que acabava de se recuperar de um ano de luto pela minha mãe e que antes ficara tão preocupado com as minhas publicações, compareceu à festa, viu gente importante dos mais variados naipes e se sentiu muito tranquilizado. Eu mesmo, que me sentira tão perdido, tão desconhecido, agora me sentia muito festejado e celebrado. Jonathan Miller também estava lá e me disse: "Agora você é famoso".

Eu não sabia bem o que isso significava; nunca ninguém me dissera algo parecido.

***

Tive uma só resenha na Inglaterra que me desagradou, embora fosse muito positiva na grande maioria dos aspectos. Evidentemente, no livro eu usara pseudônimos para os pacientes e para o Beth Abraham também. O hospital ficou como Mount Carmel, situado na cidadezinha fictícia de Bexley-on-Hudson. O resenhista escreveu algo assim: "É um livro surpreendente, tanto mais porque Sacks fala de pacientes inexistentes num hospital inexistente, pacientes com uma doença inexistente, porque não houve nenhuma epidemia mundial da doença do sono nos anos 1920". Apresentei essa resenha a alguns pacientes e vários disseram: "*Mostre-nos* ou nunca vão acreditar no livro".

E assim perguntei a todos os pacientes o que eles achavam de um documentário. Antes, haviam me incentivado a publicar o livro: "Vá em frente; conte a nossa história — ou nunca ninguém saberá". E agora diziam: "Vá em frente; filme a gente. Deixe-nos falar".

Eu não estava muito seguro se seria apropriado mostrar os meus pacientes num filme. O que se passa entre médico e paciente é confidencial, e mesmo escrever a respeito é, em certo sentido, uma quebra dessa confiança, mas, quando se escreve, é possível mudar os nomes, os lugares e alguns outros detalhes. Esse disfarce é impossível num documentário: rostos, vozes, identidades, vidas reais, tudo fica exposto.

Assim, fiquei apreensivo, mas vários produtores de documentários me abordaram, e um deles, Duncan Dallas, da Yorkshire Television, me causou especial impressão, sobretudo por ter conhecimento científico e sensibilidade humana. Duncan foi visitar o Beth Abraham em setembro de 1973 e conheceu todos os pacientes. Muitos ele reconheceu pelas histórias que havia lido em *Tempo de despertar*. "Conheço você", disse a vários deles. "Sinto que já o vi antes."

E também perguntou: "Onde está a terapeuta musical? Parece ser a pessoa mais importante por aqui". Ele se referia a Kitty Stiles, uma terapeuta musical de invulgar talento. Naqueles dias, era muito raro *ter* uma terapeuta musical — considerava-se que os efeitos da música, se é que existiam, eram apenas marginais —, mas Kitty, que trabalhava no Beth Abraham desde o começo dos anos 1950, sabia que os pacientes de qualquer condição podiam mostrar fortes reações à música, e que mesmo os pós-encefalíticos, embora em geral incapazes de iniciar movimentos voluntários, podiam reagir involuntariamente a um compasso, como todos nós.[14]

Quase todos os pacientes acolheram calorosamente Duncan e entenderam que ele os apresentaria com objetividade e uma discreta compaixão, sem medicalizar nem sentimentalizar demais as suas vidas. Quando vi a rapidez com que se estabeleceram as relações de mútuo respeito e mútua compreensão, concordei com a filmagem, e Duncan voltou com a sua equipe no mês seguinte. Alguns pacientes, claro, não quiseram ser filmados, mas na sua maioria sentiram que era importante se mostrar como seres humanos que haviam sido forçados a viver num mundo profundamente estranho.

Duncan incorporou uma parte do filme em super-8 que eu rodara em 1969, mostrando o despertar dos pacientes quando recebiam L-dopa e, depois, quando sofriam as mais estranhas aflições, e ele acrescentou algumas entrevistas emocionantes com os pacientes, enquanto viam aquelas cenas do passado e contavam como viviam agora, depois de passar tantos anos fora do mundo.

O documentário *Tempo de despertar* foi transmitido na Inglaterra no começo de 1974. É o único relato documental desses últimos sobreviventes de uma epidemia esquecida, cujas vidas foram transformadas durante algum tempo com o uso de uma nova droga, mostrando como eram intensamente humanos, ao longo de todas as suas vicissitudes.

O TOURO NA MONTANHA

Após a morte da minha mãe, voltei para o inverno de Nova York. Recém-demitido pelo Beth Abraham, estava sem apartamento, sem emprego e sem renda significativa.

Mas, uma vez por semana, eu vinha fazendo um atendimento especializado numa clínica neurológica no Bronx Psychiatric Center, conhecido como Bronx State. Examinava os pacientes, geralmente diagnosticados como esquizofrênicos ou maníaco-depressivos, para ver se também apresentavam algum problema neurológico. Tal como ocorrera com o meu irmão Michael, muitas vezes os pacientes tratados com tranquilizantes desenvolviam distúrbios motores (parkinsonismo, distonia, discinesia tardia e outros), e frequentemente essas desordens motoras persistiam por muito tempo após a suspensão dos medicamentos. Falei com vários pacientes que se diziam capazes de conviver com os seus distúrbios mentais, mas não com os distúrbios motores que nós lhes déramos.

Também examinava pacientes cujas psicoses ou estados de tipo esquizofrênico se deviam a doenças neurológicas, ou eram por estas intensificados. Identifiquei vários pacientes pós-encefalíticos não diagnosticados ou erroneamente diagnosticados nas alas dos fundos do Bronx State e descobri outros com tumores cerebrais ou doenças cerebrais degenerativas.

Mas esse emprego ocupava apenas algumas horas por semana e pagava muito pouco. Vendo a minha situação, o diretor do Bronx State, Leon Salzman (homem muito cordial que escrevera um livro excelente sobre a personalidade obsessiva), convidou-me para trabalhar meio período no hospital. Julgou que eu me interessaria especialmente pela Ala 23, onde ficavam internados adultos jovens com uma variedade de problemas — autismo, retardamento mental, síndrome alcoólica fetal, esclerose tuberosa, início de esquizofrenia e outros.

O autismo não era um assunto de grande destaque naquela época, mas me interessava, e assim aceitei a proposta. No início, gostei de ficar naquela ala, embora também me deixasse muito transtornado. Os neurologistas, talvez mais do que qualquer outro especialista, veem casos trágicos — pessoas com doenças incuráveis, implacáveis, que podem causar grandes sofrimentos. Ao lado do sentimento de humanidade, de solidariedade e compaixão, é preciso manter uma espécie de distanciamento para não sermos atraídos a uma identificação demasiado próxima com os pacientes.

Mas a Ala 23 tinha uma dita política de modificação comportamental, usando recompensas e castigos, em particular o "castigo terapêutico". Eu abominava ver como os pacientes eram tratados, às vezes trancados em solitárias, submetidos à fome ou em camisas de força. Entre outras coisas, me fazia lembrar a maneira como fui tratado na infância, ao ser enviado para um internato onde eu e outros meninos sofríamos castigos frequentes aplicados por um diretor sádico e imprevisível. Às vezes eu me sentia arrastado para uma identificação quase inevitável com os pacientes.

Observava detidamente esses pacientes, tinha pena deles e tentava, como médico, extrair os seus potenciais positivos. Tentava envolvê-los, sempre que possível, no campo moralmente neutro dos jogos. Com John e Michael, gêmeos autistas e com retardo que eram especialistas em datas e números, o jogo consistia em procurar fatores ou números primos; com José, um garoto autista com talento gráfico, o jogo se dava no campo do desenho e das artes visuais; para Nigel, jovem mudo, autista, provavelmente com retardo, a música era fundamental. Consegui que transportassem o meu velho piano para a Ala 23 e, quando eu tocava, Nigel e alguns outros pacientes jovens se reuniam em volta do piano. Nigel, quando gostava da música, se entregava a danças estranhas e elaboradas. (Numa anotação de consulta, falei dele como "um Nijinski idiota".)

Steve, também mudo e autista, era atraído por uma mesa de bilhar que eu encontrara no subsolo do hospital e levara para a ala. Ele adquiriu destreza com uma rapidez espantosa e, embora passasse horas sozinho à mesa, visivelmente gostava de jogar bilhar comigo. Até onde eu podia ver, essa era a sua única atividade pessoal ou social. Quando não estava absorvido na mesa de bilhar, era hiperativo, correndo para cima e para baixo, sempre em movimento, erguendo e examinando coisas — uma espécie de comportamento exploratório, meio compulsivo, meio brincalhão, como às vezes vemos na síndrome de Tourette ou em algumas desordens do lobo frontal.

Fiquei fascinado por esses pacientes e comecei a escrever sobre eles no começo de 1974. Em abril, concluíra 24 peças — suficientes, imaginei, para um livro pequeno.

A Ala 23 era uma ala trancada, e ficar trancado era especialmente difícil para Steve. Às vezes, sentava-se à janela ou à porta de vidro e tela metálica, sonhando em poder sair. O pessoal do hospital nunca o levou para fora. "Ele vai fugir", diziam. "Vai escapar."

Eu tinha muita pena de Steve e, embora ele não falasse, eu sentia, pela maneira como me procurava e se ligava a mim na mesa de bilhar, que de mim ele não fugiria. Conversei com um colega — um psicólogo dos Bronx Developmental Services, um programa diário no qual eu também mantinha um expediente semanal — e, depois de conhecer Steve, ele concordou que nós dois poderíamos sair com ele em segurança. Levantamos a ideia para o dr. Taketomo, o chefe da unidade na Ala 23, que pensou cuidadosamente sobre o assunto e então concordou, dizendo: "Se saírem com ele, fica sob a responsabilidade de vocês. Garantam que ele volte são e salvo".

Steve ficou perplexo quando o levamos para fora da ala, mas pareceu entender que íamos sair para um passeio. Entrou no carro e fomos até o Jardim Botânico de Nova York, a dez minutos do hospital. Steve adorou as plantas; era maio e os lilases estavam em flor. Adorou os declives gramados e o amplo espaço no seu redor. A certa altura, pegou uma flor, contemplou e pronunciou a primeira palavra que algum dia alguém o ouviu dizer: "Dente-de-leão!".

Ficamos atônitos; não fazíamos ideia de que Steve fosse capaz de identificar alguma flor e muito menos de chamá-la pelo nome. Passamos meia hora no parque e então voltamos devagar, para que Steve pudesse olhar as pessoas e as lojas na Allerton Avenue, a agitação da vida que lhe era vedada na Ala 23. Ele resistiu um pouco quando entramos na ala, mas pareceu entender que poderia dar outros passeios.

Os membros da equipe, que haviam se posicionado unanimemente contra o passeio e anunciaram que ele terminaria em desastre, pareciam furiosos quando descrevemos o bom comportamento e a visível felicidade de Steve no parque, bem como a primeira palavra que proferiu na vida. Recebemos olhares furibundos.

Eu sempre fizera questão de evitar as grandes reuniões da equipe nas quartas-feiras, mas, no dia seguinte ao passeio com Steve, o dr. Taketomo insistiu que eu comparecesse. Fiquei apreensivo pelo que poderia ouvir e ainda mais pelo que eu poderia dizer. Minhas apreensões eram plenamente justificadas.

O psicólogo-chefe da equipe disse que havia um programa de modificação do comportamento, o qual mostrava bons resultados, e que eu estava prejudicando esse programa com as minhas ideias de "jogos" que não dependiam de recompensas ou punições exteriores. Rebati, defendendo a importância dos jogos e criticando o modelo prêmio-castigo. Falei que me parecia um abuso monstruoso dos pacientes em nome da ciência e às vezes cheirava a sadismo. Minha réplica não foi muito bem recebida e a reunião terminou num silêncio nada amistoso.

Dois dias depois, Taketomo veio falar comigo, dizendo: "Correm boatos de que você está abusando sexualmente dos seus pacientes jovens".

Fiquei estarrecido e respondi que jamais me passara tal ideia pela cabeça. Eu considerava os pacientes como incumbência minha, como responsabilidade minha, e jamais utilizaria minha autoridade de figura terapêutica para explorá-los.

Tomado de cólera, acrescentei: "Talvez você saiba que Ernest Jones, colega e biógrafo de Freud, trabalhou em Londres, quando era um jovem neurologista, com crianças com retardo e transtornos, até que surgiram boatos de que ele estava abusando dos seus pacientes jovens. Esses boatos o obrigaram a deixar a Inglaterra e ele foi para o Canadá".

Ele respondeu: "Sim, eu sei. Escrevi uma biografia de Ernest Jones".

Tive vontade de virar para ele e dizer: "Seu idiota, por que você me meteu nisso?". Mas não falei nada; provavelmente ele achava que estava apenas mediando uma discussão civilizada.

Fui até Leon Salzman e lhe expus a situação; ele foi solidário e tomou as minhas dores, mas julgou que seria melhor, para mim mesmo, deixar a Ala 23. Senti uma tremenda culpa, embora irracional, por abandonar os meus jovens pacientes e, na noite da partida, atirei ao fogo as 24 peças que havia escrito. Tinha lido certa vez que Jonathan Swift, num acesso de desespero, atirara o manuscrito das *Viagens de Gulliver* ao fogo e que o seu amigo Alexander Pope o resgatara. Mas eu estava sozinho e não havia ali nenhum Pope para resgatar meu livro.

No dia seguinte à minha partida, Steve fugiu do hospital e subiu no alto da Throgs Neck Bridge; felizmente, tiraram-no dali antes que saltasse. Isso me permitiu entender que o abandono súbito e forçado dos meus pacientes era tão difícil e tão perigoso para eles quanto para mim.

Deixei a Ala 23 espumando de culpa, de remorso e de raiva: culpa por deixar os pacientes, remorso por destruir o livro e raiva pelas acusações de abuso. Eram falsas, mas me causaram um profundo desconforto, e pensei que aquelas poucas palavras que dissera tão fatidicamente na reunião da quarta-feira sobre o modo de gestão da ala, eu iria agora expor ao mundo num livro de denúncias que escreveria, chamado *Ala 23*.

Fui para a Noruega logo após deixar a Ala 23, porque achei que seria um lugar adequado, pacífico para escrever a minha diatribe. Mas tive uma sucessão de acidentes, um depois do outro, um mais grave que o outro. Primeiro, estava remando no

Hardangerfjord, um dos maiores fiordes da Noruega: avançara bastante e então, num movimento desajeitado, perdi um remo. Consegui voltar com um remo só, mas levou muitas horas e me perguntei uma ou duas vezes se escaparia.

No dia seguinte, saí para um pequeno passeio pela montanha. Estava sozinho e não dissera a ninguém aonde ia. Vi uma placa em norueguês, no sopé da montanha, dizendo: CUIDADO COM O TOURO; a placa trazia o desenho de um homem chifrado por um touro. Imaginei que fosse o senso de humor norueguês. Como haveria um touro no alto de uma montanha?

Esqueci o assunto, mas algumas horas depois, contornando distraído um grande matacão, me vi diante de um enorme touro sentado bem no meio do caminho. "Terror" é um termo insuficiente para descrever o que senti, e o meu medo gerou uma espécie de alucinação: a cara do touro pareceu aumentar até ocupar todo o universo. Muito delicadamente, como se tivesse decidido por acaso encerrar minha caminhada naquele ponto, me virei e comecei o caminho de volta. Mas aí os meus nervos cederam, fui tomado de pânico e passei a descer correndo pela trilha enlameada e escorregadia. Ouvi o martelar de passos pesados e uma respiração forte atrás de mim (seria o touro me perseguindo?) e de repente — não sei como aconteceu — me encontrei no pé de um rochedo com a perna esquerda grotescamente retorcida embaixo de mim.

Em momentos extremos, a pessoa pode ter dissociações. Meu primeiro pensamento foi que alguém, algum conhecido meu, tinha sofrido um acidente, um grave acidente, e só então percebi que esse alguém era *eu*. Tentei ficar em pé, mas a perna cedeu como um punhado de espaguete mole, totalmente frouxa. Examinei a perna — com muito profissionalismo, imaginando que eu era um ortopedista fazendo a demonstração de uma lesão a uma turma de estudantes: "Vocês veem que o tendão do quadríceps se dilacerou por completo, a patela está solta, o joelho vai para trás: assim, vejam". Então soltei um grito. "Isso faz com que o paciente grite", acrescentei, e então voltei a perceber que eu não era um professor mostrando um paciente com lesão; era *eu* o paciente ferido. Eu estava usando um guarda-chuva como bengala e então, arrancando o cabo, usei a haste do guarda-chuva para entalar a perna, usando tiras de pano que arranquei do meu casaco de anoraque, e comecei a descer, abaixando-me e usando os braços para dar impulso. No começo fui muito devagar, pois achava que o touro ainda podia estar ali por perto.

Passei por muitos estados de espírito enquanto me arrastava pelo caminho. Não vi a minha vida num flash, mas muitas, inúmeras lembranças retornaram. Quase todas eram boas, gratas, felizes, lembranças de tardes de verão, lembranças de ter sido amado, lembranças de ter ganhado coisas e gratidão por ter eu também dado alguma coisa em retribuição. Em especial, eu havia escrito um bom livro e um ótimo livro, pensei; flagrei-me usando o verbo no passado. E voltava-me constantemente o verso de um poema de Auden: "Que teus últimos pensamentos sejam agradecimentos".

Passaram-se oito longas horas, eu quase em choque, com um grande inchaço na perna, embora, por sorte, sem sangrar. Logo ficaria escuro; a temperatura já estava caindo. Não havia ninguém à minha procura; ninguém sequer sabia onde eu estava. De repente ouvi uma voz. Ergui os olhos e vi duas figuras no alto de uma montanha — um homem com uma arma e uma figura menor ao seu lado. Desceram e me salvaram, e então pensei que ser resgatado da morte quase certa deve ser uma das experiências mais agradáveis da vida.

***

Puseram-me num avião para a Inglaterra e lá, 48 horas depois, fui operado para consertar o quadríceps, o tendão e o músculo dilacerados. Mas, depois da cirurgia, passei uns quinze dias ou mais sem conseguir me mexer nem sentir a perna lesada. Ela parecia alheia a mim, à parte do meu corpo, e fiquei profundamente confuso, perplexo mesmo. Meu primeiro pensamento foi que eu havia sofrido um derrame quando estava anestesiado. Meu segundo pensamento foi que se tratava de uma paralisia histérica. Vi-me incapaz de comunicar a minha experiência ao cirurgião que me operou; a única coisa que ele pôde dizer foi: "Sacks, só você mesmo. Nunca ouvi falar de nada parecido!".

Por fim, quando os nervos se recuperaram, o quadríceps voltou à vida: primeiro na forma de fasciculações, feixes individuais de fibras musculares se contraindo no músculo antes inerte e sem tônus; depois, na capacidade de fazer pequenas contrações voluntárias do quadríceps, de enrijecer o músculo (que antes, nos doze dias anteriores, parecia uma geleia, impossível de contrair); por fim, na capacidade de flexionar o quadril, embora o movimento fosse fraco, descontrolado e cansativo.

Nessa fase, fui levado à sala de engessamento para trocarem o gesso e removerem os pontos. Depois de retirado o gesso, a perna parecia totalmente alheia, não "minha", como se fosse um belo molde de cera de um museu de anatomia, e não senti nada em absoluto quando tiraram os pontos.

Após colocarem outro gesso, fui levado ao setor de fisioterapia para ser posto em pé e andar. Utilizo essa construção esquisita na voz passiva — "*ser posto* em pé e andar" — porque eu esquecera como me pôr em pé e andar, como fazer isso ativamente, por mim mesmo. Erguido e tentando ficar em pé, fui assaltado por imagens rápidas e flutuantes da minha perna esquerda: parecia muito comprida, muito curta, muito magra, muito grossa. Essas imagens se modulavam e adquiriam relativa estabilidade em um ou dois minutos, o meu sistema proprioceptivo se readaptando, imaginava eu, ao afluxo de dados sensoriais e à primeira reação motora um tanto atrapalhada numa perna que passara duas semanas sem sensibilidade nem movimento. Mas mover a perna era como manipular o membro de um robô — conscientemente, experimentalmente, um passo por vez. Não tinha nada a ver com um andar normal e desenvolto. E aí, de repente, "ouvi", com uma força alucinatória, uma linda passagem rítmica do *Concerto de violino* de Mendelssohn. (Jonathan Miller me dera uma fita com esse concerto quando dei entrada no hospital, e eu sempre ouvia.) Com essa passagem tocando mentalmente, de repente me vi capaz de andar, de recuperar (como dizem os neurologistas) a "melodia cinética" do andar. Quando a música interior parava depois de alguns segundos, eu parava também; precisava de Mendelssohn para continuar. Mas, depois de uma hora, readquiri o andar normal e automático, sem precisar mais do meu acompanhamento musical imaginário.

Dois dias depois, fui transferido para a Caenwood House — uma elegante clínica de recuperação em Hampstead Heath. O mês que passei lá foi socialmente muito movimentado. Recebia visitas não só de papai e de Lennie, mas do meu irmão David (que havia providenciado o meu voo de volta da Noruega e a entrada de emergência no hospital em Londres) e até de Michael. Vieram sobrinhas, sobrinhos, primos, vizinhos, pessoal da sinagoga e, quase todo dia, meus amigos Jonathan e Eric. Tudo isso, junto com a sensação de ter escapado à morte e a recuperação constante da mobilidade e da independência, conferia um ar especialmente festivo às semanas que passei na clínica de recuperação.

Papai às vezes vinha me visitar depois das suas consultas matinais (apesar de estar com quase oitenta anos, ainda trabalhava normalmente). Ele fazia questão de visitar alguns dos pacientes parkinsonianos idosos em Caenwood, onde cantavam juntos músicas da época da Primeira Guerra Mundial; vários deles, embora mal conseguissem falar, começavam a cantar quando meu pai puxava o coro. Lennie aparecia na parte da tarde; sentávamos lá fora, ao sol ameno de outubro, e conversávamos horas e horas. Quando ganhei mais mobilidade e passei das muletas para a bengala, íamos até alguma casa de chá local em Hampstead ou Highgate Village.

O episódio da perna me ensinou a entender, de uma maneira que dificilmente teria aprendido de outra forma, como o cérebro mapeia o corpo e o espaço em redor e como esse mapeamento central pode sofrer forte desarranjo com uma lesão no membro, sobretudo se a pessoa estiver imobilizada e engessada. O episódio também me fez viver uma sensação de vulnerabilidade e mortalidade pelas quais jamais havia passado. Nos meus tempos antigos de motociclista, eu era de uma audácia extrema. Alguns amigos diziam que eu parecia me julgar imortal ou invulnerável. Mas, depois de cair e quase morrer, o medo e a prudência entraram na minha vida e desde então me acompanham, para o bem ou para o mal. Uma vida despreocupada se tornou uma vida cautelosa, em certa medida. Senti que era o fim da juventude e agora chegava a meia-idade.

Logo que ocorreu o acidente, Lennie percebeu que daria para escrever um livro a respeito, e gostava de me ver com a caneta na mão, escrevendo no meu caderno de notas. ("Não use esferográfica!", advertia-me, severa; ela usava apenas caneta-tinteiro para escrever na sua bela caligrafia arredondada.)

Colin ficou alarmado ao saber do meu acidente, mas ficou fascinado ao tomar conhecimento de como ocorrera e o que estava acontecendo comigo no hospital. "É um material excelente!", exclamou ele. "Você precisa escrever sobre tudo isso." Parou e então acrescentou: "É como se você estivesse realmente vivendo o livro neste momento". Alguns dias depois, ele me trouxe o enorme espelho de um livro que acabava de publicar (o espelho não tem texto, consiste na capa do livro e as folhas em branco) — setecentas páginas vazias de um branco cremoso — para que eu escrevesse enquanto estivesse no leito do hospital. Fiquei encantado com esse caderno de notas imenso, o maior que já tivera na vida, e mantive um registro completo da minha jornada involuntária de ida e volta ao limbo, como me parecia. (Outros pacientes, vendo-me com aquele livro enorme, diziam: "Seu malandro de sorte: a gente só passa pela coisa, você transforma em livro".) Colin aparecia com frequência, para ver o meu progresso — o progresso do meu "livro", bem como o meu progresso como paciente —, e sua esposa Anna também aparecia às vezes, trazendo frutas e trutas defumadas de presente.

O livro que eu queria escrever versava sobre a perda e a recuperação de um membro. Como eu dera ao meu último livro o nome de *Tempo de despertar*, pensei em chamar este de "Tempo de acelerar".

Mas esse livro iria enfrentar problemas que eu nunca tivera antes, porque a sua redação incluía reviver o acidente, reviver a passividade e os horrores de ser paciente; incluía também a exposição de alguns sentimentos íntimos de uma forma que nunca ocorrera nos meus escritos mais "doutorais".

Houve muitos outros problemas. Eu tinha ficado orgulhoso — e um pouco intimidado — com a reação a *Tempo de desper-*

tar. Auden e outros haviam dito algo que eu dificilmente me atreveria a pensar — que *Tempo de despertar* era uma grande obra. Mas, se de fato fosse, não via como conseguiria prosseguir com algo de qualidade comparável. E se *Tempo de despertar*, com a sua grande riqueza de observações clínicas, fora ignorado pelos meus colegas de profissão, o que poderia esperar de um livro inteiramente dedicado à experiência bizarra e subjetiva de um único indivíduo — eu mesmo?

Em maio de 1975, eu já estava com uma primeira versão inicial de "Tempo de acelerar" (que mais tarde se chamaria, por sugestão de Jonathan Miller, *Com uma perna só*). Eu achava, e Colin também, que logo ficaria pronto para publicação. Colin estava tão confiante, na verdade, que o incluiu no catálogo de lançamentos de 1976-7.

Mas alguma coisa desandou na relação entre mim e Colin naquele verão de 1975, enquanto eu pelejava para terminar o livro. Os Miller foram para a Escócia em agosto e me permitiram usar sua casa em Londres. Ela ficava bem diante da casa de Colin, mais perto impossível — haveria coisa melhor para o trabalho que tínhamos pela frente? Mas a proximidade que fora tão agradável e tão produtiva em *Tempo de despertar* agora teve, infelizmente, o efeito contrário. Eu escrevia todos os dias de manhã, passava a tarde andando ou nadando, e todas as noites, lá pelas sete ou oito horas, Colin aparecia. Vinha depois de ter jantado e, em geral, depois de ter bebido um bom tanto, chegando na maioria das vezes afogueado, irritadiço e propenso a discutir. As noites de agosto eram quentes e abafadas, e talvez houvesse algo no meu manuscrito ou em mim que lhe despertava raiva; eu estava tenso e ansioso naquele verão, inseguro sobre a minha maneira de escrever. Ele pegava uma das páginas que eu datilografara naquele dia, lia uma frase ou um parágrafo e se punha a criticar o tom, o estilo, o conteúdo. Pegava cada frase, cada pensamento, e implicava mortalmente — ou assim me parecia. A meu ver, ele não mostrava nada daquele humor, daquela simpatia que me fizeram desabrochar antes, e agora mostrava uma atitude de censura tão severa que eu me sentia paralisado. Depois daquelas sessões noturnas, vinha-me o impulso de rasgar o trabalho do dia, de considerar o livro uma besteira — e que não podia ou não devia continuar.

O verão de 1975 terminou em tom negativo e (embora nunca mais tenha visto Colin num estado desses) lançou uma sombra sobre os anos futuros. Assim, no final das contas não concluí *Uma perna* naquele ano.

Lennie estava preocupada comigo: *Tempo de despertar* já saíra, *Uma perna* estava em dificuldades, e eu parecia não ter nenhum projeto para me animar. Ela escreveu: "Espero vivamente... que o tipo de trabalho certo para você apareça e você continue assim. Tenho a firme sensação de que você deve escrever, esteja ou não com ânimo para tal". Dois anos depois, ela acrescentou: "*Tire* o livro da perna da sua cabeça e escreva o próximo".

***

Nos três ou quatro anos seguintes, eu viria a redigir várias versões de *Uma perna*, cada uma mais longa, mais intrincada, mais labiríntica do que a anterior. Mesmo as cartas que eu enviava a Colin eram de um comprimento exagerado — uma, de 1978, passava de 5 mil palavras, com um adendo de mais 2 mil palavras.

Também escrevia a Lúria, que respondia às minhas cartas longuíssimas com paciência e consideração. Por fim, ao ver que eu não parava de me obcecar com um possível livro, ele enviou um telegrama com uma única palavra: FAÇA.

A seguir, mandou uma carta falando das "ressonâncias centrais de uma lesão periférica". E prosseguia: "Você está descobrindo um campo inteiramente novo... Por favor, publique suas observações. Pode contribuir para mudar a abordagem 'veterinária' das desordens periféricas e abrir caminho para uma medicina mais profunda e mais humana".

Mas a redação — a redação incessante e a destruição constante dos rascunhos — continuou. *Uma perna* era mais dolorosa e mais difícil do que qualquer outra coisa que eu tinha escrito, e alguns amigos (Eric, em particular), vendo-me tão obcecado e tão empacado, insistiam que eu desistisse do livro que parecia uma tarefa perniciosa.

***

Em 1977, Charlie Markham, um antigo orientador de neurologia na Ucla, esteve em Nova York. Eu gostava muito de Charlie e passara algum tempo com ele nas suas pesquisas sobre desordens motoras. Durante o almoço, ele perguntou sobre o meu trabalho e exclamou: "Então você não ocupa nenhuma posição!".
Respondi que ocupava, sim, uma posição.
"Qual? Que tipo de posição você ocupa?", perguntou (ele próprio fora recentemente promovido para a cátedra de neurologia na Ucla).
"No centro da medicina", respondi. "É onde estou."
"Xi", fez Charlie com um leve gesto de desdém.

Era o que eu chegara a sentir durante os anos do "despertar" dos meus pacientes, quando morava ao lado do hospital e às vezes passava doze ou quinze horas por dia com eles. Eram sempre bem-vindos em casa; alguns dos mais ativos apareciam no apartamento para tomar uma xícara de chocolate nos domingos de manhã, e alguns eu levava para passear no Jardim Botânico de Nova York, bem do outro lado do hospital. Eu monitorava as suas medicações, os seus estados neurológicos muitas vezes instáveis, mas também me esforçava ao máximo para que tivessem uma vida normal — na medida do possível, em vista das suas limitações físicas. Eu sentia que o esforço em abrir a vida desses pacientes, que viviam imobilizados e fechados dentro de um hospital por tantos anos, era parte essencial do meu papel como médico.

Se bem que não tivesse mais emprego nem salário no Beth Abraham, eu continuava a ir regularmente ao hospital. Era ligado demais aos meus pacientes para permitir qualquer interrupção no nosso contato, embora tivesse começado a atender pacientes em outras instituições — casas de saúde por toda a cidade de Nova York, de Staten Island ao Brooklyn e ao Queens.[1] Virei um neurologista peripatético.

Em alguns desses lugares, genericamente chamados de "solares", presenciei a subjugação completa do humano à arrogância e tecnologia médicas. Em alguns casos, a negligência era deliberada e criminosa — pacientes que ficavam desatendidos durante horas ou até sofriam abusos físicos ou mentais. Num "solar", encontrei um paciente com um quadril fraturado, com dores intensas, ignorado pelos atendentes, jazendo numa poça de urina. Trabalhei em outras casas de repouso onde não havia negligência, mas tudo se resumia ao atendimento médico básico. Simplesmente se ignorava ou passava-se ao largo da necessidade dessas pessoas de terem algum sentido na vida — uma identidade, dignidade, respeito próprio, algum grau de autonomia: o "atendimento" era apenas mecânico e medicamentoso.

Essas casas de saúde me pareciam, à sua maneira, tão pavorosas quanto a Ala 23, e talvez ainda mais inquietantes, visto que era inevitável imaginar se não representavam prefigurações ou "modelos" do futuro.

Conheci o exato contrário dos "solares" nos lares da Congregação das Irmãzinhas dos Pobres.

Eu ouvira falar das Irmãzinhas quando era menino, pois meus pais atendiam nos lares da Congregação em Londres — meu pai como clínico geral e minha mãe como consultora cirúrgica. Tia Len sempre dizia: "Se eu tiver um derrame, Oliver, ou ficar incapacitada, me leve para as Irmãzinhas; elas têm o melhor atendimento do mundo".

Os lares mantidos pela Congregação cuidam da vida — trata-se de levar a vida mais completa e significativa possível, de acordo com as limitações e necessidades dos residentes. Alguns deles tiveram derrames, outros têm demência ou parkinsonismo, outros têm condições "médicas" (câncer, enfisema, doenças cardíacas etc.), alguns são cegos, outros surdos e outros, com boa saúde, ficaram solitários e isolados e sentem falta do calor humano e do contato com uma comunidade.

Além do atendimento médico, os lares das Irmãzinhas oferecem as mais variadas terapias — fisioterapia, terapia ocupacional, terapia da fala, terapia musical e (se necessário) psicoterapia e aconselhamento psicológico. Além da terapia (mas não menos terapêuticas), há atividades de todos os tipos, atividades que não são inventadas, mas sim reais, como cultivo em jardim e

Em Oxford, c. 1953.

Com alguns dos meus colegas alunos de medicina no Central Middlesex Hospital, em 1957.

Com minha nova motocicleta Norton de 250 cilindradas, em 1956.

Em uma viagem a Jerusalém, em 1955, minha mãe cumprimenta o futuro primeiro-ministro, Levi Eshkol. Meu pai e eu estamos atrás dela.

Maio de 1961, na estrada com Mac e Howard, meus colegas caminhoneiros.

Levantamento de peso como aprendiz no clube Maccabi, em Londres, 1956.

Eu (à esq.) assistindo à cena na plataforma de levantamento de pesos em Venice Beach.

Um agachamento completo com 272 quilos, um recorde do estado da Califórnia em 1961.

Retratos oficiais como residente da Ucla (ao lado) *e no laboratório de neuropatologia* (abaixo), *em 1964.*

Minha casinha em Topanga Canyon parecia insignificante perto do carvalho, mas era grande o bastante para acomodar um piano.

Tia Len.

Minha mãe.

Thom Gunn, na época em que nos conhecemos, em 1961.

Tirei essa fotografia da minha amiga Carol Burnett no Central Park, em 1966.

Algumas de minhas próprias fotografias, c. 1963: uma lojinha em Topanga Canyon, Mel caminhando próximo a Venice Beach e um salão de bilhar em Santa Monica.

Em Nova York, c. 1970.

Na Muscle Beach, com minha amada motocicleta BMW.

Em Greenwich Village, com minha nova BMW R60, em 1961.

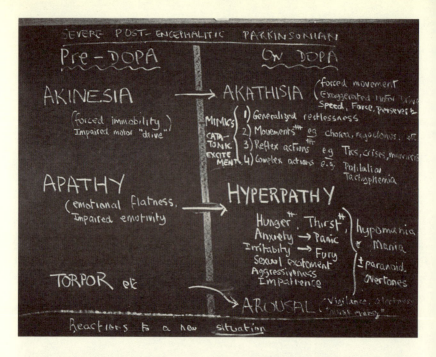
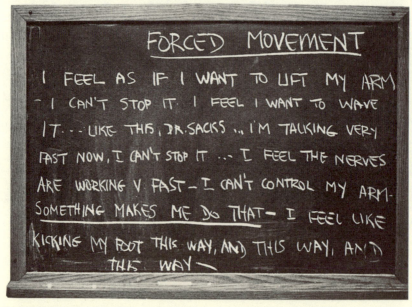

Algumas das minhas muitas anotações da época de Tempo de despertar.

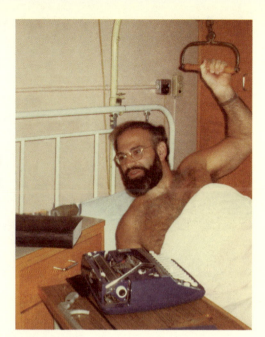

Na Noruega, recuperando-me de meu acidente na perna, em 1974.

Escrevendo sobre o tejadilho de um carro e na estação de trem de Amsterdam.

cozinhar. Muitos residentes têm funções ou identidades específicas nos lares — desde ajudar na lavanderia a tocar órgão na capela — e alguns possuem animais de estimação. Fazem-se passeios a museus, pistas de corridas, teatros, parques. Os residentes que têm família podem sair para almoçar fora no fim de semana ou passar os feriados na casa dos parentes, e os lares recebem visitas regulares das crianças das escolas próximas, que interagem à vontade e espontaneamente com pessoas setenta ou oitenta anos mais velhas e podem criar laços afetivos com elas. A religião é central, mas não obrigatória; não há pregação, não há evangelização, não há nenhum tipo de pressão religiosa. Nem todos os residentes são religiosos, embora haja uma grande devoção religiosa entre as Irmãs, e seria difícil imaginar tal qualidade de atendimento sem uma dedicação tão profunda.[2]

Quando a pessoa troca o próprio lar por um lar coletivo, pode (e talvez deva) haver um período difícil de adaptação, mas a imensa maioria dos residentes nos lares das Irmãzinhas consegue criar uma vida própria agradável e dotada de sentido — às vezes até mais do que haviam tido antes, por muitos anos —, junto com a segurança de que todos os seus problemas médicos terão acompanhamento e tratamento cuidadosos e que, chegada a hora, poderão morrer em paz e com dignidade.

Tudo isso representa uma tradição mais antiga de atendimento, preservada pelas Irmãzinhas desde os anos 1840 e que na verdade remonta às tradições eclesiásticas da Idade Média (como Victoria Sweet descreve de forma tão comovente em *God's Hotel*), somada ao que há de melhor na medicina moderna.

Fiquei deprimido com os "solares" e logo parei de visitá-los, mas as Irmãzinhas me inspiram e gosto muito de visitar os seus lares. Alguns deles, faz mais de quarenta anos que visito.

No começo de 1976, recebi uma carta de Jonathan Cole, estudante de medicina no Middlesex de Londres. Ele dizia que apreciara muito *Enxaqueca* e *Tempo de despertar* e acrescentou que fizera um ano de pesquisas em neurofisiologia sensorial em Oxford antes de passar para o trabalho clínico. Perguntava se poderia passar comigo seu período opcional, cerca de dois meses: "Gostaria de observar os métodos do seu departamento e me encaixaria de bom grado em qualquer curso de ensino que exista".

Fiquei enternecido, lisonjeado por ser abordado por um estudante do hospital onde eu mesmo estivera quase vinte anos antes. Mas tinha de desfazer os seus vários equívocos sobre a minha posição e possibilidade de lhe fornecer o tipo de ensino que se recebe numa escola de medicina, e assim respondi à sua carta:

Prezado sr. Cole,

Agradeço a sua carta de 27 de fevereiro e peço desculpas pela demora na resposta.

Demorei em responder porque não sei o que responder. Mas eis a minha situação, em termos gerais:

Não *tenho* um Departamento.

Não estou *num* Departamento.

Sou um cigano e sobrevivo — de forma bastante marginal e precária — de serviços avulsos que presto aqui e ali.

Quando trabalhava em tempo integral no Beth Abraham, era frequente ter alunos passando algum tempo comigo nas suas eletivas — e era uma experiência que sempre considerávamos muito agradável e compensadora.

Mas agora não tenho, por assim dizer, nenhuma posição, base ou casa, e sou um peripatético. Não posso oferecer nenhum tipo de ensino *formal* — nem nada que possa lhe resultar em créditos formais.

De maneira informal (às vezes penso) vejo, aprendo e faço muitas coisas com os pacientes extremamente variados que visito em diversas clínicas e casas de repouso, e cada situação de ver-aprender-fazer é, *eo ipso* [por si mesma], uma situação de ensino. Considero cada paciente que atendo, em qualquer lugar, como um ser cheio de vida, interessante e gratificante; nunca conheci um paciente que não me ensinasse algo novo ou que não despertasse em mim novos sentimentos e novas cadeias de pensamento; e penso que os que estão comigo nessas situações participam e contribuem para esse senso de aventura. (Considero toda a neurologia, *tudo*, uma espécie de aventura!)

Escreva e me diga como as coisas funcionam pelo seu lado — mais uma vez, eu teria muito gosto em vê-lo de maneira informal, casual, peripatética, mas não estou "preparado" em nenhum sentido para qualquer ensino formal.

Cordiais saudações — e obrigado,

Oliver Sacks

Levou quase um ano para os acertos e a obtenção da verba, mas no começo de 1977 Jonathan chegou para a sua opcional comigo.

Nós dois, creio, estávamos um pouco nervosos: eu, afinal, era o autor de *Tempo de despertar*, mesmo que não tivesse uma posição formal, e Jonathan havia feito pesquisas em neurofisiologia sensorial em Oxford e era visivelmente muito mais sofisticado e atualizado do que eu nas teorias fisiológicas. Seria uma experiência nova, inédita, para nós dois.

Logo descobrimos um grande interesse comum; ambos éramos fascinados pelo "sexto sentido", a propriocepção: inconsciente, invisível, mas provavelmente mais vital do que qualquer um ou todos os outros cinco sentidos juntos. A pessoa podia ser cega e surda, como Helen Keller, e mesmo assim levar uma vida muito rica, mas a propriocepção era essencial para a percepção do próprio corpo, a posição e o movimento dos próprios membros no espaço, essencial, na verdade, para a percepção da própria *existência*. Se a propriocepção se extinguisse, como um ser humano iria sobreviver?

Tal pergunta dificilmente surge no decorrer normal da vida; a propriocepção está sempre ali, nunca se impondo, mas guiando em silêncio todos os movimentos que fazemos. Não sei se eu teria pensado tanto sobre a propriocepção se não tivesse passado pela estranha perturbação que (na mesma época em que Jonathan chegou a Nova York) eu lutava para descrever no livro *Uma perna* — uma perturbação, pensava eu, que derivava em grande parte do estrago da propriocepção, o qual fora tão profundo que eu não sabia dizer, sem olhar, onde estava minha perna esquerda ou que *aquilo* era ela, nem a sentia como "minha".

E, por coincidência, na mesma época em que Jonathan chegou a Nova York, minha colega e amiga Isabelle Rapin me encaminhou uma paciente, uma jovem que, em decorrência de uma doença viral, de súbito perdera toda e qualquer propriocepção e o sentido do tato do pescoço para baixo.[3] Jonathan não teria como saber, em 1977, a que ponto a sua vida viria a se mesclar no futuro com a de outro paciente nessa mesma condição.

Indo comigo às Irmãzinhas e a outras casas de saúde nas

diversas regiões de Nova York, Jonathan viu uma grande variedade de pacientes. Um em particular ficou gravado na nossa lembrança, um homem com síndrome de Korsakoff, cuja falta de memória o obrigava a confabular ininterruptamente. No decorrer de três minutos, o "sr. Thompson" (nome que lhe dei mais tarde) me identificou (com o meu avental branco de médico) com um cliente da sua confeitaria, com um velho amigo com quem ia às corridas, com um açougueiro kosher e com o frentista de um posto de gasolina; somente então, depois de algumas sugestões, é que imaginou que eu podia ser o seu médico.[4] Eu estourava de rir quando ele passava de uma confabulação ou de uma cômica identificação errada para outra, e Jonathan, muito sério, ficava chocado com isso (como me disse mais tarde), chocado que eu parecesse rir às custas de um paciente. Mas quando o sr. Thompson, um irlandês muito extrovertido, começou a rir também, a rir das excentricidades da sua imaginação korsakoffiana, Jonathan relaxou e começou ele mesmo a dar risadas.

Eu costumava andar com uma câmera de vídeo quando ia visitar os pacientes, e Jonathan ficou curioso com o uso da gravação e playback imediato do vídeo; a filmagem em vídeo era bastante nova naquela época, e raramente usada em hospitais. Ficou fascinado ao ver como os pacientes com parkinsonismo, por exemplo, que não percebiam as suas tendências de acelerar ou se inclinar de um lado, passavam a percebê-las quando viam no vídeo as posturas ou o modo de andar que adotavam — e aprendiam a corrigi-los.

Levei Jonathan ao Beth Abraham várias vezes; ele estava interessado sobretudo em conhecer os pacientes que apareciam em *Tempo de despertar*. Sentia-se bastante intrigado, me disse, por eu ter conseguido escrever sobre esses pacientes e até mesmo filmá-los, e apesar disso eles terem continuado a me ver como médico merecedor de confiança, e não como alguém que os explorara ou os traíra. Isso deve ter estado muito presente no espírito de Jonathan quando, oito anos depois, conheceu Ian Waterman, o homem que iria mudar sua vida.

Ian, como Christina — a mulher desencarnada —, sofria de uma neuropatia sensorial devastadora. Era um robusto rapaz de dezenove anos quando, de repente, um vírus o privou de toda e qualquer propriocepção do pescoço para baixo. As pessoas nessa condição rara, na sua maioria, praticamente não conseguem controlar seus membros e se limitam a rastejar ou ficam confinadas numa cadeira de rodas. Mas Ian descobrira diversas formas admiráveis de lidar com a sua condição e podia levar uma existência bastante normal, apesar das suas profundas deficiências neurológicas.

Muitas das coisas que são automáticas para nós, ocorrendo sem precisar de uma supervisão consciente, Ian só consegue fazer de maneira deliberada e com um monitoramento consciente. Ao sentar, ele precisa se manter conscientemente ereto para não tombar para a frente; só consegue andar se fechar os joelhos e mantiver os olhos concentrados na tarefa. Não tendo o "sexto sentido" da propriocepção, ele precisa substituí-lo pela visão. Essa concentração significa que é muito difícil conseguir fazer duas coisas ao mesmo tempo. Ian consegue ficar em pé ou consegue falar, mas, para ficar em pé e falar, precisa se apoiar em algum suporte. Pode ter uma aparência absolutamente normal, mas se as luzes se apagam sem aviso prévio, ele cai desamparado no chão.

Ao longo dos anos, Jonathan e Ian construíram um relacionamento profundo — como médico e paciente, como pesquisador e objeto de estudo, e progressivamente como colegas e amigos (agora faz trinta anos que trabalham juntos). Durante essa colaboração de décadas, Jonathan escreveu dezenas de artigos científicos e um livro admirável sobre Ian, *Pride and a Daily Marathon* [Orgulho e uma maratona diária]. (Agora ele está trabalhando numa continuação.)[5]

Poucas coisas me pareceram mais comoventes, ao longo dos anos, do que ver Jonathan, o meu aluno, vir a se destacar como médico, fisiologista e escritor eminente; hoje, é autor de quatro grandes livros e de mais de cem artigos sobre fisiologia.

Depois de me mudar para Nova York em 1965, passei a explorar as estradas rurais na minha moto, procurando um lugar adequado para passar alguns fins de semana. Num domingo, rodando pelas montanhas Catskills, descobri um velho hotel de madeira, muito pitoresco, no alto de uma colina, ao lado de um lago: era o Lake Jefferson Hotel. Os donos eram um simpático casal de germano-americanos, Lou e Bertha Grupp, e logo nos conhecemos. Fiquei especialmente encantado pela solicitude que mostraram pela minha motocicleta, que deixaram ficar no saguão de entrada. Esta logo se tornou uma cena habitual nos fins de semana para os locais. "O doutor está aqui de novo", diziam ao ver a moto.

Eu gostava especialmente das noites de sábado no velho bar, que ficava repleto de figuras pitorescas, conversando e bebendo, e as velhas fotos que mostravam o hotel no seu auge durante os anos 1920 e 1930. Escrevia boa parte dos meus textos numa saleta ao lado do bar, um lugar reservado onde podia ficar sozinho e invisível, mas sentindo o aconchego e o estímulo da animação no local.

Depois de uns dez ou doze fins de semana assim, fiz um acerto com os Grupp: eu alugaria um quarto no subsolo do hotel, entraria e sairia quando quisesse e manteria as minhas coisas lá — basicamente, uma máquina de escrever e os equipamentos de mergulho. Podia ocupar o quarto, frequentar a cozinha e o bar, e usar todos os confortos do hotel por apenas duzentos dólares ao mês.

A vida no Lake Jeff era saudável e monástica. Renunciei à moto no começo dos anos 1970 — começava a achar o trânsito de Nova York perigoso demais, e andar de moto já não era mais um prazer —, mas sempre tive um bagageiro para bicicletas no carro, e nos longos dias de verão eu pedalava horas a fio. Muitas vezes parava na velha fábrica de sidra perto do hotel e pegava dois jarros, de dois litros cada, de sidra forte, que pendurava no guidão. Adoro sidra, e o líquido que eu ia bebendo aos poucos e de modo simétrico — um gole de um jarro, depois um gole do outro — me mantinha hidratado e me deixava levemente embriagado durante o longo dia na bicicleta.

Havia um haras não longe do hotel, e às vezes eu ia até lá no sábado de manhã e passava algumas horas montando um Percheron gigantesco, com uma garupa tão larga que era como sentar em cima de um elefante. Eu pesava muito naquela época, mais de 120 quilos, mas o cavalo enorme mal parecia sentir o meu peso; eram cavalos assim, ponderei, que deviam carregar cavaleiros e reis envergando as suas armaduras; consta que Henrique VIII, com a armadura completa, pesava 230 quilos.

Mas a maior alegria de todas era nadar no lago calmo, onde às vezes podia ter algum pescador numa canoa, mas nenhum barco a motor nem jet skis ameaçando o nadador distraído. O apogeu do Lake Jeff Hotel já havia passado, e a elegante plataforma de natação, as balsas e os pavilhões estavam em completo abandono, apodrecendo aos poucos. Nadar interminavelmente, sem medo nem pressa, me relaxava e liberava o meu cérebro. Imagens e pensamentos, às vezes parágrafos inteiros, começavam a brotar na mente, e volta e meia eu precisava ir à terra firme para anotá-los num bloco amarelo que deixava numa mesa de piquenique, perto do lago. O senso de urgência às vezes era tão grande que nem tinha tempo de me enxugar, e corria molhado e gotejante até o bloco de papel.

Eric Korn e eu nos conhecíamos, pelo que nos disseram, desde o berço, e fomos amigos muito chegados por quase oitenta anos. Fizemos várias viagens juntos, e em 1979 tomamos um barco até a Holanda e alugamos duas bicicletas para percorrer o país, chegando à nossa cidade favorita, Amsterdam. Fazia alguns anos que eu não ia à Holanda — ao contrário de Eric que, morando na Inglaterra, ia com frequência —, e assim fiquei muito surpreso quando nos ofereceram maconha num café, da maneira mais escancarada possível. Estávamos sentados a uma mesa quando um rapaz se aproximou e, num gesto experiente, abriu uma espécie de carteira contendo mais de dez tipos de maconha e haxixe; nos anos 1970, a posse e o uso em pequenas quantidades eram totalmente lícitos na Holanda.

Eric e eu compramos um pacotinho, mas nos esquecemos de fumar. Na verdade, esquecemos inclusive que tínhamos o fumo, até que chegamos a Haia para pegar o navio de volta para a Inglaterra e nos apresentamos à alfândega. Fizeram as perguntas de praxe.

Compraram alguma coisa na Holanda? Bebida, talvez?

"Sim, Genever", respondemos.

Cigarros? Não, não fumávamos.

Maconha? Ah, sim, tínhamos esquecido totalmente. "Bom, então joguem fora antes de chegar à Inglaterra", disse o funcionário da alfândega. "Lá é ilegal." Embarcamos com o fumo, pensando em dar uns tapas a bordo.

De fato demos um tapinha e jogamos o resto pela amurada. Talvez não tenha sido só um tapinha; fazia anos que nenhum de nós dois fumava, e a maconha era muito mais forte do que esperávamos.

Fui andar uns minutos e cheguei perto da casa de leme. Iluminada pelo lusco-fusco, parecia encantada, saída de um conto de fadas. O capitão pilotava, com as mãos no leme, e havia um menino de uns dez anos ao seu lado, fascinado com o uniforme do capitão, as bússolas e aparelhos de vidro e cobre, o mar se abrindo à proa do navio. Estando a porta destrancada, entrei também na cabine. O capitão e o menino não se incomodaram com a minha entrada e parei do outro lado do capitão, em silêncio. O capitão nos mostrou como manobrava o navio, apresentou todos os aparelhos, enquanto o menino e eu fazíamos inúmeras perguntas. Estávamos tão absorvidos que perdemos a noção do tempo e ficamos espantados quando o capitão disse que já estávamos perto de Harwich, na costa da Inglaterra. Nós dois saímos, o menino para encontrar os pais e eu para encontrar Eric.

Quando o encontrei, Eric parecia desvairado de ansiedade e quase chorou de alívio ao me ver. "Onde você estava?", ele perguntou. "Procurei por toda parte; achei que você tinha pulado no mar. Graças a Deus que está vivo!" Contei a Eric que estava na casa de leme e me diverti muito. Então, surpreso com a intensidade das suas palavras e a expressão do rosto, falei: "Você se importa, realmente se importa comigo!".

"Claro!", disse Eric. "Você tinha alguma dúvida?"

Mas não era fácil acreditar que alguém se importasse comigo; às vezes creio que não entendia o quanto meus pais se preocupavam comigo. Só agora, lendo as cartas que me escreviam quando vim para os Estados Unidos há cinquenta anos, é que vejo como se importavam profundamente comigo.

E o quanto muitas outras pessoas teriam se importado comigo — esse desinteresse dos outros por mim, que eu imaginava, seria a projeção de alguma deficiência ou inibição em mim mesmo? Uma vez, ouvi um programa de rádio dedicado às lembranças e pensamentos de pessoas que, como eu, tinham sido evacuadas durante a Segunda Guerra Mundial, separadas das suas famílias durante a infância. O entrevistador comentava até que ponto essas pessoas tinham conseguido se adaptar aos anos dolorosos e traumáticos da infância. "Sim, consegui", disse um homem. "Mas até hoje tenho problemas com os três *B*s: *bonding, belonging, and believing* [criar laços, me sentir parte integrante e acreditar]." Penso que, em certa medida, isso também se aplica a mim.

Em setembro de 1978, enviei mais uma parte do manuscrito da *Perna* para Lennie — ela respondeu, dizendo que agora sentia que podia ser "um livro feliz e dançante" —, estava aliviada, pois pelo visto eu finalmente estava partindo para outros interesses. No final da carta, ela tocou num assunto mais doloroso:

> Estou esperando para ir ao hospital, pois o meu bom e caro cirurgião crê que chegou a hora de uma grande operação na minha estúpida hérnia do hiato e no esôfago. Papai e David não parecem muito entusiasmados, mas tenho toda a confiança nele.

Essa foi a última carta de Len para mim. Ela foi para o hospital e as coisas deram errado. Imaginava-se que seria uma operação localizada, mas foi quase uma calamitosa remoção completa de órgãos. Quando soube, Lennie considerou que não valia a pena viver se alimentando por via intravenosa e com um câncer se alastrando. Decidiu parar de comer, embora tomasse água. Meu pai insistiu que fosse examinada por um psiquiatra, mas o psiquiatra disse: "Ela é a pessoa mais sã que já vi na vida. Respeite a decisão dela".

Fui para a Inglaterra logo que soube disso e passei muitos dias felizes, mas de uma tristeza infinita, à cabeceira de Lennie, que enfraquecia. Continuava absolutamente a mesma, apesar da fragilidade física. Quando precisei voltar aos Estados Unidos, passei uma manhã colhendo folhas de todas as diversas árvores que encontrei em Hampstead Heath e levei para ela. Lennie ficou encantada, identificou todas e disse que se sentia de volta aos anos que passara na floresta de Delamere.

Enviei-lhe uma última carta no final de 1978, mas não sei se ela chegou a ler:

Querida Len,

Todos nós esperávamos vivamente que neste mês sua saúde retornasse; mas, infelizmente, não era para ser.

Fico com o coração partido ao saber da sua fraqueza, da sua infelicidade — e, agora, da sua vontade de morrer. Você, que sempre amou a vida e foi uma fonte de força e vida para tantos, é capaz de enfrentar a morte, e até de escolhê-la, com serenidade e coragem, acompanhadas, claro, pela dor de qualquer falecimento. Nós, eu sou muito menos capaz de suportar a ideia de perdê-la. Você é a pessoa mais cara para mim neste mundo.

Alimento a esperança de que você possa vencer essa desgraça e recuperar mais uma vez a plena alegria de viver. Mas, se assim não for, devo lhe agradecer — agradecer, novamente e pela última vez, por existir — por ser quem é.

Amor,

Oliver

Sou tímido em ocasiões sociais comuns; não consigo "bater papo" facilmente; tenho dificuldade em reconhecer os rostos (foi assim a vida toda, mas piorou agora com os meus problemas na vista); tenho pouco conhecimento e pouco interesse pelos assuntos da atualidade, sejam políticos, sociais ou sexuais. Agora, além disso, estou com dificuldades de audição, o que é uma forma educada de designar uma surdez crescente. Em vista de tudo isso, minha tendência é ficar num canto, me fazer invisível, esperar que passe despercebido. Nos anos 1960, isso era um problema, quando ia a bares gays para conhecer alguém; ficava agoniado, enfiado num canto, e saía depois de uma hora, sozinho, triste, porém de certa forma aliviado. Mas, se encontro alguém numa festa ou em algum outro lugar com alguns interesses parecidos com os meus, em geral científicos — vulcões, medusas, ondas gravitacionais, coisas do gênero —, então entro imediatamente numa conversa animada (embora talvez logo depois nem consiga reconhecer a pessoa com quem estive falando).

Quase nunca falo com pessoas na rua. Mas, há alguns anos, houve um eclipse lunar e saí para vê-lo com o meu pequeno telescópio de 20x. Todo mundo na calçada movimentada parecia nem notar a extraordinária ocorrência astronômica no céu, e assim eu parava as pessoas dizendo: "Vejam! Vejam o que está acontecendo com a Lua!", e lhes passava o telescópio. As pessoas estranhavam ser abordadas dessa maneira, mas, curiosas com o meu entusiasmo visivelmente inocente, olhavam pelo telescópio, soltavam um "uau!" e me devolviam. "Ei, cara, obrigado por me deixar olhar" ou "Puxa, obrigado por me mostrar".

Quando passei pelo estacionamento na frente do meu prédio, vi uma mulher discutindo furiosa com o funcionário do local. Fui até lá e disse: "Parem um pouco de brigar — olhem a Lua!". Surpresos, eles pararam e olharam o eclipse, um passando o telescópio ao outro. Então me devolveram, agradeceram e retomaram imediatamente a discussão enfurecida.

Um episódio parecido me aconteceu alguns anos depois, quando estava trabalhando em *Tio Tungstênio* e escrevendo um capítulo sobre espectroscopia. Eu começara a andar pelas ruas com um pequeno espectroscópio de bolso, olhando por ele para diversas luzes e me maravilhando com as suas várias linhas no espectro — a linha dourada brilhante das luzes de sódio, a linha vermelha do neon, as linhas complexas das lâmpadas halógenas com os seus fósforos de terras-raras que estavam começando a surgir. Ao passar por um bar perto de casa, a variedade de luzes coloridas lá dentro me chamou a atenção e comecei a examiná--las pelo lado de fora, com o espectroscópio encostado na janela. Mas logo vi que os donos lá dentro estavam incomodados com essa conduta estranha, sendo espiados (julgavam eles) com um pequeno instrumento esquisito, de forma que entrei com passos firmes — era um bar gay — e disse: "Ei, vocês, parem de falar

sobre sexo! Deem uma olhada em algo realmente interessante".
Fez-se um silêncio de perplexidade, e mais uma vez o meu entusiasmo pueril e sincero prevaleceu, e todos começaram a passar o espectroscópio de mão em mão, fazendo comentários como "Uau, que legal!". Depois de darem uma olhada, agradeceram e me devolveram o espectroscópio. Então todos voltaram a falar de sexo outra vez.

Eu me debati ainda por vários anos com o livro da *Perna* e finalmente enviei o manuscrito completo para Colin em janeiro de 1983, quase nove anos depois de tê-lo iniciado. Cada seção do livro, datilografado com esmero, era de uma cor diferente das outras, embora o manuscrito completo agora estivesse com mais de 300 mil palavras. Colin ficou furioso com o tamanho dele, e a preparação do texto levou praticamente o ano todo para ser feita. A versão final ficou com menos de um quinto do tamanho original, com apenas 58 mil palavras.

Mesmo assim, foi com uma sensação de enorme alívio que entreguei o livro concluído a Colin. Nunca consegui me livrar totalmente da sensação supersticiosa de que o meu acidente de 1974 estava apenas esperando para se repetir, e se repetiria se eu não o exorcizasse, despejando a coisa toda num livro. Agora tinha acabado e não corria mais o risco de recapitular tudo aquilo. Mas o inconsciente é mais esperto do que imaginamos e, dez dias depois — um dia de gelo no Bronx —, levei um tombo especialmente desajeitado e veio a repetição do acidente que eu tanto temia.

Eu entrara num posto de gasolina em City Island. Estendi o cartão de crédito ao frentista e resolvi abrir a porta e dar uma saidinha para esticar as pernas. No instante em que saí do carro, escorreguei num trecho de gelo pérfido e, quando o frentista voltou com o recibo, encontrou-me no chão, metade do corpo por baixo do carro.

Perguntou: "O que você está fazendo?".

Respondi: "Tomando banho de sol".

E ele: "Sério, o que aconteceu?".

Falei: "Quebrei um braço e uma perna". A isso ele respondeu: "Você está outra vez de brincadeira".
E eu: "Não, desta vez não é brincadeira. É melhor você chamar uma ambulância".
Quando cheguei ao hospital, o residente da cirurgia me perguntou: "O que é isso escrito nas costas da mão?". (Eu tinha escrito ali as letras *S C B*.)
Falei: "Ah, é uma paciente que tem alucinações; ela tem a síndrome Charles Bonnet e eu estava indo visitá-la".[6]
E ele disse: "Dr. Sacks, o paciente agora *é você*".

***

Quando Colin soube que eu estava hospitalizado — continuava no hospital quando chegaram as provas da *Perna* —, ele exclamou: "Oliver! Você é capaz de qualquer coisa para ter uma nota de rodapé".
Entre 1977 e 1982, *Com uma perna só* finalmente ficou pronto, uma parte escrita quando nadava no lago Jeff. Jim Silberman, meu editor nos Estados Unidos, ficou desconcertado quando lhe enviei a seção do lago Jeff. Ele disse que fazia trinta anos que não recebia um original manuscrito, e este parecia ter caído dentro de uma banheira. Falou que precisava não só ser datilografado, mas decifrado, e enviou o material a uma ex-editora sua, Kate Edgar, que agora era freelancer em San Francisco. Meu original ilegível e borrado de água, com frases estropiadas e incompletas, flechas, riscos indecisos, voltou lindamente datilografado e marcado com sábios comentários editoriais. Escrevi à sra. Edgar dizendo que, a meu ver, ela fizera um trabalho admirável com um manuscrito muito difícil e que viesse me visitar, caso algum dia voltasse à Costa Leste.
Kate voltou no ano seguinte, em 1983, e desde então trabalha comigo como editora, pesquisadora e colaboradora. Posso ter deixado Mary-Kay e Colin doidos com os meus inúmeros rascunhos, mas nos últimos trinta anos tenho a sorte de contar com Kate, que, tal como eles dois haviam feito, clareia, depura e desbasta os meus rascunhos infindáveis, montando um conjunto

coerente. (Além disso, ela pesquisou e acompanhou todos os meus livros posteriores, encontrando os pacientes, ouvindo as minhas histórias, participando de aventuras que vão desde aprender a língua dos sinais a visitar laboratórios químicos.)

UMA QUESTÃO DE IDENTIDADE

Embora tenha levado quase uma década para escrever *Com uma perna só*, durante esse tempo também me dediquei a outros temas. Entre eles se destacava a síndrome de Tourette.

Em 1971, Israel Shenker, o jornalista do *New York Times* que fora ao Beth Abraham no verão de 1969 e publicara um longo artigo sobre os efeitos iniciais da L-dopa, voltou a me abordar. Agora ligava para saber como iam os pacientes.

Muitos estavam mantendo bem o "despertar" com a L-dopa, respondi, mas alguns apresentavam reações estranhas e complicadas ao medicamento. A principal delas, expliquei, eram os tiques. Muitos começaram a fazer movimentos ou sons súbitos e convulsivos, às vezes com exclamações que irrompiam de repente; eu pensava que provavelmente se deviam a uma ativação explosiva de mecanismos subcorticais que haviam sido prejudicados pela doença original e agora estavam reagindo à estimulação contínua da L-dopa. Comentei com Shenker que, com todos esses múltiplos tiques e interjeições, alguns dos pós-encefalíticos agora mostravam um quadro que se assemelhava a uma condição rara, chamada síndrome de Gilles de la Tourette. Eu nunca vira ninguém com essa síndrome, mas lera a respeito.

Assim, Shenker voltou ao hospital para observar e entrevistar os pacientes. Na noite anterior à publicação da matéria, corri a uma banca na Allerton Avenue para pegar a primeira edição do jornal da manhã seguinte.

Shenker havia exposto cuidadosamente as nuances do que ele chamava de "uma espantosa topografia de tiques". Ele observou que uma mulher tinha o tique de cerrar um olho que conseguia transmutar num tique de cerrar o punho, e que outra paciente conseguia espantar os tiques se concentrando em tricotar ou datilografar.

Depois de publicado o artigo, comecei a receber uma montanha de cartas de pessoas com múltiplos tiques, em busca de uma opinião médica. Considerei que seria impróprio examiná-las, pois de certa forma seria me aproveitar de um artigo de jornal. (Aqui, talvez, eu repetia a reação anterior do meu pai, naquele ano, à resenha do *Times* sobre *Enxaqueca*.) Mas houve um rapaz muito persistente e simpático que, de fato, examinei. Ray vivia cheio de tiques convulsivos, de "piadas tiquísticas" e de "tiques piadísticos", como dizia (ele se referia a si mesmo como Ray Tiquista Piadista). Fiquei extremamente fascinado com o que lhe ocorria, não só com os seus tiques fulminantes, mas com a sua inteligência e rapidez de raciocínio, e também com as formas que inventara para lidar com o seu Tourette. Ele tinha um bom emprego e um casamento feliz, mas não podia andar na rua sem que todos o olhassem; era objeto de olhares de perplexidade ou censura desde os cinco anos de idade.

Às vezes, Ray considerava que sua personalidade touréttica (a quem ele chamava de sr. T.) era distinta da sua personalidade real, tal como Frances D., uma senhora pós-encefalítica normalmente reservada e reticente, sentia que tinha uma "personalidade dopa frenética", muito diferente da sua personalidade civilizada "real".

Na sua personalidade touréttica, Ray era desinibido, impulsivo, em geral mostrando reações de uma rapidez excepcional e réplicas muito afiadas. Quase sempre ganhava nas partidas de pingue-pongue, não tanto pela destreza, mas pela extraordinária velocidade e imprevisibilidade dos saques e rebatidas. (Era muito parecido com o que acontecera nos primeiros dias do despertar, quando os pacientes pós-encefalíticos, antes de ser tomados pela catatonia e pelo parkinsonismo, tendiam a ficar hipercinéticos e impulsivos, e nesse estado conseguiam derrotar jogadores normais numa partida de futebol americano.) Com a sua rapidez e impulsividade fisiológica, junto com a sua musicalidade, Ray criava improvisos notáveis na bateria.

Pensei que nunca mais veria o que tinha visto no verão e outono de 1969, com os pós-encefalíticos. Agora, depois de conhecer Ray, percebi que a síndrome de Tourette era outro tema de estudo, talvez igualmente raro e fecundo (e com certo parentesco). Um dia depois de ter conhecido Ray, pensei ver três pessoas nas ruas de Nova York com a mesma síndrome, e no outro dia mais duas. Aquilo me surpreendeu, pois Tourette era tida como uma condição extremamente rara, ocorrendo em talvez uma ou duas pessoas por milhão. Porém agora eu percebia que a frequência seria pelo menos mil vezes maior. Pensei que devia estar cego por não ter visto antes, mas o tempo que passei com Ray calibrara o meu olho neurológico, por assim dizer, para *enxergar* a Tourette.

Pensei que deviam existir muitos outros indivíduos como Ray, e comecei a sonhar em reuni-los, para poderem reconhecer suas afinidades fisiológicas e psicológicas e formarem uma espécie de confraria. Na primavera de 1974, descobri que esse sonho já se tornara realidade: dois anos antes, um grupo de pais de crianças com Tourette havia criado em Nova York a Tourette Syndrome Association (TSA), que agora incluía também cerca de vinte adultos com o transtorno. Eu examinara uma menina com Tourette em 1973, e o seu pai, um psiquiatra que estava entre os fundadores da TSA, convidou-me para uma reunião.

As pessoas com Tourette muitas vezes são extremamente suscetíveis à sugestão e à hipnose, propensas à imitação e repetição involuntária. Vi isso naquela primeira reunião da TSA quando, a certa altura, um pombo veio até o parapeito de uma janela, do lado de fora da sala de reuniões. Ele abriu e fechou as asas, esvoaçou e então pousou. À minha frente havia umas sete ou oito pessoas com Tourette, e várias delas começaram a mexer ombros e braços no gesto de esvoaçar, imitando o pombo ou imitando umas às outras.

Aproximando-se o final de 1976, numa reunião na TSA, fui abordado por John P., um rapaz, que disse: "Sou o maior tourettista do mundo. Tenho a Tourette mais complexa que você jamais verá na vida. Posso lhe ensinar coisas sobre a Tourette que ninguém mais conhece. Gostaria de me tomar como objeto de estudo?". Esse convite, que era uma estranha mistura de grandiosidade e autodepreciação, me deixou um pouco retraído, mas sugeri que nos encontrássemos no meu consultório e então decidiríamos se valeria a pena fazer algum estudo mais aprofundado. Ele compareceu não como paciente precisando de ajuda ou tratamento, mas como um projeto de pesquisa.

Vendo a rapidez e complexidade dos seus tiques e verbalizações, pensei que seria bom ter uma câmera de vídeo à mão quando o atendesse, e assim consegui o aluguel da câmera mais compacta existente na época — uma Sony Portapak (pesava uns oito quilos).

Tivemos duas sessões de reconhecimento, e John era mesmo o que dizia. De fato, eu nunca vira uma condição tão complexa ou tão severa quanto o quadro que ele mostrava e com o qual tinha de conviver, nem lera ou ouvira falar em nada que sequer se aproximasse da sua condição; mentalmente, dei-lhe o nome de "supertourette". Fiquei muito contente por ter uma câmera de vídeo gravando, pois alguns tiques e comportamentos estranhos de John ocorriam numa fração de segundo, às vezes dois ou mais ao mesmo tempo. A olho nu, era excessiva a quantidade de coisas para ver, mas com o vídeo eu podia captar tudo e passar em câmera lenta ou parando quadro a quadro. Às vezes também repassava a fita com John, que frequentemente sabia me dizer o que estava sentindo ou pensando ao fazer tal ou qual tique. Dessa maneira, pensei, era possível fazer uma análise dos tiques semelhante à análise de um sonho. Os tiques talvez fossem a "grande estrada" para o inconsciente.

Mais tarde, desisti dessa ideia, os tiques e os comportamentos ligados a tiques (botes, saltos, latidos e outros) me pareciam, em sua maioria, descargas reativas ou espontâneas do tronco encefálico ou do corpo estriado e, neste sentido, eram determinados biologicamente, mas não psiquicamente. Havia, porém, algumas exceções evidentes, sobretudo no campo da coprolalia, o uso compulsivo e convulsivo de interjeições ou palavras ofensivas (e o seu equivalente motor, a copropraxia, isto é, gestos obscenos). John gostava de chamar a atenção, de provocar ou ofender os outros; a compulsão de testar os limites sociais, de roçar as raias do decoro, não é rara nos portadores da síndrome de Tourette.

O que me marcou em especial foi um som estranho que John costumava pronunciar junto com os seus tiques. Quando gravei e depois toquei a fita devagar, alongando o som, descobri que era, de fato, uma palavra em alemão — *"verboten!"* — comprimida num ruído só, ininteligível, devido à rapidez do tique. Quando mencionei o fato a John, ele disse que era como o seu pai, de fala alemã, o repreendia quando criança, sempre que tinha um tique. Enviei uma cópia dessa fita a Lúria, que ficou fascinado com o que chamou de "a introjeção da voz do pai como um tique".

Vim a crer que muitos tiques e comportamentos tiquísticos oscilavam entre o involuntário e o intencional, em algum ponto entre o espasmo e a ação, de origem subcortical, mas às vezes dotados de sentido e intencionalidade conscientes ou subconscientes.

Num dia de verão, quando John estava no meu consultório, uma borboleta entrou pela janela aberta. John acompanhou o seu voo ascendente, em zigue-zague, com espasmos súbitos e erráticos da cabeça e dos olhos, enquanto despejava uma torrente de agrados e imprecações: "quero te beijar, quero te matar", repetia ele, e então abreviou para "te beijar, te matar, te beijar, te matar". Depois de dois ou três minutos disso — John parecia incapaz de parar enquanto a borboleta esvoaçava por ali —, falei em tom de brincadeira: "Se você estivesse realmente concentrado, não daria atenção à borboleta, mesmo que pousasse no seu nariz".

No instante em que eu disse isso, ele agarrou a ponta do nariz e ficou puxando com força, como se quisesse arrancar uma enorme borboleta que tivesse se alojado ali. Pensei se a sua imaginação touréttica, vívida demais, não passara para a alucinação, criando uma borboleta fantasmagórica como se fosse real, perceptualmente concreta. Era como um pequeno pesadelo se desenrolando em plena consciência diante de mim.

Trabalhei de modo intensivo com John nos três primeiros meses de 1977, e isso me trouxe uma sensação de assombro, de descoberta e entusiasmo intelectual mais intensa do que qualquer coisa que eu sentira desde o verão de 1969, quando os pós-encefalíticos estavam despertando. Senti com muita força o que sentira depois de conhecer Ray: que precisava escrever um livro sobre a Tourette. Pensei em escrever um livro tendo John como personagem central — talvez "Um dia na vida", criado ou real, de alguém com supertourette.

Depois de um início tão promissor, pensei que um estudo completo poderia ser imensamente informativo, mas alertei John, dizendo que um estudo desses era no fundo uma exploração, uma investigação, e não podia prometer nenhum benefício terapêutico. Dessa maneira, seria um estudo parecido com *A mente de um mnemônico*, de Lúria, ou com *A interpretação dos sonhos*, de Freud. (Mantive constantemente esses dois livros ao meu lado nos meses da nossa "tourettanálise".)

Eu atendia John no meu consultório todos os sábados, e gravei nossas sessões com duas câmeras de vídeo em simultâneo, uma focalizando o rosto e as mãos de John, a outra com um ângulo mais aberto, pegando nós dois.

Quando vinha ao consultório nos sábados de manhã, John costumava parar o carro numa mercearia italiana, que ficava no caminho, e comprava um sanduíche e uma Coca-Cola. A mercearia era movimentada, sempre cheia de gente que John depois descrevia, ou melhor, personificava de maneira impressionante, dando-lhes vida. Eu andava lendo Balzac e citei a John: "Tenho uma sociedade inteira na cabeça".

"Eu também", respondeu John, "mas em forma de imitação." Essas imitações e mímicas instantâneas e involuntárias costumavam ter laivos de zombaria ou caricatura, e às vezes John atraía olhares admirados ou escandalizados das pessoas ao redor, as quais, por sua vez, ele encenava ou caricaturava. Sentado no meu consultório, ouvindo-o descrever e interpretar essas cenas, comecei a pensar que talvez tivesse de sair com ele para presenciar ao vivo essas interações.[1] Hesitei muito; não queria que ele se constrangesse, sentindo-se observado o tempo todo (literalmente "na câmera ao vivo", se eu levasse a Portapak), nem queria invadir demais a sua vida fora da nossa rotina matinal dos sábados. Mesmo assim, pensava que gravar um dia ou uma semana na vida de tal supertourettista seria de grande valor — forneceria uma visão antropológica ou etológica para complementar as observações clínicas e fenomenológicas feitas no consultório.

Entrei em contato com uma equipe de documentaristas antropológicos — acabavam de voltar da filmagem de uma tribo na Nova Guiné — e eles ficaram curiosos com a ideia de uma espécie de antropologia médica. Mas queriam 50 mil dólares para uma semana de filmagem, e eu não tinha 50 mil dólares; era mais do que eu ganhava num ano inteiro.

Mencionei o caso a Duncan Dallas (eu sabia que a Yorkshire Television às vezes financiava a filmagem de documentários em campo) e ele disse: "Posso ir vê-lo". Duncan chegou umas duas semanas depois e concordou que John era totalmente diferente de tudo o que ele vira antes, e que se expressava e se apresentava muito bem. Duncan queria fazer um documentário completo sobre ele, e John, que assistira ao documentário *Tempo de despertar*, se entusiasmou com a ideia. A essa altura, porém, eu é que estava menos entusiasmado e um pouco inquieto com o que me parecia um entusiasmo excessivo e talvez uma excessiva expectativa por parte de John. Eu queria continuar o meu trabalho de investigação serena com ele, e agora ele estava sonhando em ser a figura central num documentário da tevê.

John havia dito que gostava de "representar", de criar "cenas", de ser o centro das atenções, mas que depois evitava o local onde criara as suas cenas. Como reagiria à filmagem de algumas das suas "cenas" ou "apresentações" — exibicionistas, mas nascidas dos seus tiques — que adquiririam uma forma permanente que não poderia apagar? Nós três discutimos cuidadosamente tudo isso durante a visita de reconhecimento de Duncan, e Duncan frisou que John podia ir à Inglaterra e participar da edição do filme em qualquer etapa.

A filmagem foi feita no verão de 1977, e John estava em grande forma: cheio dos tiques e das bizarrices, compulsivo, mas também brincalhão — fazendo palhaçadas, improvisando e imitando quando tinha plateia, mas também falando de maneira sóbria, cuidadosa e sempre muito emocionante sobre a vida para pessoas como ele. Todos nós pensamos que resultaria um documentário admirável, equilibrado e muito humano.

Depois da filmagem, John e eu voltamos às nossas calmas sessões juntos, mas agora eu notava certa tensão nele — uma contenção que não percebera antes — e, quando recebeu o convite para ir a Londres e participar ativamente da edição do filme, John declinou.

O filme passou na televisão britânica no começo de 1978; atraiu grande atenção, sempre positiva, e John recebeu uma enxurrada de cartas de espectadores manifestando solidariedade e admiração. De início, ele se sentiu muito orgulhoso com o documentário e mostrou aos amigos e vizinhos, mas depois ficou profundamente incomodado e sobretudo zangado, e se virou contra mim, dizendo que eu o "vendera" aos meios de comunicação (esquecendo que era ele quem mais queria fazer o filme e que fui eu quem lhe aconselhou cautela). John queria que o filme fosse proibido e nunca mais retransmitido, e o mesmo em relação às fitas de vídeo que eu tinha gravado (agora eram mais de cem). Disse que se o filme voltasse a passar mais uma vez, se algum dos vídeos aparecesse, ele viria atrás de mim e me mataria. Fiquei espantadíssimo e aturdido com tudo isso — e amedrontado também —, mas acedi à sua vontade, e o documentário nunca mais foi reapresentado.

Infelizmente, porém, ele não se deu por satisfeito. Começou a me fazer telefonemas ameaçadores, os quais, no começo, consistiam em duas palavras: "Lembre Tourette", pois ele sabia que eu sabia muito bem que Gilles de la Tourette recebera um tiro na cabeça, disparado por um dos seus pacientes.[2]

Naquelas circunstâncias, não pude mostrar nenhuma gravação de John, nem mesmo aos meus colegas médicos, o que foi extremamente frustrante, pois o material me parecia capaz de lançar luz não só sobre diversos aspectos da síndrome de Tourette, mas também sobre aspectos pouco explorados da neurociência e da natureza humana em geral. Pensei em escrever um livro inteiro baseado em cinco segundos daquele vídeo, mas jamais o fiz.

Retirei um artigo sobre John que escrevera para *The New*

York Review of Books: já estava em prova impressa, mas agora eu temia que o seu ânimo se inflamasse.

Entendi melhor a situação durante a exibição do documentário *Tempo de despertar* num encontro psiquiátrico no outono de 1977, quando a sessão foi constantemente interrompida por uma mulher que, como vim a saber, era a irmã de John. Conversamos mais tarde e ela disse que o documentário e a exibição de tais pacientes lhe pareceram "chocantes". Estava alarmada que seu irmão fosse exposto na tevê; acrescentou que pessoas como ele deviam ficar escondidas, sem aparecer às vistas de ninguém. Então comecei a perceber, tarde demais, a profundidade da ambivalência de John em relação à filmagem: a sua compulsão de ser visto e mostrado, de se exibir, mas também de se esconder à vista dos outros.

Em 1980, dando uma pausa na luta com o livro da *Perna*, escrevi um texto sobre Ray, o sujeito encantador cheio dos tiques e das piadas que eu atendera e acompanhara por quase dez anos. Estava preocupado com a reação de Ray ao fato de escrever sobre ele, e assim perguntei como se sentiria com a publicação do texto e me prontifiquei a ler o artigo para ele.

Ray respondeu: "Não, tudo bem. Não precisa".

Mas insisti e ele me convidou para jantar na sua casa, onde depois poderia ler o texto para ele e sua esposa. Ray teve muitos tiques e repuxões enquanto eu lia, e a certa altura explodiu: "Você toma umas liberdades!".

Parei e puxei uma caneta vermelha, dizendo: "O que apago? Você é que manda".

Mas ele respondeu: "Siga em frente, continue a ler".

Quando cheguei ao final do texto, ele disse: "É basicamente verdade. Mas não publique aqui. Publique em Londres".

Enviei o texto a Jonathan Miller, que gostou e passou para Mary-Kay Wilmers, que (junto com Karl Miller, cunhado de Jonathan) pouco tempo antes havia criado a *London Review of Books*.

"Ray tiquista piadista" era um tipo de texto diferente de tudo o que eu havia feito até então — era o primeiro relato de caso integral que eu escrevia sobre uma pessoa vivendo uma vida plena, completa, apesar de uma condição neurológica complexa — e a sua acolhida me incentivou a escrever outros relatos de caso na mesma linha.

***

Em 1983, Elkhonon Goldberg, colega e amigo que tivera aulas em Moscou com Lúria, perguntou se eu participaria com ele de um seminário no Albert Einstein College of Medicine, sobre o novo campo de neurofisiologia aberto pelo pioneirismo de Lúria.

A sessão foi dedicada às agnosias — percepções ou más percepções despidas de significado —, e a certa altura Goldberg se virou para mim e perguntou se eu podia dar um exemplo de agnosia visual. Pensei imediatamente num paciente meu, um professor de música que se tornara incapaz de reconhecer visualmente seus alunos (e qualquer outra pessoa). Descrevi como o dr. P. dava tapinhas na "cabeça" de hidrantes ou de parquímetros, pensando que eram crianças, ou se dirigia amigavelmente às maçanetas dos móveis e ficava surpreso quando não respondiam. Em certo momento, disse eu, chegou a confundir a cabeça da esposa com um chapéu. Os estudantes, embora percebendo a gravidade da coisa, não conseguiram conter o riso diante dessa situação cômica.

Até então, eu não havia pensado em elaborar minhas notas sobre o dr. P., mas, ao contar o caso aos estudantes, nosso contato me voltou à lembrança, e naquela noite escrevi a história do seu caso. Dei o título de "O homem que confundiu sua mulher com um chapéu" e remeti para a *London Review of Books*.

Não imaginei que se tornaria a narrativa-título de uma coletânea de relatos de caso.

***

No verão de 1983, fui passar um mês no Blue Mountain Center, um refúgio de artistas e escritores. Situava-se junto a um lago, que era maravilhoso para nadar, e eu estava com a minha mountain bike. Nunca ficara antes cercado por escritores e artistas, e me agradou muito alternar a solidão durante o dia, pensando e escrevendo sozinho, e o convívio no jantar com os outros hóspedes à noite.

Na quinzena inicial da minha estada no Blue Mountain, porém, fiquei totalmente travado e com muitas dores: tinha forçado demais na bicicleta e as minhas costas entrevaram. No 16º dia, peguei por acaso o livro de memórias de Luis Buñuel para ler e encontrei uma frase em que ele apresenta o seu medo de perder a memória e a identidade, como acontecera com sua mãe idosa e senil. O trecho ativou de repente as minhas lembranças de Jimmie, um marinheiro com amnésia que eu começara a atender nos anos 1970. Pus mãos à obra imediatamente, passei doze horas escrevendo sobre Jimmie e ao anoitecer terminei sua história, "O marinheiro perdido". Não escrevi mais nada nos outros catorze dias. Depois, quando me perguntavam se aquele mês no Blue Mountain fora "produtivo", não sabia bem o que responder: tivera um dia magnificamente produtivo e 29 dias bloqueados ou estéreis.

Apresentei o texto a Bob Silvers no *The New York Review of Books* e ele gostou, mas fez um pedido interessante. Bob perguntou: "Posso ver suas anotações sobre o paciente?". Examinou as anotações das consultas, que eu registrava cada vez que atendia Jimmie, e disse: "Muitas delas são mais vívidas e imediatas do que o que você me deu. Por que não insere algumas anotações e intercala, e assim teremos a sua reação imediata ao paciente, bem como a reação mais reflexiva com o olhar retrospectivo depois de anos?".[3] Segui seu conselho e o jornal publicou o texto em fevereiro de 1984. Foi um imenso estímulo para mim, e nos dezoito meses seguintes enviei-lhe mais cinco relatos de caso, que viriam a formar o núcleo de *O homem que confundiu sua mulher com um chapéu*. O apoio e a cordialidade de Bob, bem como seu trabalho de edição de texto, extremamente meticuloso e construtivo, são lendários; uma vez, quando eu estava na Austrália, ele me telefonou perguntando o que eu achava de trocar uma vírgula por um ponto e vírgula. E Bob me cutucou várias vezes para escrever diversos ensaios que, de outra maneira, talvez eu nem escrevesse.

Continuei a publicar textos avulsos (alguns no *New York Review of Books*, outros em diversas revistas, como *The Sciences* e *Granta*), a princípio sem a menor noção de que poderia reuni-los de alguma forma. Colin e Jim Silberman, o meu editor americano, sentiam que havia uma espécie de unidade entre eles, pelo tom e pela abordagem, mas eu não estava certo de que se sustentassem como livro.

Escrevi os textos que viriam a ser os quatro artigos finais de *O homem que confundiu sua mulher com um chapéu* nos quatro últimos dias de 1984, concebendo-os como um quarteto, e talvez até como um livrinho que se chamaria "O mundo dos simples".

No mês seguinte, fui visitar meu amigo Jonathan Miller, que estava trabalhando como neurologista no VA Hospital em San Francisco. Enquanto passeávamos pelo Presidio, onde se localizava o hospital, ele me falou sobre o seu interesse no sentido do olfato. Então lhe contei duas histórias. Uma era sobre um homem que sofrera uma lesão na cabeça e perdera total e irreversivelmente o sentido do olfato, mas começou a imaginar (ou talvez a alucinar) cheiros apropriados a cada contexto, como o cheiro de café quando via prepararem café. A outra era a história de um estudante de medicina que, durante um surto maníaco induzido por anfetamina, desenvolveu uma extraordinária intensificação do olfato (essa história, na verdade, se referia à minha própria experiência pessoal, mas no *Chapéu* dei ao estudante o nome de "Stephen D."). Na manhã seguinte, após uma longuíssima refeição num restaurante vietnamita, redigi as duas histórias, juntei sob um título só ("O cão sob a pele") e enviei para os meus editores. Sentia que faltava algo ao livro do *Chapéu*, e agora "O cão" fornecia a peça faltante.

Com isso, tive uma sensação maravilhosa de conclusão e libertação. Havia concluído o meu livro de "casos clínicos", era um homem livre e podia tirar umas férias de verdade, sensação que não me ocorria desde uns doze anos antes. Resolvi de impulso visitar a Austrália; nunca estivera lá, e o meu irmão Marcus morava com a mulher e os filhos em Sydney. Eu havia conhecido a família de Marcus quando estiveram na Inglaterra em 1972, para as bodas de ouro dos meus pais, mas desde então não os vira mais. Fui até a Union Square de San Francisco, onde a empresa aérea australiana Qantas tinha um escritório, apresentei meu passaporte e falei que queria embarcar no primeiro voo disponível para Sydney. Perfeitamente, disseram eles, havia muitos lugares, e foi só o tempo de voltar correndo ao hotel, pegar minhas coisas e ir para o aeroporto.

Era o voo mais longo que eu já tomara na vida, mas o tempo passou rápido enquanto eu escrevia o meu diário, e catorze horas depois chegamos a Sydney; reconheci a famosa ponte e o célebre teatro enquanto sobrevoávamos a cidade. Apresentei o passaporte no Posto de Controle, e estava passando quando o funcionário perguntou: "E o visto?".

"Visto?", repeti. "Que visto? Ninguém me falou nada de vistos." Antes simpático, o funcionário ficou de repente muito sério e severo: por que eu estava vindo à Austrália? Havia alguém que pudesse se responsabilizar por mim? Falei que o meu irmão e os seus familiares estavam à minha espera no aeroporto. Recebi ordens de sentar enquanto procuravam meu irmão e conferiam minhas declarações. As autoridades me deram um visto provisório para dez dias, mas me alertaram: "Nunca mais faça isso ou vamos recambiá-lo imediatamente para os Estados Unidos".

Meus dez dias na Austrália me proporcionaram uma grande sensação de alegre descoberta — descobrir um irmão que eu mal conhecia (Marcus era dez anos mais velho que eu e fora para a Austrália em 1950), uma cunhada, Gay, com quem me dei bem logo de cara (ela, como eu, também era apaixonada por minerais e vegetais, por natação e mergulho), e um sobrinho e uma sobrinha que logo se afeiçoaram a um novo tio, para eles bastante exótico.

Com Marcus, tentei e consegui um relacionamento que nunca tivera com os meus irmãos na Inglaterra. Era um relacionamento que não poderia ter tido com David, tão diferente de mim — extrovertido, charmoso, sociável —, nem com Michael, extraviado nas profundezas da esquizofrenia. Com Marcus —

calmo, estudioso, atencioso, afável —, senti que podia ter uma relação mais profunda.

Também me apaixonei por Sydney e, mais tarde, pela floresta de Daintree e pela Grande Barreira de Coral em Queensland, que me pareceram de imensa — e estranha — beleza. Ao ver a flora e a fauna tão únicas da Austrália, lembrei como Darwin ficara tão assombrado com as plantas e os animais australianos que escreveu no seu diário: "Devem ter sido dois Criadores diferentes".

***

Depois dos altos e baixos que Colin e eu tivemos durante *Tempo de despertar* e *Uma perna*, nossa relação ficou mais leve e mais tranquila. Se quase morremos com a trabalheira que foi editar a *Perna* durante todo um ano, o trabalho com o *Chapéu*, como chamávamos o livro, não teve nenhum percalço. Muitos dos textos do *Chapéu* já tinham sido publicados, e Colin, além de editar os demais, sugeriu a distribuição deles em quatro grupos, com uma introdução para cada seção.

Colin publicou o livro em novembro de 1985, seis meses após a conclusão do manuscrito; a edição americana saiu em janeiro de 1986, com uma modesta tiragem inicial de 15 mil exemplares.

O livro da *Perna* não tinha vendido muito bem, e ninguém esperava que um livro de relatos neurológicos fosse um sucesso comercial. Mas, em poucas semanas, a Summit teve de lançar uma reimpressão e depois mais outra. A popularidade do livro aumentava no boca a boca, e em abril, de maneira totalmente inesperada, apareceu na lista dos mais vendidos do *New York Times*. Imaginei que devia ser algum engano ou um surto passageiro, mas ele permaneceu na lista dos mais vendidos por 26 semanas.

O que me espantou e me comoveu, até mais do que ser um best-seller, foi a quantidade de cartas que recebi, muitas delas de pessoas que tinham vivido pessoalmente os problemas que eu descrevera no *Chapéu* — incapacidade de enxergar rostos, alucinações musicais e outros —, mas que nunca haviam admitido a ninguém, nem mesmo, em alguns casos, a si mesmas. Outros perguntavam sobre as pessoas que eu apresentara no livro. "Como vai Jimmie, o Marinheiro Perdido?", escreviam. "Cumprimente-o por mim. Mande-lhe os meus melhores votos." Jimmie era real para eles, e muitos outros personagens do livro também; eram situações e lutas com uma realidade que tocava o coração, e não só a mente, de muitos leitores. Os leitores podiam se imaginar no lugar de Jimmie, ao passo que a situação trágica e extrema dos meus pacientes em *Tempo de despertar* ficava quase além da mais compassiva imaginação.

Um ou dois resenhistas me viam como um especialista no "bizarro" ou no "exótico", mas eu sentia o contrário. Considerava meus relatos de caso "exemplares" — agradava-me muito a frase de Wittgenstein, de que um livro devia consistir em exemplos — e esperava que, ao descrever casos de especial gravidade, seria possível talvez elucidar não só o impacto e a experiência de ter transtornos neurológicos, mas também outros aspectos cruciais, talvez inesperados, da organização e do funcionamento do cérebro.

***

Depois do lançamento de *Tempo de despertar*, Jonathan Miller me dissera "Agora você é famoso", mas não era bem verdade. *Tempo de despertar* recebera um prêmio literário e fora aclamado na Inglaterra, mas passara quase despercebido nos Estados Unidos (recebeu apenas uma resenha, a de Peter Prescott na *Newsweek*). Com a súbita popularidade do *Chapéu*, porém, eu ingressara na esfera pública, quisesse ou não.

Sem dúvida, houve vantagens. De repente eu estava em contato com uma infinidade de gente. Tinha condições de ajudar, mas também de prejudicar. Não podia escrever mais nada como anônimo. Não pensara propriamente no público leitor ao escrever *Enxaqueca*, *Tempo de despertar* e *Com uma perna só*. Agora eu sentia certo constrangimento.

Antes, eu já dera algumas palestras públicas, mas, depois do lançamento do *Chapéu*, veio uma enxurrada de convites para falar e solicitações as mais variadas. Com a publicação do *Chapéu*, eu me tornara para todos os efeitos uma figura pública, com uma imagem pública, muito embora seja de temperamento solitário e me arrisco a crer que a melhor parte de mim, ou pelo menos a mais criativa, é solitária. Agora era mais difícil ter solidão, uma solidão criativa.

Meus colegas neurologistas, porém, continuavam um tanto distantes e céticos. A isso agora se somava, creio, certa desconfiança. Pelo visto, eu me definira como autor "popular", e se a pessoa é popular, então, ipso facto, não pode ser levada a sério. Mas nem todos eram assim, de forma alguma, e alguns colegas consideravam o *Chapéu* um estudo neurológico sólido e pormenorizado, apresentado numa elegante forma narrativa clássica. No entanto, de modo geral, o silêncio médico persistiu.

Em julho de 1985, poucos meses antes do lançamento do *Chapéu*, senti renascer o interesse pela síndrome de Tourette. Em poucos dias, enchi todo um caderno com anotações e vi mais uma vez a possibilidade de escrever um livro inteiro. Nessa época, estava visitando a Inglaterra, e esse entusiástico fluxo de ideias atingiu o ápice na viagem de volta a Nova York. Mas se interromperia por um ou dois dias após minha chegada, quando o carteiro entregou uma encomenda na minha casinha em City Island. Fora enviada por *The New York Review of Books* e trazia a história de Harlan Lane sobre a surdez e a língua de sinais, *When the Mind Hears* [Quando a mente ouve]. Bob Silvers queria saber se eu faria uma resenha do livro. "Você nunca pensou de fato sobre a linguagem", escreveu ele. "Este livro o obrigará a isso."

Eu não estava muito seguro de querer me desviar do livro sobre a Tourette que planejava escrever. Já em 1971, quando conheci Ray, tive vontade de começar um livro sobre a Tourette, mas a intenção saiu do horizonte primeiro por causa do acidente com a minha perna, depois por causa do problema com John. Agora parecia em perigo de ser posto de lado outra vez. No entanto, o livro de Harlan Lane me fascinou e ao mesmo tempo me espantou. Contava a história dos surdos, expondo sua cultura rica e original baseada numa linguagem visual, a dos sinais; e discorria a respeito do eterno debate sobre a educação dos surdos dever ou não ser feita em sua própria língua visual ou forçá-los a aprender o "oralismo", decisão muitas vezes desastrosa para surdos de nascença.

Meus interesses no passado sempre tinham nascido diretamente da experiência clínica, porém agora eu começava a me envolver, quase contra a minha vontade, numa investigação sobre a história e a cultura da surdez e a natureza da língua de sinais — algo de que eu não tinha nenhuma experiência própria. Mas fui visitar algumas escolas locais para surdos, onde conheci várias crianças surdas. E, inspirado pelo livro *Everyone Here Spoke Sign Language* [Todos aqui falavam a língua de sinais] de Nora Ellen Groce, fui visitar um pequeno povoado em Martha's Vineyard, onde, um século antes, quase 25 por cento da população era surda de nascença. Os surdos naquele vilarejo não eram tidos como "surdos"; eram tidos simplesmente como agricultores, cientistas, professores, irmãos, irmãs, tios, tias.

Em 1985, não havia mais surdos na localidade, mas as pessoas de mais idade, com audição, ainda se lembravam claramente dos seus parentes e vizinhos surdos e às vezes usavam a língua de sinais entre si. Ao longo dos anos, a comunidade havia adotado a única língua que todos podiam usar; surdos e não surdos tinham a mesma fluência nos sinais. Eu nunca pensara muito sobre esses temas culturais e achei curiosa a ideia de uma comunidade inteira se adaptando dessa maneira.

Quando estive na Universidade Gallaudet em Washington, DC (é a única universidade do mundo para estudantes surdos e com deficiência auditiva) e falei sobre os "deficientes auditivos", um dos estudantes surdos se expressou com sinais: "Por que você não se vê como um deficiente nos sinais?".[4] Foi uma troca de lugares muito interessante, pois havia ali centenas de estudantes conversando em sinais e eu era o mudo que não conseguia entender nada nem comunicar nada, a não ser usando um intérprete. Aprofundei-me cada vez mais na cultura dos surdos, e minha breve resenha do livro acabou se tornando um ensaio mais pessoal, que saiu no *New York Review of Books* na primavera de 1986.

E este, pensei, foi o fim do meu envolvimento com o mundo da surdez — uma jornada breve, mas fascinante.

Num certo dia do verão de 1986, recebi o telefonema de um jovem fotógrafo, Lowell Handler. Ele vinha empregando técnicas estroboscópicas especiais para captar os tiques de pessoas com síndrome de Tourette. Será que eu poderia recebê-lo e ver o seu portfólio? E comentou que sentia especial interesse pelo assunto, pois ele mesmo tinha Tourette. Encontramo-nos uma semana depois. Os seus retratos me impressionaram e começamos a conversar sobre uma possível colaboração, percorrendo o país para encontrar outras pessoas com Tourette e documentar a vida delas em fotos e textos.

Ambos tínhamos ouvido algumas notícias muito interessantes sobre uma comunidade menonita numa cidadezinha em Alberta, onde havia uma extraordinária concentração de pessoas com a síndrome de Tourette. Roger Kurlan e Peter Como, neurologistas em Rochester, haviam feito várias visitas a La Creta, para mapear a distribuição genética da síndrome, e alguns da comunidade de touretticos tinham, de brincadeira, começado a chamar a cidade de Tourettesville. Mas não existia nenhum estudo detalhado sobre indivíduos específicos em La Crete nem sobre a vida com síndrome de Tourette numa comunidade religiosa de laços tão cerrados.

Lowell foi fazer uma visita preliminar a La Crete, e começamos a planejar uma expedição mais prolongada. Precisávamos de verba para os custos da viagem e de boa parte da filmagem. Solicitei uma bolsa de pesquisas à Fundação Guggenheim, propondo fazer um estudo da "neuroantropologia" da síndrome de Tourette, e recebi uma verba de 30 mil dólares; Lowell conseguiu que a revista *Life*, ainda próspera na época e famosa pelo fotojornalismo, encomendasse uma matéria.

No verão de 1987, estavam prontos os preparativos para visitar La Crete. Lowell ia carregado de câmeras e lentes de reserva; eu levava apenas as minhas canetas e cadernos usuais. A visita a La Crete foi excepcional em vários aspectos e ampliou minhas concepções sobre a abrangência da síndrome de Tourette e das reações das pessoas a ela. Permitiu-me também entender a que ponto a Tourette, apesar da sua origem neurológica, podia ser modificada pelo contexto e pela cultura — nesse caso, uma comunidade religiosa que oferecia um enorme apoio e aceitava a Tourette como vontade de Deus. Então perguntamo-nos: como seria viver com Tourette num ambiente muito mais permissivo? Decidimos ir a Amsterdam para descobrir.[5]

A caminho de Amsterdam, Lowell e eu paramos em Londres, em parte porque eu queria visitar meu pai no seu aniversário (estava com 92 anos), em parte porque o *Chapéu* acabava de sair em brochura e a BBC me convidara para falar sobre a Tourette no seu World Service. Depois da entrevista, havia um táxi à minha espera para me levar de volta ao hotel, com um motorista fora de série. Tinha repuxões e tiques, soltava pragas e latidos, e num sinal vermelho saiu e pulou para cima da capota do carro, dando um salto de volta para o assento antes que o sinal abrisse. Fiquei admirado — e que esperteza da BBC ou dos meus editores, sabendo que eu estaria falando sobre a Tourette, em escolher um taxista espetacularmente touréttico para me trazer de volta! Mesmo assim, fiquei intrigado. O motorista não falou nada, mas ele devia saber que fora escolhido devido ao meu interesse específico pela Tourette. Fiquei uns minutos em silêncio, até que, hesitante, perguntei desde quando ele tinha aquela condição.

"Como assim, 'condição'?", respondeu, zangado. "Não tenho nenhuma 'condição'!"

Pedi desculpas e falei que não queria irritá-lo, mas era médico e havia ficado tão impressionado com os seus gestos pouco usuais que me perguntava se ele não teria uma condição chamada síndrome de Tourette. Ele abanou a cabeça com violência e repetiu que não tinha nenhuma "condição" e que, se estava sujeito a alguns movimentos nervosos, isso não o impedira de ser sargento no exército nem qualquer outra coisa. Não falei mais nada, mas, quando chegamos ao meu hotel, o motorista perguntou: "Que síndrome era essa que você mencionou?".

"Síndrome de Tourette", respondi e lhe dei o nome de uma colega neurologista em Londres, acrescentando que era uma pessoa muito cordial e compreensiva, além de ter uma experiência inigualável com pacientes com Tourette.

***

A Tourette Syndrome Association crescera solidamente desde 1972, com o surgimento de vários grupos satélites por todo o país (e, na verdade, por todo o mundo). Em 1988, a TSA organizou seu primeiro encontro nacional, e durante três dias quase duzentas pessoas com Tourette se reuniram num hotel em Cincinatti. Muitas nunca haviam conhecido outras pessoas com Tourette e tinham medo de "pegar" tiques umas das outras. Esse medo não era infundado, pois de fato os touréticos, quando se encontram, podem contrair tiques mútuos. Aliás, há alguns anos, depois de conhecer um tourético em Londres com o tique de cuspir, comentei o fato com outro tourético na Escócia, que prontamente cuspiu e falou: "Preferia que não me tivesse contado!", e acrescentou o tique de cuspir ao seu repertório já bastante extenso.

Em homenagem à reunião em Cincinatti, o governador de Ohio havia decretado uma semana de conscientização sobre a Tourette em todo o estado, mas, pelo visto, nem todos sabiam o que era. Um dos presentes ao encontro, Steve B., rapaz com uma acentuada Tourette e coprolalia, entrou num restaurante da rede Wendy e pediu um hambúrguer. Enquanto esperava, Steve teve alguns espasmos e gritou um ou dois palavrões; o gerente do restaurante se aproximou e pediu que saísse, dizendo: "Você não pode fazer isso aqui".

Steve respondeu: "Não consigo evitar; tenho a síndrome de Tourette". Mostrou ao gerente um folheto informativo do congresso da TSA, acrescentando: "Estamos na Semana de Conscientização da Síndrome de Tourette — não ouviu falar?".

O gerente replicou: "Não estou nem aí; já chamei a polícia. Saia já ou vai ser preso".

Ofendido, Steve voltou ao hotel e nos contou a história; logo a seguir, havia duzentos touréticos entrando no Wendy's, aos tiques e aos gritos, e eu no meio deles. Tínhamos avisado os meios de comunicação, a imprensa de Ohio cobriu a história, e desconfio que o Wendy's nunca mais foi o mesmo. Essa foi a única vez na minha vida em que me envolvi em algum tipo de passeata ou manifestação, salvo uma outra ocasião, também em 1988.

Em março de 1988, Bob Silvers ligou, num telefonema totalmente inesperado. "Você ouviu falar na revolução dos surdos?", perguntou ele. Ocorrera uma revolta dos estudantes surdos na Gallaudet, em protesto contra a indicação de um reitor não surdo para a universidade. Eles queriam um reitor surdo, um reitor capaz de se comunicar com fluência na Língua Americana de Sinais, e ergueram barricadas no campus, fechando a escola. Bob então sugeriu: como eu estivera umas duas vezes na Gallaudet, não podia ir até Washington e cobrir a revolta? Concordei e convidei Lowell para me acompanhar e tirar fotos. Pedi ao nosso amigo Bob Johnson, professor de linguística na Gallaudet, para ser o nosso intérprete.

O protesto Reitor Surdo Já se prolongou por mais de uma semana, culminando numa passeata até o Capitólio (a Gallaudet fora fundada e financiada por decisão do Congresso). Meu papel como observador imparcial logo ficou comprometido; eu estava andando e tomando notas ao lado dos manifestantes, quando um dos estudantes surdos me pegou pelo braço e fez sinais: "Venha, você está conosco". Assim me juntei aos estudantes — mais de 2 mil — na sua passeata de protesto. O ensaio que escrevi a respeito para *The New York Review of Books* foi a primeira "reportagem" que fiz na vida.

Stan Holwitz, da University of California Press (que publicara *Enxaqueca* nos Estados Unidos), sugeriu que os meus dois ensaios sobre a surdez poderiam constituir um belo livro; gostei da ideia, mas achei que precisaria escrever alguns parágrafos como uma espécie de ponte entre as duas partes — algo sobre os aspectos gerais da linguagem e do sistema nervoso. Na época, nem me passou pela cabeça que esses poucos parágrafos viriam a se tornar a maior parte do livro, o qual teria o título de *Vendo vozes*.

***

Com uma perna só recebeu muitas resenhas positivas quando saiu na Inglaterra, em maio de 1984, mas haviam ficado eclipsadas no meu espírito por uma única resenha, crítica ao extremo, do poeta James Fenton. Ela me abalou profundamente e me levou a uma depressão que me fez parar de escrever durante três meses.

Mas, quando saiu a edição americana alguns meses depois, fiquei muito alegre com uma maravilhosa resenha, muito generosa, no *New York Review of Books*, que me revigorou tanto, me tranquilizou tanto e me deu tanta energia que voltei a escrever num surto explosivo — doze textos em poucas semanas, concluindo *O homem que confundiu sua mulher com um chapéu*.

A resenha era de Jerome Bruner, uma figura lendária, fundador da revolução cognitiva em psicologia nos anos 1950. Naquela época dominava o behaviorismo, tal como defendido por B. F. Skinner e outros; olhavam-se apenas os estímulos e as reações — as manifestações exteriores, visíveis, do comportamento. Não se fazia nenhuma referência a qualquer processo interior, ao que se poderia passar internamente *entre* o estímulo e a resposta. Para Skinner, mal existia o conceito de "mente", mas foi exatamente esse conceito que Bruner e seus colegas se dispuseram a restaurar.

Bruner era grande amigo de Lúria e os dois tinham muitas afinidades intelectuais. Na sua autobiografia, *In Search of Mind* [Em busca da mente], Bruner contava como conheceu Lúria na Rússia, nos anos 1950. Escreveu: "A [visão] de Lúria sobre o papel da linguagem no começo do desenvolvimento foi mais do que grata para mim. O mesmo em relação aos seus outros entusiasmos".

Tal como Lúria, Bruner insistia em observar as crianças durante a aquisição da linguagem não num cenário de laboratório, mas no próprio ambiente delas. Em *Como as crianças aprendem a falar*, ele ampliou e enriqueceu muito os nossos conceitos sobre a aquisição da linguagem.

Nos anos 1960, na esteira da obra revolucionária de Noam

Chomsky, houve uma grande ênfase na sintaxe em linguística; Chomsky postulava que o cérebro trazia dentro de si um "mecanismo de aquisição da linguagem". Essa noção chomskyana de um cérebro programado e montado para adquirir a linguagem por si só parecia ignorar suas origens sociais e sua função fundamental de comunicação. Bruner sustentava que a gramática era indissociável do significado ou da intenção comunicativa. A seu ver, a sintaxe, a semântica e a pragmática da linguagem andavam sempre juntas.

Foi a obra de Bruner, acima de tudo, que me permitiu pensar a linguagem em termos não só linguísticos, mas também sociais, e isso foi essencial para a minha compreensão da língua de sinais e da cultura da surdez.

Jerry tem sido um bom amigo e, num ou noutro nível, uma espécie de guia e mentor implícito. A curiosidade e os conhecimentos dele parecem não ter limites. Ele é dotado de uma das mentes mais abrangentes e mais reflexivas que já conheci na vida, com uma enorme base dos mais diversos conhecimentos, base esta, porém, sempre em constante exame e questionamento. (Já o vi parar no meio de uma frase e dizer: "Não acredito mais no que eu estava para dizer".) Aos 91 anos, os seus dotes admiráveis parecem não ter sofrido nenhum declínio.

***

Embora eu tivesse observado *perdas* de linguagem — várias formas de afasia — nos meus pacientes, era grande a minha ignorância sobre o desenvolvimento da linguagem nas crianças. Darwin retratara o desenvolvimento da linguagem e do intelecto no seu belo "Esboço biográfico de uma criança" (a criança em questão era o seu filho primogênito), mas eu não tinha nenhum filho meu para observar, e nenhum de nós guarda alguma lembrança pessoal daquele período crucial quando se adquire a linguagem, no segundo ou terceiro ano de vida. Precisava conhecer mais.

Uma das minhas amizades mais próximas no Einstein era Isabelle Rapin, uma neurologista pediátrica da Suíça que se interessava especialmente pelos distúrbios neurodegenerativos e neurodesenvolvimentais da infância. Era um dos meus interesses na época; eu escrevera um artigo sobre a "degeneração esponjosa" (doença de Canavan) em gêmeos idênticos.

O departamento de neuropatologia organizava dissecações de cérebros uma vez por semana, e foi numa dessas sessões, logo depois de começar no Einstein, que conheci Isabelle.[6] Formávamos uma dupla implausível — Isabelle, com um intelecto de grande precisão e rigor, e eu, desleixado, estouvado, cheio de associações e digressões mentais esdrúxulas —, mas nos demos bem desde o começo e até hoje continuamos muito amigos.

Isabelle nunca me permitia, tal como não permitia a si mesma, nenhuma declaração vaga, exagerada ou não comprovada. Ela sempre diz: "Me apresente as provas". Assim, ela é a minha consciência científica e já me salvou de muitas mancadas embaraçosas. Mas, quando sente que estou em terreno firme, ela insiste que eu publique minhas observações de maneira clara e simples, para que possam ser devidamente entendidas e debatidas, e dessa forma ela está por trás de muitos livros e artigos meus.

Muitas vezes eu ia de moto até a casa de fim de semana de Isabelle, nas margens do Hudson, e ela, Harold e os seus quatro filhos me faziam sentir parte da família. Eu chegava e passava o fim de semana conversando com Isabelle e Harold, às vezes levando as crianças para passear de moto ou dar umas braçadas no rio. No verão de 1977, morei um mês todo no celeiro deles, trabalhando num obituário de Lúria.[7]

Alguns anos depois, quando comecei a pensar e ler sobre a surdez e a língua de sinais, passei um fim de semana prolongado com Isabelle, em ritmo intensivo, e ela passou várias horas me instruindo sobre a língua de sinais e a cultura própria dos surdos, que observara ao longo de muitos anos de trabalho com crianças surdas.

Isabelle me incutiu as palavras de Vigótski, mentor de Lúria:

> Se uma criança cega ou surda atinge o mesmo nível de desenvolvimento de uma criança normal, então a criança com deficiência o atinge *de outra maneira, seguindo outro caminho, com outros meios*. E, para o pedagogo,

é de especial importância conhecer a *singularidade* desse caminho, pelo qual deve conduzir a criança. A chave da originalidade transforma o menos da deficiência no mais da compensação.

A proeza monumental de aprender a linguagem é relativamente simples — quase automática — para crianças com audição, mas pode ser muito problemática para as crianças surdas, sobretudo se não são apresentadas a uma linguagem visual.

Pais surdos que usam sinais vão "balbuciar" em sinais para seus filhos pequenos, assim como os pais com audição balbuciam oralmente; é assim que a criança aprende a linguagem, de modo dialógico. O cérebro infantil é especialmente sintonizado para aprender a linguagem nos primeiros três ou quatro anos de vida, quer seja uma linguagem oral ou de sinais. Mas se a criança não aprende nenhuma linguagem nesse período crucial, a aquisição linguística posterior pode se tornar dificílima. Assim, uma criança surda com pais surdos cresce "falando" em sinais, mas uma criança surda com pais com audição muitas vezes cresce sem nenhuma linguagem efetiva, a menos que tenha contato desde cedo com uma comunidade que usa sinais.

Para muitas crianças que vi com Isabelle numa escola de surdos no Bronx, o aprendizado da leitura labial e da fala oral demandara um enorme esforço cognitivo, um trabalho de muitos anos; mesmo assim, a compreensão e o uso da linguagem dessas crianças costumavam ficar bem abaixo do normal. Vi como podiam ser desastrosos os efeitos cognitivos e sociais de não atingir competência e fluência linguística (Isabelle publicara um estudo pormenorizado sobre a questão).

Com o meu interesse por sistemas perceptuais em particular, eu me perguntava o que se passaria no cérebro de um surdo de nascença, sobretudo se sua língua materna fosse visual. Vim a saber por estudos muito recentes que no cérebro de usuários de sinais portadores de surdez congênita, o que normalmente seria o córtex auditivo numa pessoa com audição era "realocado" para tarefas visuais, sobretudo para o processamento de uma linguagem visual. Os surdos tendem a ser "hipervisuais" em comparação às pessoas com audição (isso fica evidente já no primeiro ano de vida), mas essa hipervisualidade aumenta muito mais com a aquisição dos sinais.

Na concepção tradicional do córtex cerebral, cada parte já vinha previamente destinada a determinada função, sensorial ou não. A ideia de realocação de partes do córtex para outras funções sugeria que ele podia ser muito mais maleável, muito menos programado, do que se pensava antes. Assim ficava claro, por meio do caso específico dos surdos, que a experiência do indivíduo molda as funções superiores de seu cérebro selecionando (e aumentando) as estruturas neurais que sustentam a função.

Isso me parecia de uma importância enorme, algo que requeria uma concepção do cérebro radicalmente nova.

CITY ISLAND

Eu havia deixado a Costa Oeste e fora para Nova York em 1965, mas mantive um contato muito próximo com Thom Gunn, indo visitá-lo sempre que estava em San Francisco. Agora ele morava numa velha casa com Mike Kitay e, até onde consegui entender, mais quatro ou cinco pessoas. Havia milhares de livros por lá, claro — Thom lia sem cessar, com paixão e seriedade —, mas havia também uma coleção de anúncios de cerveja desde os anos 1880, uma profusão de discos e uma cozinha cheia de odores e temperos exóticos. Thom e Mike gostavam ambos de cozinhar, e a própria casa tinha um sabor doce, animada por idiossincrasias e personalidades próprias, com gente entrando e saindo. Como sempre fui solitário, eu gostava desses breves vislumbres de uma vida comunitária, que me parecia cheia de afeto e tolerância (sem dúvida também havia conflitos, mas em larga medida me passavam despercebidos).

Thom sempre foi um grande andarilho, subindo e descendo as ladeiras de San Francisco em largas passadas. Nunca o vi de carro nem de bicicleta; era essencialmente um caminhante, um caminhante como Dickens, que observava tudo, absorvia tudo e, mais cedo ou mais tarde, usava nos seus escritos. Também gostava de andar por Nova York e, quando me visitava, pegávamos a balsa para Staten Island ou um trem para algum lugar fora de mão, ou íamos simplesmente passear pela cidade. Costumávamos terminar o passeio num restaurante, embora eu tenha tentado uma vez cozinhar em casa. (Thom estava tomando anti-histamínicos na época e se sentia mole demais para sair.) Não sou nenhum grande cozinheiro e saiu tudo errado; exagerei no

curry e fiquei coberto de pó amarelo. Esse episódio deve ter se gravado na lembrança de Thom, pois, quando me enviou o poema "Yellow Pitcher Plant" [O nepente amarelo] em 1984, pôs na dedicatória "Para Sacks mão-de-açafrão, do Gunn Sonado".[1]
Na carta de acompanhamento, ele escreveu:

> Que bom te ver, seu mão-de-açafrão! Eu podia parecer sonado de anti-histamínicos, mas por dentro estava atento e interessado. Tenho pensado no que você falou sobre casos e narrativas. Creio que todos vivemos numa ciranda de casos... Nós (em nossa maioria) compomos narrativas com as nossas vidas... Pergunto-me qual será a origem dessa necessidade de "compor" a si mesmo.

***

Nunca sabíamos o rumo que a conversa iria tomar. Naquele dia, li para Thom uma parte de um texto ainda inédito sobre o sr. Thompson, um paciente com amnésia que tinha de criar e recriar incessantemente a si mesmo e seu mundo. Eu escrevera que todos construímos e vivemos uma "narrativa", a qual nos define. Thom ficava fascinado com os casos dos pacientes e muitas vezes queria que me estendesse sobre o assunto (não que eu precisasse de muito incentivo para continuar). Examinando a nossa correspondência, encontro numa das suas primeiras cartas para mim: "Foi bom te ver nesse último fim de semana, e desde então Mike e eu temos pensado sobre os membros-fantasmas", e em outra carta: "Lembro o seu discurso sobre a Dor. Vai ser também um ótimo livro". (Infelizmente, nunca cheguei a escrevê-lo.)

Desde os anos 1960 Thom começara a me mandar todos os seus livros (sempre com dedicatórias muito simpáticas e peculiares), mas só depois que *Enxaqueca* saiu, no começo de 1971, é que pude retribuir. A partir daí, o fluxo se dava nos dois sentidos, e mantínhamos uma correspondência regular (as minhas cartas em geral ocupavam várias páginas, enquanto ele, incisivo e direto, quase sempre enviava cartões-postais). De vez em quando falávamos sobre o processo da escrita, os surtos e os bloqueios, as iluminações e os brancos, que pareciam ser parte essencial do processo criativo.

Em 1982, eu lhe contara que os atrasos, as interrupções e os acessos de desânimo quase insuportáveis na redação da *Perna* pareciam finalmente estar chegando ao fim, depois de oito anos. Thom respondeu:

> Sempre me senti frustrado que você nos negasse *Com uma perna só*, embora talvez ela ainda chegue a nós numa versão revista. [...] Ando meio preguiçoso ultimamente. Pelo jeito, o meu padrão é: uma longa interrupção de qualquer escrita coerente depois de terminar um manuscrito, então a tentativa de um começo, à qual se seguem, nos próximos dois ou três anos, vários surtos de atividade avulsos, terminando com a sensação de ter um livro novo completo, em que descubro coisas sobre o(s) meu(s) tema(s) que nunca imaginara. É estranha a psicologia de um escritor. Mas suponho que é melhor não ser simplesmente fácil — os bloqueios, a sensação de paralisia, a época em que a própria linguagem parece morta, tudo isso acaba me ajudando, acho, porque, quando chegam, as "acelerações" são, em contraste, muito mais vigorosas.

Para Thom, era fundamental ter um tempo para si; não havia como apressar sua poesia, a qual devia surgir no seu ritmo próprio. Assim, embora gostasse muito de lecionar (e os alunos gostassem bastante dele), Thom restringia suas aulas em Berkeley a um semestre por ano. Essa era basicamente sua única fonte de renda, afora algumas ocasionais resenhas e textos de encomenda. "Minha renda", escreveu Thom, "é mais ou menos a metade do que recebe um gari ou um motorista de ônibus local, mas é por opção própria, pois prefiro ter tempo livre a trabalhar em período integral." Mas não creio que Thom se sentisse muito limitado com os seus parcos recursos; não tinha extravagâncias (embora fosse generoso com os outros) e parecia ser naturalmente frugal. (As coisas ficaram mais fáceis em 1992, quando ele recebeu o Prêmio MacArthur, e depois disso pôde viajar mais e gozar de algum conforto financeiro, permitindo-se certos luxos.)

Trocávamos muitas cartas sobre livros que nos entusiasmavam ou que achávamos que agradariam ao outro. ("O melhor poeta novo que descobri em muitos anos é Rod Taylor... um escritor fantástico — você já leu?" Eu não tinha lido, mas comprei imediatamente *Florida East Coast Champion*.) Os nossos gostos nem sempre coincidiam, e um livro que me deixou entusiasmado despertou nele tal desprezo, tal raiva e críticas tão ferozes que fiquei contente que se tratasse de uma carta pessoal. (Como Auden, Thom raramente resenhava coisas que não lhe agradavam, e em geral suas resenhas eram em tom favorável.[2] Eu adorava a generosidade, o equilíbrio dos seus textos críticos, sobretudo em *The Occasions of Poetry*.)

Quando se tratava de comentar os escritos um do outro, Thom tinha uma capacidade muito maior do que a minha. Eu admirava quase todos os seus poemas, mas raramente tentava analisá-los, ao passo que Thom sempre se esforçava em definir, conforme via, os pontos fortes e fracos de tudo o que eu lhe enviava. Sobretudo nos primeiros tempos, às vezes eu ficava apavorado com o seu tom muito direto — apavorado, em especial, que ele considerasse os meus escritos, do jeito que estavam, confusos, desonestos, insípidos ou coisa pior. No começo eu temia as suas críticas, mas, a partir de 1971, quando lhe enviei *Enxaqueca*, passei a ficar na expectativa das suas reações, dependia delas, dava-lhes um peso maior do que às reações de qualquer outra pessoa.

Nos anos 1980, enviei a Thom os manuscritos de vários ensaios que redigi para completar *O homem que confundiu sua mulher com um chapéu*. Alguns ele apreciou muito (em especial "O artista autista" e "Os gêmeos"), mas "Natal" ele considerou "um desastre". (Acabei concordando com Thom, e o destino desse ensaio foi a lata de lixo.)

Porém a reação de Thom que mais me afetou, pois traçava uma comparação entre o que eu era quando o encontrei pela primeira vez e o que eu me tornara agora, veio numa carta sua depois que lhe enviei *Tempo de despertar*, em 1973. Dizia:

> *Tempo de despertar* é, sob todos os aspectos, extraordinário. Lembro quando, a certa altura no final dos anos 1960, você descreveu o tipo de livro que queria escrever, um bom livro científico merecedor de leitura e, ao mesmo tempo, um livro bem escrito, e com certeza você conseguiu

aqui [...]. Também tenho pensado no Grande Diário que você me mostrava. Eu o considerava muito talentoso, mas muito carente numa qualidade — e justamente a qualidade mais importante —, dê-lhe o nome de humanidade, de empatia ou algo do gênero. E, para ser franco, eu duvidava que você algum dia se tornasse um bom escritor, pois não via como alguém pode aprender tal qualidade [...]. A sua falta de empatia constituía uma limitação para a sua observação [...]. O que eu não sabia era que o crescimento da empatia é algo frequentemente adiado até os trinta anos da pessoa. O que faltava naqueles escritos é agora o elemento organizador supremo de *Tempo de despertar*, e de uma forma magnífica. É exatamente o elemento organizador do seu estilo também, e é o que lhe permite ser tão abrangente, tão receptivo e tão variegado [...]. Pergunto-me se você sabe o que aconteceu. O simples fato de trabalhar tanto tempo com os pacientes, ou a abertura obtida com o auxílio do ácido, ou enamorar se apaixonar por alguém (em oposição a ficar enfeitiçado). Ou as três coisas ao mesmo tempo.

Fiquei emocionado com essa carta e um pouco obcecado também. Não sabia como responder à pergunta de Thom. Eu tinha me apaixonado — e desapaixonado — e, em certo sentido, era apaixonado pelos meus pacientes (o tipo de amor ou de empatia que nos dá uma visão aguçada). Não achava que o ácido, que eu usara em boa quantidade, tivesse desempenhado um papel efetivo para a minha maior abertura, embora soubesse que, para Thom, o ácido tinha sido fundamental.[3] (Mas intrigava-me que a L-dopa que ministrava aos pacientes pós-encefalíticos às vezes produzisse efeitos semelhantes aos que eu mesmo experimentara com o LSD e outras drogas.) Por outro lado, eu sentia que a psicanálise tivera papel essencial ao me permitir um desenvolvimento (estava em análise intensiva desde 1966).

Quando Thom citou o aumento da empatia a partir dos trinta anos, não pude deixar de pensar se ele não estaria também pensando em si mesmo, em particular na mudança em si e na sua poesia, como se vê em *My Sad Captains* (ele estava com 32 anos quando o livro saiu), sobre o qual escreveu mais tarde: "A coletânea está dividida em duas partes. A primeira é a culminação do meu estilo antigo — métrico e racional, mas talvez começando a ficar um pouco mais humano. A segunda metade consiste em levar esse impulso humano [...] a uma nova forma [que] exigia quase necessariamente um novo tema".

Eu estava com 25 anos quando li *The Sense of Movement* pela primeira vez e o que me atraiu na época, além da beleza da imagem e da perfeição formal, foi a ênfase quase nietzschiana sobre a vontade. Quando vim a escrever *Tempo de despertar*, aos trinta e tantos anos, eu mudara muito e Thom também. Agora eram os seus novos poemas, de enorme sensibilidade e amplitude temática, que me atraíam mais, e nós dois estávamos muito satisfeitos em abandonar aquela qualidade nietzschiana. Nos anos 1980, quando ambos entramos na casa dos cinquenta, a poesia de Thom, mesmo nunca perdendo sua perfeição formal, se tornou mais livre e mais terna. Sem dúvida, a perda de alguns amigos teve seu papel nisso; quando Thom me enviou "Lament", me pareceu o poema mais pungente, mais vigoroso de toda a sua obra.

Eu amava o sentimento de história, dos antecessores em muitos dos seus poemas. Às vezes era explícito, como em "Poem After Chaucer" [Poema à maneira de Chaucer] (que ele me enviou como cartão de Ano-Novo em 1971); mais usualmente, era implícito. Às vezes me davam a impressão de que Thom era um Chaucer, um Donne, um lorde Herbert, que agora se encontrava nos Estados Unidos, na San Francisco da segunda metade do século XX. Esse sentimento dos antepassados, dos antecessores, era parte essencial da sua obra, e ele fazia frequentes alusões ou citações de outras fontes e outros poetas. Não havia nenhuma insistência cansativa na "originalidade", e mesmo assim, claro, todo o material utilizado se transmutava no processo. Thom, mais tarde, refletiu a esse respeito, num ensaio autobiográfico:

> Devo considerar a minha escrita como parte essencial da minha forma de lidar com a vida. No entanto, sou um poeta bastante derivativo. Aprendo o que posso de onde posso. Faço empréstimos maciços das minhas leituras, porque levo as minhas leituras a sério. Fazem parte da minha experiência global e baseio a maior parte da minha poesia na minha experiência. Não me desculpo por ser derivativo [...]. Não é de interesse primário desenvolver uma personalidade poética original e exulto com a encantadora observação de Eliot de que a arte é a fuga da personalidade.

Quando velhos amigos se encontram, sempre há o risco de falarem principalmente sobre o passado. Nós dois, Thom e eu, tínhamos crescido na zona noroeste de Londres, fomos evacuados na Segunda Guerra Mundial, brincamos em Hampstead Heath, bebemos no Jack Straw's Castle; ambos éramos produtos das nossas famílias, das nossas escolas, dos nossos tempos e das nossas culturas. Isso formava certo vínculo entre nós e permitia uma eventual rememoração de coisas em comum. Porém muito mais importante era que ambos fôramos atraídos para uma nova terra, a Califórnia dos anos 1960, libertando-nos do passado. Lançamo-nos a aventuras, evoluções e desenvolvimentos impossíveis de prever ou controlar inteiramente; estávamos sempre em movimento. "On the Move" [Em movimento], que Thom escreveu na casa dos vinte, traz os versos:

> *No pior caso, estamos em movimento; no melhor,*
> *Sem ter o repouso de um absoluto ao nosso dispor,*
> *Não paramos e assim estamos sempre mais perto.*

Ainda aos setenta anos, Thom continuava em movimento, cheio de energia. A última vez que o vi, em novembro de 2003, ele parecia não menos, e sim mais intenso do que o jovem de quarenta anos antes. Lá nos anos 1970, ele me escrevera: "*Jack Straw's Castle* acaba de ser publicado. Não consigo imaginar como será meu próximo livro". *Boss Cupid* [O chefe Cupido] saiu em 2000 e agora, disse Thom, estava se preparando para outro livro, mas ainda não fazia ideia de como seria. Pelo que vi, ele não tinha nenhuma intenção de diminuir o ritmo ou de parar. Creio que continuou avançando, sempre em movimento, até o último minuto de vida.

Fiquei encantado com Manitoulin, uma ilha bastante grande no lago Huron, quando lá estive no verão de 1979. Ainda estava tentando trabalhar no livro exasperante da *Perna* e decidira tirar férias prolongadas durante as quais pudesse nadar, pensar, escrever e ouvir música. (Eu tinha apenas duas fitas cassete, uma com a *Missa em dó menor* de Mozart e a outra com o seu *Réquiem*. Às vezes eu me fixo numa ou duas peças musicais, que ouço infindavelmente, e eram essas duas que ficaram tocando na minha cabeça cinco anos antes, enquanto descia a montanha muito devagar, com a minha perna imprestável.)

Passeava muito por Gore Bay, a cidade principal em Manitoulin. Normalmente sou bastante tímido, mas de repente me vi puxando conversa com desconhecidos. Cheguei até a ir à igreja aos domingos, pois gostava da sensação de comunidade. Quando me preparava para ir embora, depois de um período de seis semanas que foram idílicas, mas não especialmente produtivas, alguns dos líderes de Gore Bay me abordaram com uma proposta surpreendente. Disseram: "Você parece que gostou da sua estada aqui; parece adorar a ilha. Nosso médico acaba de se aposentar, depois de quarenta anos. Você se interessaria em ficar no lugar dele?". Como hesitei, eles disseram que a província de Ontário me daria uma casa e que — como eu tinha visto — era boa a vida na ilha.

Fiquei muito comovido com aquilo e pensei no assunto durante vários dias, o que me permitiu fantasiar a ideia de ser um médico de ilha. Mas aí, com certo pesar, pensei: não vai dar certo. Não sou talhado para clínico geral; preciso da cidade, por mais barulhenta que seja, e da sua grande diversidade de pacientes neurológicos. Tive de responder aos líderes de Manitoulin: "Não, mas muito obrigado".

Isso foi há mais de trinta anos, mas às vezes ainda me pergunto como teria sido a vida se eu tivesse aceitado a proposta.

***

Mais tarde, ainda em 1979, encontrei um lar numa ilha muito diferente. Ouvi falar da City Island, uma parte da cidade de Nova York, logo que comecei a trabalhar no Einstein no outono de 1965. Tendo apenas 2,4 quilômetros de comprimento por oitocentos metros de largura, parecia uma aldeia de pescadores da Nova Inglaterra, um mundo à parte do Bronx, embora ficasse a dez minutos do Einstein e vários colegas meus morassem lá.

Tinha-se uma bela vista do mar em todos os lados da ilha, e almoçar num dos vários restaurantes de peixes era uma pausa agradável durante o dia — o qual, se a pesquisa fosse puxada, podia se estender por dezoito horas.

City Island tinha a sua identidade, as suas regras e tradições próprias, e os nativos da ilha, os "catadores de mariscos", pareciam ter um respeito especial por idiossincrasias, fosse o dr. Schaumburg, um colega neurologista que tivera poliomielite na infância, que subia e descia devagar pela City Island Avenue no seu grande triciclo, ou Mary, a Doida, uma mulher que de vez em quando tinha surtos psicóticos e subia na traseira da sua picape, pregando o fogo dos infernos. Mas Mary era aceita como qualquer outro morador. Na verdade, parecia ter um papel especial como conselheira, uma mulher cuja robusta sensatez e humor tinham sido forjados no fogo da psicose.

Quando fui despejado do meu apartamento no Beth Abraham, aluguei o último andar da casa de um casal simpático em Mount Vernon, mas pegava o carro e ia até City Island e Orchard Beach. Nas manhãs de verão, antes de começar a trabalhar, ia de carro ou de bicicleta até a praia para dar um mergulho, e nos fins de semana nadava bastante, às vezes contornando toda a ilha, o que levava umas seis horas de nado.

Foi numa dessas ocasiões que, em 1979, vi ao longe um quiosque muito bonitinho quase na ponta da ilha; saí do mar para olhar e então subi a rua, onde vi uma casinha com uma placa à VENDA na frente. Bati à porta, pingando da cabeça aos pés, e o dono atendeu — um oftalmologista do Einstein. O prazo da sua bolsa acabara de terminar e agora estava se mudando com a família para a Costa Noroeste. Mostrou-me a casa (peguei emprestado uma toalha para não molhar o chão) e fiquei encantado. Ainda com o meu calção de banho, fui descalço pela City Island Avenue até a imobiliária e disse à corretora que queria comprar a casa.

Eu sonhava ter uma casa só para mim, como aquela que alugara no Topanga Canyon na época da Ucla. E queria uma perto do mar, para poder vestir o calção e as sandálias e ir direto para a água. Assim, a casinha vermelha de madeira na Horton Street, a meio quarteirão da praia, era perfeita.

Não tinha nenhuma experiência de proprietário, e logo veio o desastre. Naquele primeiro inverno, deixei a casa para passar uma semana em Londres, mas não sabia que devia deixar o aquecimento ligado para que a tubulação não congelasse. Quando voltei de Londres e abri a porta de entrada, fui recebido por uma visão pavorosa. Um cano no andar de cima tinha estourado e inundado tudo, e o forro inteiro da sala de jantar pendia esfrangalhado por cima da mesa de jantar. A mesa e as cadeiras estragaram totalmente, assim como o carpete por baixo delas.

Quando estava em Londres, meu pai sugerira, agora que eu tinha uma casa, que levasse o piano dele; era um belo piano antigo de cauda, um Bechstein, de 1895, ano do seu nascimento. Meu pai estava com o piano fazia mais de cinquenta anos, tocando diariamente, mas agora, com os seus oitenta e poucos anos, as mãos estavam endurecidas demais pela artrite. Senti-me atravessado por uma onda de horror ao ver a devastação, ainda mais terrível ao pensar que era ali que estaria o piano se eu tivesse comprado a casa mais cedo.

Muitos vizinhos em City Island eram marinheiros. A casa ao lado era de Skip Lane e da sua mulher, Doris. Skip tinha sido capitão da marinha mercante durante a maior parte da vida e a sua casa era tão cheia de bússolas e lemes, bitáculas e claraboias, que mais parecia um navio. As paredes eram forradas de fotos dos navios que ele capitaneara.

Skip tinha inúmeras histórias da vida no mar, mas agora que estava aposentado trocara seus enormes navios por um veleiro pequeno de um lugar só, o *Sunfish*; muitas vezes cruzava a baía de Eastchester e não via nada demais em percorrer toda a distância até Manhattan.

Skip devia pesar uns 110 quilos, mas tinha uma tremenda força e uma enorme agilidade. Várias vezes eu o via consertando alguma coisa no telhado da casa — creio que ele gostava de se sentir no topo de um mastro — e certa vez, num desafio, ele escalou um pilar de dez metros de altura da City Island Bridge, usando apenas a sua força física e então se balançando numa das vigas da ponte.

Skip e Doris eram os vizinhos ideais, nunca se intrometiam, mas eram imensamente solícitos quando necessário, e cheios de energia e gosto pela vida. Havia apenas umas dez ou doze casas na Horton Street, éramos talvez uns trinta moradores ao todo e, se havia algum líder, alguém de decisão, era Skip.

Certa vez, no começo dos anos 1990, recebemos o alerta de que um grande furacão estava se aproximando, e a polícia chegou com megafones, dizendo para evacuarmos o local. Mas Skip, que conhecia todos os caprichos das tempestades e dos mares e cuja voz era mais alta do que qualquer megafone da polícia, discordou. "Parem!", rugiu ele. "Fiquem firmes!" Convidou todos nós para irmos à sua casa ao meio-dia, para assistir da varanda à passagem do olho do furacão. Pouco antes do meio-dia, como Skip previra, o vento amainou e desceu uma súbita calmaria. Agora, no olho do furacão, o sol brilhava e o céu estava limpo — uma paz mágica e serena. Skip nos disse que às vezes dava para ver, no centro do temporal, borboletas e aves que tinham sido transportadas por milhares de quilômetros, até mesmo da África.

Ninguém na Horton Street trancava a porta de casa. Cuidávamos uns dos outros e da praia que dividíamos. Podia ser pequena, com uns poucos metros de largura, mas era a *nossa* praia, e todo Dia do Trabalho dávamos uma festa no trechinho de areia, assando lentamente um leitão inteiro no espeto.

Eu costumava dar longas nadadas na baía com outro vizinho, David, que tinha a cautela e a sensatez que me faltavam e, de modo geral, impedia que eu me encrencasse. Mas às vezes eu ia longe demais; uma vez percorri todo o trecho até a Throgs Neck Bridge e um barco quase me cortou pelo meio. David ficou horrorizado quando lhe contei e falou que, se eu insistisse em nadar ("como um idiota") pelas rotas de navegação, devia pelo menos usar atrás de mim uma boia de cor laranja brilhante para dar visibilidade.

Às vezes eu topava com pequenas medusas nas águas de City Island. Ignorava o leve ardor que causavam ao roçar por mim, mas, em meados dos anos 1990, começaram a aparecer medusas muito maiores: a *Cyanea capillata*, a água-viva-juba-de-leão (como aquela responsável por uma morte misteriosa no último conto de Sherlock Holmes). Nessas não era bom roçar. Causavam vergões dolorosos na pele e efeitos assustadores na pressão sanguínea e no batimento cardíaco. Certa vez, o filho de um vizinho, um garoto de dez anos, teve uma forte reação anafilática ao contato de uma medusa dessas; ficou com o rosto e a língua tão inchados que quase nem conseguia respirar, e só se salvou graças a uma pronta injeção de adrenalina.

Quando a praga da juba-de-leão piorou, passei a nadar com equipamento completo de mergulho, inclusive com máscara. A única coisa que ficava exposta eram os lábios, que eu untava generosamente com muita vaselina. Mesmo assim, fiquei apavorado no dia em que encontrei uma juba-de-leão do tamanho de uma bola de futebol numa das minhas axilas; foi o fim das minhas braçadas despreocupadas.

Todo ano, em maio e junho, durante a lua cheia, se desenrolava uma antiga e maravilhosa cerimônia em nossa praia, bem como em todas as praias da Costa Nordeste, quando os límulos ou caranguejos-ferradura, criaturas que pouco mudaram desde o Paleozoico, se arrastavam lentamente até a beira d'água para o acasalamento anual. Assistindo ao ritual, que se repetia todos os anos havia 400 milhões de anos, eu sentia nitidamente a realidade do tempo geológico.

***

City Island era um lugar para vaguear, para perambular à toa — subindo e descendo a City Island Avenue, entrando nas suas transversais, cada uma com apenas uma ou duas quadras de extensão. Havia muitas belas casas antigas, com oitões, da época vitoriana, e ainda restavam alguns estaleiros dos dias em que fora um centro de construção de iates. Na avenida se enfileiravam os restaurantes de peixes e frutos do mar, desde o tradicional e elegante Thwaite's Inn até o Johnny's Reef Restaurant, ao ar livre, que servia iscas de peixe com batata frita. Meu favorito, sossegado e despretensioso, era o Spouter's Inn, com imagens de baleias nas paredes e sopa de ervilhas às quintas-feiras. Era também o local favorito de Mary, a Doida.

Boa parte da minha timidez se desfazia nessa atmosfera de cidadezinha. Tinha familiaridade com o dono do Spouter's, com o dono do posto de gasolina e com os funcionários do correio (diziam que não se lembravam de ninguém que tivesse enviado ou recebido tantas cartas, e o volume deu um salto de magnitude quando saiu o *Chapéu*).

Às vezes, quando o vazio e o silêncio da casa pesavam sobre mim, ia ao Neptune, um restaurante no final da Horton Street que, curiosamente, era pouco conhecido e pouco frequentado, e ficava sentado ali durante horas, escrevendo. Creio que gostavam daquele escritor quieto, que pedia um prato diferente a cada meia hora, pois não queria que o restaurante tivesse prejuízo por sua causa.

***

No começo do verão de 1994, fui adotado por uma gata de rua. Estava voltando do centro num anoitecer, e ali estava ela, sentada tranquilamente na varanda de casa. Entrei, peguei um pires de leite e levei para ela, que lambeu com avidez. Então me olhou, um olhar que dizia: "Obrigada, camaradinha, mas também estou com fome".

Enchi de novo o pires e voltei com um naco de peixe, e assim se selou um pacto tácito, mas muito claro: ela ficaria comigo, se déssemos um jeito de vivermos juntos. Arranjei uma cesta para ela e pus em cima de uma mesa na varanda da frente, e na manhã seguinte fiquei contente em ver que a gata ainda estava ali. Dei-lhe mais peixe, deixei uma tigela de leite para ela e fui trabalhar. Dei um aceno de despedida; creio que ela entendeu que eu voltaria mais tarde.

Naquela noite, ali estava a gata me esperando; na verdade, recebeu-me com um ronronar, arqueando as costas e se esfregando na minha perna. Quando fez isso, senti uma estranha comoção. Depois que ela comeu, foi a minha vez de comer, e me instalei num sofá junto à janela da varanda, como gostava de fazer. A gata pulou para a sua mesa no lado de fora e ficou me observando enquanto eu jantava.

No dia seguinte, quando voltei ao anoitecer, pus de novo o peixe para ela no chão da varanda, mas dessa vez, por alguma razão, não quis comer. Quando coloquei o peixe em cima da mesa, ela saltou para cima, porém foi apenas quando me instalei no sofá junto à janela que a gata, numa linha paralela a mim, começou a comer sua refeição enquanto eu comia a minha. Assim, comemos juntos, em sincronia. Esse ritual, que viria a se repetir todas as noites, me pareceu admirável. Creio que nós dois sentíamos companheirismo — o que é de se esperar com um cão, mas raramente com um gato. Ela gostava de ficar comigo; depois de alguns dias, até passou a ir à praia comigo, sentando-se num banco ao meu lado.

Não sei o que ela fazia durante o dia, embora uma vez tenha me trazido um passarinho, e entendi que devia caçar, como fazem os gatos. Mas, sempre que eu estava em casa, ela ficava na varanda. Essa relação interespécies me encantava e fascinava. Teria sido assim que cão e homem se conheceram há mil anos?

Quando veio a estação mais fria, no final de setembro, dei a Bichana — era como eu a chamava e ela atendia — para alguns amigos, e ela viveu feliz com eles pelos sete anos seguintes.

***

Tive a sorte de encontrar Helen Jones, uma cozinheira e arrumadeira maravilhosa que morava perto de casa e vinha uma vez por semana. Toda quinta de manhã, quando ela chegava, íamos ao Bronx para fazer algumas compras juntos, e a nossa primeira parada era uma peixaria na Lydig Avenue, de dois irmãos sicilianos que pareciam gêmeos.

Quando menino, o peixeiro ia à nossa casa nas sextas-feiras, com um cesto cheio de carpas e outros peixes. Minha mãe cozinhava, temperava e triturava todos eles juntos e fazia uma grande tigela de bolinhos de peixe (*gefilte fish*); era o que comíamos nos Shabats, com frutas, verduras e chalás, quando era proibido cozinhar. Os peixeiros sicilianos da Lydig Avenue nos forneciam de bom grado carpas, lúcios e peixes de carne branca. Eu não tinha a menor ideia de como Helen, uma boa cristã praticante, conseguiria fazer esse prato judaico, mas sua capacidade de improvisação era fabulosa, e ela preparou bolinhos de peixe (que chamava de "*filter fish*") tão bons, tive de admitir, quanto os da minha mãe. Helen aprimorava o seu *filter fish* a cada vez que fazia, e os meus amigos e vizinhos pegaram gosto pelo prato. Assim também os amigos de igreja de Helen; agradava-me pensar nos seus amigos batistas devorando bolinhos de peixe nas suas reuniões na igreja.

***

Num dia de verão nos anos 1990, ao voltar do trabalho, topei com uma estranha aparição na varanda de casa, um sujeito com uma cabeleira e uma barba preta enorme — um andarilho maluco, foi minha primeira impressão. Só quando o andarilho falou, reconheci quem era — meu velho amigo Larry. Fazia vários anos que não o via e pensava, como muitos outros, que teria morrido.

Conheci Larry em 1966, quando tentava me recuperar dos primeiros meses de uma dependência terrível de drogas em Nova York. Estava me alimentando bem, fazendo exercícios e recobrando a força física, indo regularmente a uma academia no West Village. A academia abria às oito da manhã nos sábados, e muitas vezes eu era o primeiro a aparecer. Certo sábado, comecei os exercícios no equipamento para levantamento de perna; quando estava na Califórnia, tinha sido um bom agachador, e agora me perguntava quanta força conseguira recuperar. Aumentei o peso para 360 quilos — fácil; 450 quilos — puxado; 545 quilos — sandice. Eu sabia que era pesado demais para mim, mas não quis admitir a derrota. Fiz três repetições, quatro com muita dificuldade, e na quinta a minha força cedeu. Ali estava eu com 545 quilos em cima de mim, os meus joelhos se esmagando sob o peito. Mal conseguia respirar, muito menos gritar por ajuda, e comecei a imaginar quanto tempo aguentaria. Senti a cabeça se enchendo de sangue e fiquei com medo de um derrame iminente. Naquele momento, a porta se abriu e um rapaz robusto entrou, viu minha situação e me ajudou a erguer a barra. Dei-lhe um abraço e disse: "Você salvou minha vida".

Apesar da sua reação rápida, Larry parecia muito tímido. Tinha dificuldade em estabelecer contato e o seu olhar era ansioso e agitado, os olhos nunca parados. Mas agora que aquele contato se estabelecera, ele quase nem conseguia parar de falar; talvez eu fosse a primeira alma viva com quem falava em semanas. Disse que tinha dezenove anos e que fora dispensado do Exército no ano anterior, por instabilidade mental. Vivia de uma pequena pensão do governo. Até onde consegui entender, sobrevivia à base de pão e leite; passava dezesseis horas por dia andando na rua (ou correndo, se estivesse no campo) e se contentava com qualquer lugar para dormir à noite.

Contou que não conhecera os pais. Quando nasceu, a mãe tinha esclerose múltipla avançada e era fisicamente incapaz de cuidar dele. O pai era um alcoólatra que largou os dois logo após o nascimento de Larry, e ele foi criado numa série de lares adotivos. Tive a impressão de que nunca conhecera alguma estabilidade real.

Não me dei ao trabalho de fazer um "diagnóstico" de Larry, embora eu fosse muito liberal com os termos psiquiátricos naqueles tempos. Só conseguia pensar no tanto de amor, de cuidado e de estabilidade que lhe havia sido negado, no tanto de respeito que lhe fora negado, e fiquei admirado que tivesse sobrevivido psiquicamente. Era muito inteligente e muito mais informado do que eu sobre os assuntos correntes. Quando encontrava jornais velhos, lia-os de ponta a ponta. Pensava incansavelmente, com persistência, em tudo o que lia ou ouvia. Não aceitava nada apenas na base da boa-fé.

Não tinha nenhuma intenção de arranjar emprego, e isso, a meu ver, assumia uma espécie de integridade. Estava decidido a evitar qualquer atividade sem sentido; era frugal e podia viver da sua pensão modesta, conseguindo até economizar.

Larry passava os dias andando, e não era raro que percorresse mais de trinta quilômetros entre o seu apartamento no East

Village até minha casa em City Island. Às vezes pernoitava no sofá da sala de estar, e um dia encontrei na parte de baixo da geladeira algumas barras muito pesadas, barras de ouro que Larry havia comprado ao longo dos anos. Guardara-as na minha casa, achando que estariam mais seguras lá do que no seu apartamento. O ouro, dizia ele, era o único bem em que era possível confiar num mundo instável; títulos, ações, terras, obras de arte podiam perder o valor da noite para o dia, mas o ouro ("elemento 79", costumava dizer para me agradar) sempre conservava seu valor. Para que trabalhar, ter emprego, se podia viver, podia ser homem livre e independente, sem isso? Eu gostava da sua coragem, da sua franqueza em dizer tais coisas, e sentia que, de certa forma, ele era um dos espíritos mais livres que eu conhecia.

Larry era transparente e de temperamento afável, e muitas mulheres o consideravam atraente. Fora casado por alguns anos com uma mulher de proporções generosas no East Village, mas, numa ocorrência medonha, um dia ela foi assassinada por uns bandidos que invadiram o apartamento em busca de drogas. Eles não encontraram nada, mas Larry encontrou o cadáver.

Larry sempre vivera de pão e leite, e agora, com a dor pela morte da esposa, só queria leite. Passou a ser consumido pela fantasia de viajar pelo mundo com uma mulher enorme, em lactação, que o embalaria como um bebê e o amamentaria ao seio. Nunca vi fantasia mais primal.

Às vezes, eu passava semanas ou meses sem ver Larry — não tinha meios de contatá-lo —, mas então ele reaparecia de repente.

Era alcoólatra como o pai, e o álcool desencadeava algo perverso e autodestrutivo no seu cérebro. Ele sabia disso e geralmente evitava beber. No final dos anos 1960, tomamos uns ácidos juntos algumas vezes, e ele gostava de ir comigo, na garupa da moto, visitar minha prima Cathy — uma das filhas de Al Capp —, que morava no condado de Bucks. Cathy era esquizofrênica, mas ela e Larry se entendiam intuitivamente e criaram um vínculo singular.

Helen também adorava Larry e todos os meus amigos gostavam dele; era um ser humano totalmente independente, uma espécie de Thoreau urbano moderno.

***

Em Nova York, vim a conhecer alguns dos meus primos americanos, os Capp (o sobrenome original era Caplin, e na verdade eram primos de segundo grau). O mais velho era Al Capp, o cartunista. Ele tinha dois irmãos mais novos — Bence, também cartunista, e Elliott, cartunista e dramaturgo — e uma irmã, Madeline.

Tenho lembranças vívidas do primeiro seder da família Capp a que compareci, em 1966. Eu estava com 32 anos, e Louis Gardner, marido de Madeline, tinha 48 anos, bem conservado, bonitão, muito empertigado, de porte militar; era arquiteto e coronel da reserva. Era ele que dirigia o seder, à cabeceira da mesa, com Madeline na outra ponta e um grupo extraordinário de parentes entre eles — Bence, Elliott e Al, com as respectivas esposas. Os filhos de Louis e Madeline, quando não estavam recitando as quatro questões ou procurando o *afikoman*, ficavam correndo por toda a sala.

Todos nós estávamos no auge, naquela época. Al, ainda o genial e amado criador de *Li'l Abner*, era lido e admirado em todo o país. Elliott, o mais reflexivo entre os irmãos, era admirado pelas suas peças e ensaios. Bence (Jerome) explodia de energia criativa, e Madeline, xodó dos irmãos, era o centro de tudo. Todos eram conversadores brilhantes e exuberantes, e às vezes Madeline me parecia a mais inteligente de todos; o derrame que viria a deixá-la afásica ainda estava a anos de distância.[4]

Eu via muito Al, que era uma figura estranha quando o conheci em meados dos anos 1960. Todos os irmãos tinham sido comunistas ou simpatizantes nos anos 1930, mas Al passou por uma estranha mudança política nos anos 1960, quando ficou amigo de Nixon e Agnew (embora eu suspeite que não confiavam plenamente nele, pois a sua verve e sátira podiam ter como alvo qualquer pessoa que estivesse no poder).

Al perdera a perna num acidente de trânsito aos nove anos de idade, e usava uma perna de pau muito pesada (me fazia lembrar a perna de osso de baleia do capitão Ahab). Talvez parte da sua agressividade, da sua competitividade, parte da sua sexualidade ostensiva tivessem a ver com a mutilação, sentindo que precisava mostrar que não era um aleijado, mas sim uma espécie de super-homem, porém nunca conheci essa faceta de Al. Sempre foi simpático e cordial comigo, e vim a gostar muito dele, considerando-o cheio de charme e vitalidade criativa.

No começo dos anos 1970, além dos cartuns, Al deu muitas palestras na universidade. Era um orador brilhante e um favorito no circuito de palestras, embora começassem a se acumular boatos negativos a seu respeito — que era um pouco avançadinho demais com as alunas. Os boatos pioraram, surgiram denúncias. Foi um escândalo, e Al foi demitido das centenas de jornais da agência de imprensa em que trabalhara durante toda a vida. De repente, o amado cartunista que criara Dogpatch e o Shmoo, que era em alguns aspectos o Dickens visual dos Estados Unidos, se viu vilipendiado e desempregado.

Retirou-se por algum tempo em Londres, onde morava num hotel e de vez em quando publicava alguns artigos e cartuns. Mas estava alquebrado, como dizem; perdeu a impetuosidade, a vitalidade. Continuou deprimido e com a saúde declinante até sua morte em 1979.

***

Outro primo, Aubrey "Abba" Eban, era o prodígio da família, o primogênito brilhante de Alida, irmã do meu pai. Mostrara quando menino dotes excepcionais e tivera uma carreira deslumbrante em Cambridge, tornando-se presidente da Cambridge Union, ficando em primeiro lugar em três cursos e se tornando professor de lá em línguas orientais. Ele demonstrou que, apesar do antissemitismo dominante na Inglaterra dos anos 1930, um garoto judeu sem as vantagens da riqueza, do berço ou das ligações sociais, sem nada além de uma inteligência prodigiosa, podia subir ao topo de uma das universidades mais antigas da Inglaterra.

A sua eloquência apaixonada e a sua grande inteligência já estavam plenamente desenvolvidas aos vinte anos de idade, mas ainda não estava claro se o conduziriam à vida política — sua mãe, minha tia, traduzira a Declaração de Balfour para o francês e o russo em 1917, e desde menino Aubrey fora um sionista idealista e engajado — ou se prosseguiria na vida acadêmica em Cambridge. A guerra e os desdobramentos na Palestina determinaram seu futuro.

Aubrey era quase vinte anos mais velho que eu, e até meados dos anos 1970 não tive muito contato com ele. A sua vida era em Israel, a minha, na Inglaterra e depois nos Estados Unidos; a sua vida era de político e diplomata, a minha, de médico e cientista. Víamo-nos em raras e breves ocasiões, em casamentos da família e outros eventos. E quando Aubrey ia a Nova York, como ministro das Relações Exteriores ou vice-primeiro-ministro de Israel, sempre parecia cercado de seguranças, e não havia muita oportunidade de trocarmos mais do que algumas palavras.

Mas um dia, em 1976, ambos fomos convidados para almoçar na casa de Madeline; tão logo Aubrey e eu nos encontramos, ficou evidente para nós dois e todos os outros ali presentes que tínhamos uma semelhança assombrosa na postura e nos gestos — a maneira de sentar, os movimentos bruscos e desengonçados, o jeito de falar e pensar. Em certo momento, nós dois nos erguemos nos lados opostos da mesa e colidimos ao tentar pegar a geleia de beterraba, que ambos adorávamos, mas todos os outros detestavam. A mesa inteira desatou a rir com essas semelhanças e coincidências, e eu disse a Aubrey: "Quase nunca o encontro e levamos vidas totalmente diferentes, mas sinto que há uma semelhança genética entre nós dois maior do que a que tenho com meus três irmãos". Ele respondeu que também sentira a mesma coisa, que de certa maneira eu era mais próximo dele que os seus três irmãos.

Como pode ser?, perguntei. "Atavismo", foi a sua pronta resposta.

"Atavismo?", e pisquei surpreso.

"Sim, *atavus*, um avô", respondeu Aubrey. "Você não conheceu o nosso avô Elivelva, embora vocês tenham o mesmo nome hebraico e iídiche. Ele morreu antes que você nascesse. Mas foi ele que me criou, quando fomos para a Inglaterra. Foi o meu primeiro professor de verdade. As pessoas riam quando nos viam juntos; diziam que havia uma semelhança inexplicável entre o velho e o menino. Não existia ninguém na sua geração que falasse, pensasse ou se movesse como ele, ninguém, absolutamente ninguém como ele na geração seguinte, e eu achava que não havia ninguém como ele na minha geração até que você entrou por aquela porta, e foi como se o meu avô tivesse ressuscitado.

Um elemento trágico ou paradoxal aguardava Aubrey, que ganhara a atenção do mundo como "a voz de Israel". A sua eloquência apaixonada e refinada, a sua pronúncia de Cambridge passaram a ser vistas pela nova geração como coisas pomposas e antiquadas, e a sua fluência no árabe e o seu conhecimento e apreciação da cultura árabe (o seu primeiro livro tinha sido uma tradução de *Labirinto da justiça*, de Tawfiq al-Hakim) o tornaram quase suspeito numa atmosfera cada vez mais sectária. Assim, ele acabou deixando o poder e retornou à vida de acadêmico e historiador (além de se tornar um brilhante expositor na televisão e em livros). Pelo que me disse, os seus sentimentos eram duplos: sentia "um vazio" depois de décadas de profunda imersão na política e na diplomacia, mas também sentia uma paz de espírito súbita e desconhecida. O seu primeiro gesto, como homem livre, foi ir nadar.

Certa vez, quando Aubrey estava como professor visitante no Institut for Advanced Study em Princeton, perguntei se a vida acadêmica o agradava. Com ar saudoso, disse: "Sinto falta da arena". Mas, à medida que a arena se tornava cada vez mais turbulenta, mais estreita e mais sectária, Aubrey, com as suas amplas afinidades culturais e a mente tão aberta, passou a sentir cada vez menos falta. Outra vez, perguntei como gostaria de ser lembrado, e ele respondeu: "Como professor".

Aubrey adorava contar histórias e, sabendo do meu interesse pelas ciências físicas, contou várias histórias dos seus contatos com Albert Einstein. Após a morte de Chaim Weizmann em 1952, Aubrey ficara incumbido de convidar Einstein para a presidência de Israel (Einstein, é claro, recusou). Em outra ocasião, contou Aubrey sorrindo, ele tinha ido com um colega do consulado israelense visitar Einstein na sua casa em Princeton. Einstein convidou-os a entrar e perguntou educadamente se queriam um café; pensando que um auxiliar ou uma empregada iria preparar, Aubrey aceitou. Mas ficou "horrorizado", disse ele, quando o próprio Einstein foi para a cozinha. Logo ouviram o tinido de xícaras e bules e o barulho de alguma louça caindo, enquanto o grande gênio, com o seu jeito amigável mas levemente desajeitado, preparava o café para eles. Foi isso, disse Aubrey, mais do que qualquer outra coisa, que lhe mostrou o lado humano e cativante do maior gênio do mundo.

Nos anos 1990, não tendo mais o peso ou a importância do cargo, Aubrey vinha a Nova York com mais liberdade e facilidade, e eu podia vê-lo com mais frequência, às vezes com a esposa Suzy e muitas outras vezes com a irmã mais nova, Carmel, que também morava em Nova York. Aubrey e eu ficamos amigos, a grande diferença entre nossas vidas e a diferença de idade de quase vinte anos vindo a significar cada vez menos.

Querida, terrível Carmel! Ela escandalizava todo mundo, pelo menos toda a família, mas eu tinha um fraco por ela.

Durante muitos anos, Carmel foi uma figura mítica, uma atriz em algum lugar do Quênia, mas veio para Nova York nos anos 1950, casou-se com um diretor chamado David Ross, com quem criou um pequeno teatro para apresentar as peças de Ibsen e Tchékhov favoritas dele (embora a preferência dela fosse sempre por Shakespeare).

Quando a conheci, em maio de 1961, eu acabava de vir de San Francisco na minha motocicleta — a moto usada que se avariou no Alabama — e fiz o resto da viagem até Nova York de carona. Estava bastante sujo e desgrenhado quando ela me recebeu no seu elegante apartamento da Quinta Avenida; mandou-me tomar banho e providenciou roupas limpas enquanto as minhas eram lavadas.

David estava numa fase excelente na época; tivera uma série de sucessos junto ao público e à crítica, e Carmel comentou que o marido começava a ser visto como um dos grandes nomes no mundo teatral de Nova York. Quando o vi, ele estava de ânimo exagerado; berrava, rugia feito um leão e nos levou ao Russian Tea Room, para um jantar absurdamente caro, de seis lugares

— tudo o que havia no cardápio, com meia dúzia de vodcas sortidas. Ia além da simples exuberância e fiquei pensando se não havia uma ponta de mania em David.

Carmel também ia muito bem; não via razão para não aprender o norueguês e o russo — com o seu ouvido para línguas, devia levar apenas algumas semanas — e traduzir pessoalmente Ibsen e Tchékhov. A sua tradução pode ter contribuído para o fracasso da peça *John Gabriel Borkman*, dirigida por David, que perdeu uma dinheirama quando estreou em Londres. Carmel, com lisonjas e adulações, conseguira a maior parte desse dinheiro com sua família, que nem estava em boas condições para lhe fornecer, e nunca devolveu. Alguns anos depois, em Nova York, David precisou ser hospitalizado — era propenso a graves depressões — e morreu logo depois, não se sabe se por uma overdose acidental ou por suicídio. Carmel, profundamente abalada, retornou a Londres, onde tinha parentes e amigos.

***

Voltamos a nos ver em 1969, quando eu estava em Londres escrevendo os primeiros relatos de caso de *Tempo de despertar*, enquanto *Enxaqueca* continuava na Faber & Faber, ainda no prelo. Carmel pediu para ver o que eu escrevera e, depois de ler as provas de *Enxaqueca*, exclamou: "Puxa, você é um escritor!". Nunca ninguém me dissera isso antes; *Enxaqueca* estava saindo pela divisão de medicina da Faber & Faber, que o considerava um livro médico, um estudo um tanto peculiar da enxaqueca — e não como "escrita". E ninguém ainda tinha visto os primeiros relatos de caso de *Tempo de despertar*, ninguém a não ser a Faber & Faber, que rejeitou por considerá-los impublicáveis. Assim, as palavras de Carmel me animaram muito, bem como a sua impressão de que *Enxaqueca* poderia ter uma boa acolhida não só entre os médicos, mas também entre os leitores gerais e até "literários".

Quando a Faber & Faber adiou a publicação de *Enxaqueca*, fiquei bastante frustrado e, vendo isso, Carmel interveio de uma forma que foi decisiva.

Ela disse: "Você precisa pegar um agente. Alguém que o defenda, que não deixe que o prejudiquem".

Foi Carmel quem me apresentou Innes Rose, o agente que pressionou a editora a lançar o livro. Sem Innes, sem Carmel, talvez *Enxaqueca* nunca tivesse visto a luz do dia.

Carmel voltou para Nova York em meados de 1970, após a morte da sua mãe, e ocupou um apartamento na East Sixty-Third Street. Ela atuava como uma espécie de agente para mim e para Aubrey, que então estava envolvido numa série de livros e programas de televisão sobre a história dos judeus. Mas nem o palco, nem a atividade de agente, ambos em meio período, bastavam para pagar o aluguel de Carmel numa Nova York cada vez mais cara, e assim Aubrey e eu cobríamos a diferença e continuamos a cobri-la pelos trinta anos seguintes.

Naqueles tempos, eu via Carmel com muita frequência. Muitas vezes íamos ao teatro juntos, e uma peça que vimos foi *Wings* [Asas], em que Constance Cummings fazia o papel de uma aviadora que, depois de um derrame, perde o uso da linguagem. Lá pelas tantas, Carmel virou-se para mim e perguntou se eu não achava a interpretação dela profundamente emocionante e ficou surpresa quando respondi que não.

Por que não?, perguntou ela. Expliquei que a fala dela não tinha nada a ver com a fala dos afásicos.

"Ah, vocês neurologistas!", protestou Carmel. "Não conseguem esquecer um pouco a neurologia e se deixar levar pelo drama, pela atuação?"

"Não", respondi. "Se a fala não tem nada de afasia, toda a peça me parece irreal."

Ela abanou a cabeça à minha intransigência e estreiteza mental.[5]

Carmel ficou empolgada quando Hollywood resolveu filmar *Tempo de despertar* e conheci Penny Marshall e Robert De Niro. Mas a sua intuição lhe pregou uma peça no dia do meu aniversário de cinquenta anos, quando De Niro foi à minha festa em City Island e (daquele seu jeito invisível) conseguiu chegar à minha casinha e se esgueirou discretamente para o andar de cima, sem que ninguém o reconhecesse. Quando falei a Carmel que De Niro havia chegado, ela falou em voz muito alta: "Aquele não é De Niro. É um sósia, um dublê, enviado pelo estúdio. Sei como é um ator de verdade e ele não me engana nem por um minuto". Ela sabia projetar a voz, e todo mundo ouviu o comentário. Eu mesmo fiquei em dúvida e fui até a cabine telefônica na esquina, de onde liguei para o escritório de De Niro. Surpresos, responderam que claro, aquele era o De Niro de verdade. E quem mais se divertiu foi o próprio De Niro, que escutara o berreiro de Carmel.

***

Querida, terrível Carmel! Eu gostava da sua companhia — quando não me punha furioso. Era muito inteligente, engraçada, com grande talento para imitações maldosas; era impulsiva, perspicaz, fútil, mas também fantasista, histérica, uma verdadeira sanguessuga, sempre sugando cada vez mais dinheiro de todos ao seu redor. Era uma hóspede perigosa (eu soube depois), surrupiando livros de arte das bibliotecas dos anfitriões e vendendo-os aos sebos. Muitas vezes eu pensava na nossa tia Lina, que chantageava os ricaços para fazer doações em dinheiro à Universidade Hebraica. Carmel nunca chantageou ninguém, mas era parecida com ela em vários outros aspectos: Lina também era terrível, odiada por alguns da família, mas por quem eu tinha um fraco. Carmel não ignorava as semelhanças.

Quando seu pai morreu, deixou a maior parte do patrimônio para ela, pois reconhecia que era a necessitada entre os filhos. Qualquer eventual ressentimento por parte da irmã e dos irmãos foi parcialmente compensado pela impressão de que agora, com a herança, ela estaria tranquila até o final da vida, desde que vivesse de maneira sensata e evitasse loucuras e extravagâncias; não precisaria mais furtar nem viver às custas dos outros. Também gostei de não me sentir mais obrigado a lhe enviar um cheque todo mês.

Mas Carmel tinha outras ideias; desde a morte de David, sentia falta de participar do mundo teatral. Agora tinha dinheiro e poderia produzir, dirigir e atuar numa peça ao seu gosto; escolheu *A importância de ser prudente*, o que lhe permitiria interpretar a srta. Prism. Ela alugou um teatro, escalou o elenco e organizou a publicidade; tal como esperava, a encenação foi um sucesso. Mas aí, daquela misteriosa maneira como acontecem as coisas, não houve continuação. Ela havia detonado sua herança até o último centavo, num único gesto louco e idiota. A família ficou furiosa e ela se viu outra vez quebrada.

Carmel levou tudo isso na esportiva, muito embora, em certo sentido, fosse uma repetição do que acontecera com *John Gabriel Borkman*, trinta anos antes. Mas agora a sua resistência era menor. Estava com setenta anos, mesmo parecendo menos; tinha diabetes, da qual não cuidava; e a família (à exceção de Aubrey, que sempre a defendeu, por mais que ela o enfurecesse) não falava mais com ela.

Aubrey e eu retomamos os nossos cheques mensais, mas algo dentro de Carmel, num nível mais profundo, se rompera. Ela sentiu, creio, que aquela fora a sua última chance para o estrelato e a glória na Broadway. A saúde piorou, o que a obrigou a ir para um asilo de idosos. Às vezes tinha delírios, fosse por causa do diabetes ou de um início de demência, ou ambos, e ocasionalmente iam encontrá-la, desgrenhada e desorientada, vagueando pelas ruas perto do Lar Hebraico. A certa altura, convenceu-se de que estava estrelando, com Tom Hanks, um filme dirigido por Steven Spielberg.

Mas outros dias transcorriam bem, quando ia ao teatro — o seu primeiro e último amor — e passeava nos belos jardins de Wave Hill, perto do Lar Hebraico. Foi então que decidiu escrever uma autobiografia; escrevia bem e com facilidade e tinha uma história de vida exótica e invulgar para contar. Mas a sua memória autobiográfica estava começando a falhar, com o avanço célere da demência.

A sua memória "de interpretação", a memória de atriz, por outro lado, estava incólume. Bastava eu lhe dar o começo de qualquer fala de Shakespeare e ela continuava, tornando-se Desdêmona, Cordélia, Julieta, Ofélia, quem fosse — totalmente tomada pelo personagem que interpretava. As enfermeiras, que costumavam vê-la como uma velha senil e doente, ficavam assombradas com tais transformações. Uma vez, Carmel me disse que não tinha identidade própria, apenas a dos personagens que interpretava — era um exagero, pois tinha muita personalidade e muito ego nos seus velhos tempos —, mas agora, com o apagamento da sua identidade própria devido à demência, era quase literalmente verdade; ela só vinha a ser uma pessoa completa naqueles minutos em que se tornava Cordélia ou Julieta.

Na última vez em que fui visitá-la, ela estava com pneumonia; tinha a respiração rápida, irregular, rascante. Os olhos estavam abertos, mas não enxergavam; quando passei a mão na frente deles, ela não piscou, porém achei que talvez ainda conseguisse ouvir e reconhecer uma voz.

Falei: "Até logo, Carmel", e poucos minutos depois ela morreu. Quando liguei para o seu irmão Raphael, avisando da sua morte, ele disse: "Que a sua alma descanse em paz — se é que ela tinha alma".

No começo de 1982, recebi um pacote de Londres que trazia uma carta de Harold Pinter e o manuscrito de uma peça nova, *Um tipo de Alasca*, que, segundo ele, era inspirada em *Tempo de despertar*. Na carta, Pinter comentou que lera *Tempo de despertar* no seu primeiro lançamento em 1973 e lhe parecera "admirável". Havia refletido sobre as suas potencialidades dramatúrgicas, mas, não vendo um rumo claro para seguir, deixara o tema de lado até que, oito anos depois, de repente se lembrou dele. Naquele último verão, tinha acordado certa manhã ouvindo mentalmente as palavras iniciais da peça, claras e prementes: "Há algo acontecendo". Então, disse ele, a peça rapidamente "se escreveu sozinha" nos dias subsequentes.

Um tipo de Alasca é a história de Deborah, uma paciente que passa 29 anos numa imobilidade profundamente estranha e inacessível. Um dia, ela desperta e não sabe quantos anos tem nem o que lhe aconteceu. Pensa que a mulher grisalha ao seu lado é alguma prima ou "uma tia que não conheci"; ao saber que é a sua irmã mais nova, ela é obrigada a encarar a realidade da situação.

Pinter nunca tinha visto os nossos pacientes nem o documentário de *Tempo de despertar*, mas era bastante claro que tomara Rose R. como modelo para a sua Deborah. Imaginei Rose lendo a peça e dizendo: "Meu Deus! Ele me entende". Senti que Pinter havia de certa forma percebido mais do que eu pusera no texto; tinha inexplicavelmente adivinhado uma verdade mais profunda.

Em outubro de 1982, fui à estreia da peça no National Theatre em Londres. Judi Dench fez uma interpretação notável como Deborah. Fiquei assombrado com isso, tal como ficara assombrado com a verossimilhança da concepção de Pinter, pois Dench, assim como Pinter, nunca conhecera um paciente pós-encefalítico. Na verdade, disse ela, Pinter a proibira de fazer isso quando se preparava para o papel; ele achava que ela devia criar o personagem de Deborah exclusivamente a partir do texto. A sua interpretação foi impressionante. (Mais tarde, porém, Dench assistiu ao documentário e visitou alguns dos pós-encefalíticos no Highlands Hospital, e senti que a sua interpretação, depois disso, embora talvez mais realista, já não prendia tanto. Talvez Pinter tivesse razão.)

Até aquele momento, eu tinha reservas sobre representações teatrais ou qualquer outra coisa "baseadas", "adaptadas" ou "inspiradas" no meu trabalho. *Tempo de despertar* era a coisa real, sentia eu; qualquer outra coisa certamente seria "irreal". Como poderia ser real se não tinha a experiência própria e direta com os pacientes? Mas a peça de Pinter me mostrou como um grande artista é capaz de reconstituir, de reimaginar a realidade. Senti que Pinter me dera tanto quanto lhe dei: eu lhe dera uma realidade e ele me deu outra.[6]

***

Em 1986, eu estava em Londres quando fui abordado pelo compositor Michael Nyman — o que eu acharia, perguntou ele, de uma "ópera de câmara" baseada na história-título de *O homem que confundiu sua mulher com um chapéu*? Respondi que não conseguia imaginar uma coisa assim, ao que ele respondeu que eu não precisava, *ele* é que iria imaginar. Na verdade, já imaginara, pois no dia seguinte ele me presenteou com uma partitura e falou de um libretista que tinha em mente, Christopher Rawlence.

Conversei longamente com Chris sobre o dr. P. e por fim disse que não poderia concordar com uma ópera sem a aprovação da esposa dele. Sugeri a Chris que entrasse em contato com ela e lhe perguntasse gentilmente o que acharia de uma possível ópera (tanto ela quanto o dr. P. tinham sido cantores líricos).

Chris veio a criar uma relação muito cordial e afetuosa com a sra. P., e ela desempenha um papel muito maior na ópera do que no meu relato. Apesar disso, eu estava bastante tenso quando a ópera foi apresentada em Nova York. A sra. P. foi à estreia e fiquei o tempo todo fitando-a de esguelha, temerosamente interpretando mal cada expressão no seu rosto. Mas, após a apresentação, ela se aproximou de nós — Michael, Chris e eu — e disse: "Vocês honraram meu marido". Adorei isso; senti que não havíamos nos aproveitado dele nem falseado sua situação.

***

Em 1979, dois jovens produtores de cinema, Walter Parkes e Larry Lasker, vieram me consultar. Tinham lido *Tempo de despertar* alguns anos antes, num curso de antropologia em Yale, e queriam fazer um filme. Visitaram o Beth Abraham e conheceram vários dos pacientes pós-encefalíticos, e autorizei que escrevessem um roteiro. Passaram-se muitos anos e não tive mais notícias.

Eu havia praticamente esquecido o projeto quando, oito anos depois, eles entraram em contato outra vez, dizendo que Peter Weir lera o livro e o roteiro inspirado no livro; estava muito interessado em dirigir o filme. Enviaram-me o roteiro, escrito por um jovem autor chamado Steve Zaillian, que chegou no Dia das Bruxas de 1987, véspera do meu encontro marcado com Peter Weir. Detestei o roteiro, sobretudo um enredo secundário fictício em que o médico se apaixona por uma paciente, e, quando Weir chegou, foi o que lhe disse em termos nada ambíguos.

Ele ficou surpreso, o que era compreensível, mas entendeu minha posição. Depois de alguns meses, ele se retirou do projeto, dizendo que via as mais variadas espécies de "riscos e perigos" e que não se sentia à altura.

Ao longo do ano seguinte, o roteiro passou por muitas reelaborações, enquanto Steve, Walter e Larry se empenhavam em fazer algo que se mantivesse fiel ao livro e às experiências dos pacientes. No começo de 1989, disseram-me que Penny Marshall dirigiria o filme e viria me visitar com Robert De Niro, que faria o paciente Leonard L.

Eu não sabia muito bem como me sentia em relação ao roteiro, pois, ainda que em alguns aspectos pretendesse ser uma reconstrução muito precisa dos fatos, ele também introduzia várias tramas secundárias que eram totalmente fictícias. Tive de abandonar a ideia de que o filme, de certa maneira, era "meu": o roteiro não era meu, o filme não era meu, estaria em larga medida fora das minhas mãos. Não foi muito fácil reconhecer isso para mim mesmo, mas em todo caso foi também um alívio. Eu seria capaz de aconselhar e dar consultoria, de garantir precisão médica e histórica; daria o melhor de mim para fornecer ao filme um ponto de partida autêntico, mas não precisaria me sentir responsável por ele.[7]

***

É lendária a paixão de Robert De Niro em entender o que vai interpretar e em pesquisar o papel em detalhes microscópicos. Eu nunca tinha presenciado a investigação de um ator sobre seu tema — a investigação que culmina na *transformação* do ator no seu personagem.

Em 1989, praticamente todos os pacientes pós-encefalíticos do Beth Abraham já tinham morrido, mas ainda restavam nove no Highlands Hospital em Londres. Bob achou que era importante visitá-los, e assim fomos vê-los juntos. Ele passou muitas horas falando com os pacientes e gravando fitas de pesquisa que depois estudaria longamente. Fiquei impressionado e comovido com a sua capacidade de observação e empatia, e creio que os

próprios pacientes ficaram comovidos com um tipo de atenção que raras vezes haviam recebido. "Ele realmente te observa, olha bem dentro de você", disse-me um deles no dia seguinte. "Ninguém fez isso de fato, desde o dr. Purdon Martin. *Ele* tentava entender o que se passava com a gente."
    De volta a Nova York, conheci Robin Williams, que ia interpretar o médico — eu. Robin queria me ver em ação, interagindo com os tipos de pacientes com que trabalhara e convivera em *Tempo de despertar*, e assim fomos até as Irmãzinhas dos Pobres, onde havia dois pacientes pós-encefalíticos tratados com L-dopa, que eu acompanhara por vários anos.
    Alguns dias depois, Robin foi comigo ao Bronx State. Passamos alguns minutos numa ala geriátrica tumultuada, com meia dúzia de pacientes gritando e falando de maneira esquisita, todos ao mesmo tempo. Mais tarde, indo embora de carro, Robin explodiu de repente numa reprodução incrível da ala, imitando com toda a perfeição a voz e o estilo de cada um deles. Ele absorvera todas as diversas vozes e conversas, gravando-as mentalmente, e agora estava reproduzindo ou quase sendo possuído por elas. Essa capacidade imediata de apreensão e reprodução, que a palavra "mímica" é insuficiente para descrever (pois eram imitações cheias de humor, sensibilidade e criatividade), era imensamente desenvolvida em Robin. Mas constituía, como vim a pensar, apenas o primeiro passo na sua investigação como ator.[8]
    Logo eu mesmo seria o seu objeto de estudos. Depois de alguns encontros iniciais, Robin começou a reproduzir alguns dos meus maneirismos, as minhas posturas, o meu jeito de andar, a minha fala — coisas, todas elas, das quais eu não tinha consciência até aquele momento. Era desconcertante me ver nesse espelho vivo, mas eu gostava de estar com Robin, andando de carro, comendo fora, rindo com o seu humor rápido e fulgurante, impressionado com a amplitude dos seus conhecimentos.
    Algumas semanas depois, quando conversávamos na rua, adotei o que me dizem ser uma posição pensativa muito característica, e de repente percebi que Robin estava exatamente na mesma posição. Não estava me imitando; ele se tornara eu, em certo sentido; era como ganhar de repente um irmão gêmeo mais

novo. Isso nos deixou um pouco inquietos, e concluímos que era necessário mantermos algum espaço entre nós, para que ele pudesse criar o seu personagem — baseado em mim, talvez, mas com vida e personalidade próprias.[9]

***

Levei várias vezes o elenco e a equipe de filmagem ao Beth Abraham, para captarem a atmosfera e o espírito do lugar, e especialmente para verem pacientes e pessoal do hospital que se lembrassem dos fatos de vinte anos antes. Em dado momento, convidamos todos os médicos, enfermeiras, terapeutas e assistentes sociais que haviam trabalhado com os pós-encefalíticos em 1979 para uma espécie de reunião. Alguns de nós havíamos deixado o hospital muito tempo antes, e não nos víamos fazia muitos anos, mas naquela noite de setembro passamos horas trocando lembranças sobre os pacientes, e as lembranças de cada um desencadeavam as lembranças dos outros. Percebemos mais uma vez como aquele verão fora marcante, histórico e também como os acontecimentos tinham sido engraçados e profundamente humanos. Foi uma noite de risos e lágrimas, de saudade e seriedade, ao nos olharmos e percebermos que haviam transcorrido vinte anos e quase todos aqueles pacientes extraordinários agora estavam mortos.

Quase todos, exceto um — Lillian Tighe, que mostrara tanta eloquência no documentário. Bob, Robin, Penny e eu fomos vê-la e ficamos maravilhados com a sua fibra, o seu humor, a ausência de autocomiseração, o senso de realidade. Apesar do avanço da doença e das reações imprevisíveis à L-dopa, ela conservara todo o espírito, o amor à vida, a impetuosidade.

Passei um tempo enorme no estúdio de *Tempo de despertar* durante os meses de filmagem. Mostrei aos atores como os pacientes parkinsonianos se sentavam, imóveis, com o rosto impassível, sem piscar; a cabeça às vezes para trás ou torcida para um dos lados; a boca que tendia a ficar aberta, com um pouco de saliva, talvez, escorrendo pelos lábios (acharam que babar seria difícil ou, talvez, feio demais para o filme, e então não insistimos nesse ponto). Mostrei-lhes vários tipos de vozes e ruídos dos parkinsonianos, bem como a caligrafia. Recomendei que se imaginassem encerrados num espaço pequeno ou presos num barril de cola.

Praticamos cinesia paradoxal — a súbita libertação do parkinsonismo com a música ou com reações espontâneas como apanhar uma bola (os atores adoravam praticar com Robin, que, ao nosso ver, teria dado um grande jogador, se não fosse ator). Praticamos catatonia e jogos de cartas para pós-encefalíticos: quatro pacientes sentavam totalmente imóveis, segurando as cartas na mão, até que alguém (talvez uma enfermeira) fazia um gesto inicial, que precipitava uma correria tremenda; o jogo, paralisado no começo, agora terminava em poucos segundos (eu vira e filmara um jogo desses em 1969). A coisa mais próxima desses estados convulsivos e acelerados é a síndrome de Tourette, e assim levei vários jovens com Tourette ao estúdio. Esses exercícios quase zen — ficar imóvel, esvaziar-se ou acelerar-se, às vezes por horas a fio — fascinavam e ao mesmo tempo amedrontavam os atores. Eles começavam a sentir com assustadora nitidez como realmente seria viver sempre preso daquela maneira.

Pode um ator com uma fisiologia e um sistema nervoso de funcionamento normal "tornar-se" alguém com comportamento, experiência e sistema nervoso profundamente anormal? Numa ocasião, Bob e Robin estavam representando uma cena em que o médico testa os reflexos posturais do paciente (os quais podem estar ausentes ou gravemente prejudicados no parkinsonismo). Tomei o lugar de Robin por um momento para mostrar como se faz esse teste: ficamos atrás do paciente e o puxamos muito de leve para trás (uma pessoa normal se adapta ao movimento, mas um parkinsoniano ou um pós-encefalítico pode cair para trás como um pino de boliche). Ao fazer a demonstração em Bob, ele caiu para trás em cima de mim, completamente inerte e passivo, sem nenhum sinal de reação reflexa. Aturdido, empurrei-o com delicadeza para a frente, na posição ereta, mas então ele começou a cair de frente; eu não conseguia equilibrá-lo. Senti perplexidade misturada com pânico. Por um instante, pensei que ocorrera de súbito uma catástrofe neurológica e que ele de fato perdera todos os seus reflexos posturais. Atuar assim, pensei, realmente altera o sistema nervoso?

No dia seguinte, eu o acompanhei até o camarim antes que começasse a filmagem do dia e, enquanto conversávamos, notei que seu pé direito estava virado para dentro no mesmíssimo encurvamento distônico em que ficava quando ele interpretava Leonard L. na filmagem. Comentei o fato e Bob pareceu um tanto surpreso. "Não percebi", disse ele. "Acho que é inconsciente." Às vezes ele continuava no personagem por horas ou dias seguidos; no jantar, fazia comentários próprios de Leonard, como se ainda trouxesse em si resquícios da mente e da personalidade de Leonard.

Chegamos a fevereiro de 1990 exaustos: tinham sido quatro meses de filmagem, sem falar dos meses de pesquisa anteriores. Mas um fato entusiasmou a todos nós: Lillian Tighe, a última sobrevivente pós-encefalítica no Beth Abraham, foi visitar o estúdio, onde faria uma cena com Bob, como ela mesma. O que iria pensar daqueles falsos pós-encefalíticos ao seu redor? Os atores se mostrariam à altura? Quando ela entrou, espalhou-se uma espécie de medo e reverência no estúdio; todos a reconheceram pelo documentário.

Naquela noite, escrevi no meu diário:

> Por mais que os atores mergulhem, se identifiquem, eles estão apenas interpretando um paciente; Lillian tem de sê-lo pelo resto da vida. Eles podem sair do papel; ela, não. Como se sentirá a respeito isso? (Como me sinto com Robin me interpretando? Um papel temporário para ele, mas permanente para mim.)
>
> Quando Bob aparece na cadeira de rodas e adota a postura imóvel, distônica, de Leonard L., Lillian T., também imóvel, lança um olhar alerta e crítico. Como Bob, fingindo-se imóvel, se sente a respeito Lillian, a menos de um metro de distância, que o é realmente? E como ela, que o é realmente, se sente em relação a ele, que está encenando? Ela apenas me deu uma piscadela e levantou o polegar num gesto quase imperceptível, significando: "Aprovado — ele *pegou* a coisa! Ele sabe mesmo como é".

VIAGENS

Um dia, meu pai havia pensado em seguir carreira na neurologia, mas então concluiu que a clínica geral seria "mais real", "mais divertida", porque o poria em contato mais profundo com as pessoas e suas vidas.

Ele preservou até o final esse profundo interesse humano: quando chegou aos noventa anos, David e eu insistimos que se aposentasse — ou, pelo menos, parasse de visitar os clientes nas suas casas. Ele respondeu que o atendimento em casa era "o coração" da clínica médica e que seria a última coisa que deixaria de fazer. Dos noventa até quase os 94 anos, ele contratava um carro com motorista para o dia, e continuou a fazer suas visitas.

Havia famílias que ele tratava há várias gerações, e às vezes surpreendia um paciente jovem dizendo: "O seu bisavô teve um problema muito parecido em 1919". Conhecia o lado humano e interior tanto quanto o físico dos pacientes e considerava que não podia tratar um sem o outro. (Na verdade, muitas vezes dizia que conhecia o interior da geladeira dos pacientes tão bem quanto o interior do corpo deles.)

Além de médico, era frequente que se tornasse amigo dos pacientes. Devido a esse profundo interesse na vida completa dos seus pacientes, ele, tal como minha mãe, era um fantástico contador de histórias. As suas narrativas médicas nos encantavam quando crianças e contribuíram para que Marcus, David e eu seguíssemos os nossos pais na medicina.

Papai também tinha uma profunda paixão por música. Durante toda a vida, foi frequentador inveterado de concertos, com especial apreço pelo Wigmore Hall; levaram-no lá quando ele era jovem (ainda se chamava Bechstein Hall). Ele ia a dois ou três concertos por semana, até os últimos meses de vida. Frequentava o Wigmore Hall desde tempos imemoriais e nos anos finais de vida tornou-se, à sua maneira, tão famoso quanto alguns dos executantes.

Michael, aos 45 anos, aproximou-se mais de papai após a morte da nossa mãe, e às vezes ia com ele aos concertos, coisa que jamais fizera. Quando papai entrou na casa dos oitenta, a sua artrite foi piorando e ele ficava contente em ter a companhia de Michael, o qual, por sua vez, talvez achasse mais fácil ajudar o pai idoso e artrítico do que se sentir o filho doente e paciente dependente de um pai médico, como devia ter se sentido tantas vezes no passado.

Nos dez anos seguintes, Michael levou uma existência relativamente estável (embora fosse difícil dizê-la feliz). Encontrou-se um nível de dosagem de tranquilizante que segurava as psicoses sem causar demasiados efeitos adversos. Ele continuava a trabalhar como mensageiro (de mensagens comuns, mas também, como voltou a sentir, de mensagens misteriosas); da mesma forma, voltou a sentir prazer em andar por Londres (embora *The Daily Worker* e "tudo aquilo", como dizia, agora fossem coisas do passado). Michael tinha plena consciência da sua condição e, quando o seu ânimo baixava, dizia "Sou um condenado", embora nisso houvesse também uma ponta de messianismo: era um "condenado" no sentido de que todos os messias são predestinados. (Quando meu amigo Ren Weschler foi visitá-lo certa vez e perguntou como ele estava, Michael respondeu: "Estou em Little Ease [Pouco Conforto]". Ren ficou perplexo, e Michael teve de explicar que Little Ease era uma cela na Torre de Londres tão pequena que a pessoa não conseguia ficar em pé nem deitada, jamais conseguia encontrar uma posição confortável.)

Mas, condenado ou privilegiado, Michael sentia uma solidão cada vez maior depois da morte da nossa mãe; a nossa casa espaçosa agora estava vazia, ocupada apenas por ele e papai, vazia até de pacientes (papai transferira seu consultório para fora de casa). Michael nunca tivera nenhum amigo e as suas relações com os colegas, mesmo os de muitas décadas, eram corteses, porém nunca calorosas. O seu grande amor era nosso boxer, Butch, mas Butch estava ficando velho e artrítico e não conseguia mais acompanhar Michael.

Em 1984, o fundador da firma onde Michael trabalhara por quase 35 anos se aposentou e a empresa foi vendida para uma maior, que demitiu prontamente os funcionários antigos. Aos 56 anos, Michael se viu desempregado. Esforçou-se para adquirir novas habilidades; empenhou-se em aprender datilografia, taquigrafia e contabilidade, mas descobriu que essas habilidades tradicionais eram cada vez menos valorizadas num mundo em rápida transformação. Vencendo o embaraço — nunca havia abordado ninguém para pedir emprego —, compareceu a duas ou três entrevistas, mas foi dispensado. A essa altura, penso, ele perdeu a esperança de voltar a trabalhar. Desistiu das suas longas caminhadas e passou a fumar muito: passava horas a fio sentado na sala de estar, fumando e fitando o espaço vazio; era assim que eu costumava encontrá-lo quando estive em Londres em meados e no final dos anos 1980. Pela primeira vez na vida, ou pelo menos foi a primeira vez que ele admitiu, Michael começou a ouvir vozes. Contou-me que esses "DJS" (ele pronunciava como "Die-Jays"), usando um tipo de ondas de rádio sobrenaturais, eram capazes de monitorar os seus pensamentos, de levá-los ao ar e de infiltrar seus próprios pensamentos durante a transmissão.

Nessa altura, Michael disse que queria um clínico geral próprio, não o nosso pai, que sempre atuara como seu médico. Vendo que Michael parecia muito magro e pálido, e não apenas "descompensado", o novo médico fez alguns exames simples e descobriu que ele estava com anemia e hipotireoidismo. Tendo receitado tiroxina, ferro e vitamina B12, Michael recuperou grande parte da sua energia e em três meses os "DJS" sumiram.

***

Em 1990, papai morreu; estava com 94 anos. David e sua família em Londres tinham dado grande apoio a Michael e a papai nos seus últimos anos, mas todos nós consideramos que, para Michael, seria impossível viver sozinho no casarão da 37 Mapesbury e mesmo num apartamento só seu. Depois de muitas buscas, escolhemos uma residência própria para judeus idosos com doenças mentais, logo adiante na mesma rua, na 7 Mapesbury. Julgamos que Michael, agora em boa saúde física, teria uma estrutura de apoio, conheceria os vizinhos e teria facilidade em ir a pé à sinagoga, ao banco ou a lojas que lhe eram familiares.

David e Lili receberiam Michael nas noites de sexta-feira, para o jantar do Shabat. Liz, minha sobrinha, iria visitá-lo regularmente e verificaria todas as suas necessidades. Michael concordou com tudo isso com o máximo de boa vontade que pôde juntar e, mais tarde, gracejou sobre a sua transferência, dizendo que, nos seus setenta e poucos anos, a única viagem que fez foi do número 37 para o número 7 da Mapesbury Road. (O laço de Michael com Liz era agora o laço de família mais próximo da sua vida. Ela conseguia arrancá-lo por algum tempo das suas terríveis obsessões e às vezes riam e brincavam juntos.)

A residência, Ealon House, funcionou admiravelmente bem; proporcionou a Michael uma espécie de vida social e algumas habilidades práticas. Quando ia visitá-lo, ele me preparava uma xícara de chá ou de café no seu quarto; antes disso, nunca havia preparado sequer o próprio chá ou café. Mostrou-me a máquina de lavar e a secadora no subsolo; nunca havia cuidado da própria roupa e agora não só cuidava da sua, como também ajudava os moradores mais idosos com as deles também. E, aos poucos, ele começou a adquirir certa posição, a assumir certos papéis naquela pequena comunidade.

Ainda que agora tivesse praticamente deixado de ler ("*Não me mande mais livros!*", escreveu-me certa vez), Michael preservava os frutos de uma vida inteira de leituras e se tornou uma espécie de enciclopédia que os outros residentes podiam consultar. Ele, que passara grande parte da vida se sentindo ignorado ou neutralizado, gostou dessa sua nova posição como homem de grande conhecimento, um conselheiro sábio.

E, depois de uma vida inteira desconfiando de médicos, Michael veio a confiar em Cecil Helman, o médico extraordinário que atendia a ele e aos demais residentes.[1] Cecil e eu passamos a nos corresponder e ficamos amigos, e ele me escrevia com frequência sobre Michael. Numa carta:

> Michael está em *boa* forma atualmente. A equipe qualifica sua situação de "excelente". Ele faz o *kidush* todas as sextas à noite na Ealon House e, ao que parece, é muito bom nisso. Deu-lhe um papel quase rabínico dentro daquela pequena comunidade e acredito que isso tem sido de grande ajuda para o seu amor-próprio.

("Tenho uma Missão Sagrada, *eu acho*", escreveu-me Michael. O uso das maiúsculas em "Missão Sagrada" e o cuidadoso itálico em "eu acho" mostravam ironia ou uma ressalva bem-humorada em relação a si mesmo.)

Quando David morreu de câncer em 1992, Michael ficou profundamente abalado. "*Eu* é que devia ter morrido!", disse ele e, pela primeira vez na vida, tentou um gesto de suicídio, tomando uma garrafa inteira de um forte xarope de codeína contra tosse. (Dormiu por muito tempo, mas não aconteceu nada pior.)

Tirando isso, os últimos quinze anos da sua vida foram relativamente tranquilos. Ajudava os outros e tinha um papel, uma identidade que nunca tivera em casa; mantinha um pouco de vida social fora da Ealon House, indo passear pela vizinhança e jantando em Willesden Green (ele gostava de presunto e ovos ao jantar, em vez da comida kosher insípida servida na Ealon House). Lili e Liz, respectivamente a esposa e a filha de David, continuavam a recebê-lo nas noites de sexta. Quando eu ia a Londres, ficava num hotel próximo, agora que a casa fora vendida, e convidava Michael para o brunch dos domingos. E umas duas vezes Michael me convidou para o *seu* restaurante, desempenhando o papel de anfitrião e pagando a conta; isso lhe dava visivelmente um grande prazer.

Quando ia visitá-lo, ele sempre me pedia que levasse um sanduíche de salmão defumado e um pacote de cigarros. Eu ficava contente em levar o sanduíche — salmão defumado também era a minha comida favorita —, mas não tanto em levar os cigarros; agora ele fumava um cigarro atrás do outro, chegando quase a cem por dia (que lhe consumiam quase toda a sua renda mensal).[2]

Esse tabagismo intenso afetou a saúde de Michael, trazendo-lhe não só bronquite e tosse de fumante, mas lhe causando, o que é mais grave, aneurismas em muitas artérias das pernas. Em 2002, uma das suas artérias poplíteas ficou bloqueada, quase impedindo a circulação do sangue na parte inferior da perna, que começou a ficar fria e pálida, e sem dúvida dolorida; a dor isquêmica pode ser muito forte. Michael, porém, não se queixou e apenas quando o viram mancando é que o encaminharam a um médico. Felizmente, os cirurgiões conseguiram salvar a perna.

Embora Michael anunciasse a todos em voz alta e retumbante "Sou um condenado!", pouca emoção mostrava nos contatos sociais comuns. Mas houve uma vez em que a sua atitude fria se abrandou. Nosso sobrinho Jonathan foi visitar Michael com os seus gêmeos de dez anos de idade, e os dois garotos pularam naquele tio-avô que nunca tinham visto, enchendo-o de beijos e carinhos. Michael de início se enrijeceu, depois abrandou e então estourou numa gargalhada, abraçando os sobrinhos-netos com um calor e uma espontaneidade que não mostrava (e talvez não sentisse) fazia muitos anos. A cena foi imensamente comovente para Jonathan que, nascido nos anos 1950, nunca vira Michael "normal".

Em 2006, a outra perna de Michael sofreu um aneurisma e, de novo, ele não se queixou, embora soubesse bem dos riscos. Estava ficando mais incapacitado de modo geral e sabia que, se perdesse a perna ou a bronquite piorasse, Ealon House não teria mais condições de atendê-lo. Se isso acontecesse, teria de ser transferido para uma clínica de idosos, onde não teria nenhuma autonomia, nenhuma identidade ou função. A vida nessas condições lhe parecia sem sentido, intolerável. Pergunto-me se, neste caso, ele não preferiria morrer.

A última cena da vida de Michael transcorreu numa sala de emergência de hospital, aguardando a operação que, pensou ele, provavelmente lhe levaria a perna. Estava deitado numa maca quando se ergueu de repente num cotovelo e disse: "Vou lá fora fumar um cigarro", e caiu para trás, morto.

No segundo semestre de 1987, conheci Stephen Wiltshire, um garoto autista da Inglaterra. Fiquei assombrado com os desenhos arquitetônicos detalhadíssimos que ele começara a fazer aos seis anos de idade; bastava-lhe olhar rapidamente uma construção complexa ou mesmo um panorama urbano inteiro, por alguns segundos, e podia fazer um desenho completo e preciso de memória. Agora com treze anos, já havia publicado um livro com os seus desenhos, mas ainda continuava retraído e praticamente mudo.

Eu me perguntava o que estaria por trás dessa capacidade fantástica de Stephen em "registrar" num instante uma cena visual e reproduzi-la nos seus menores detalhes; eu me perguntava como sua mente funcionava, como ele enxergava o mundo. Acima de tudo, eu me perguntava sobre sua capacidade de sentir emoções e de se relacionar com outras pessoas. Na concepção tradicional, os autistas eram vistos como intensamente solitários, incapazes de se relacionar com os outros, incapazes de perceber os sentimentos ou pontos de vista dos outros, incapazes de humor, de brincadeiras, de espontaneidade e criatividade — meros "autômatos inteligentes", nos termos de Hans Asperger. Mas, mesmo no rápido vislumbre que tive de Stephen, ele me dera uma impressão muito mais calorosa.

Nos dois anos seguintes, passei muito tempo com Stephen e sua professora e orientadora, Margaret Hewson. Os desenhos de Stephen tinham sido publicados com grande sucesso, e ele realizou diversas viagens para desenhar edifícios do mundo inteiro. Juntos, fomos a Amsterdam, Moscou, Califórnia e Arizona.

Encontrei-me com vários especialistas em autismo, inclusive Uta Frith em Londres. Conversamos basicamente sobre Stephen e outros "sábios idiotas", mas, quando eu estava saindo, ela sugeriu que eu fosse conhecer Temple Grandin, uma cientista muito talentosa com uma forma de autismo de alto nível funcional que, naqueles dias, começava a ser chamada de síndrome de Asperger. Ela disse que Temple era brilhante, totalmente diferente das crianças autistas que eu conhecera em clínicas e hospitais; tinha doutorado em comportamento animal e escrevera uma autobiografia.[3] Estava ficando cada vez mais claro, disse Frith, que o autismo não era sinônimo de inteligência gravemente prejudicada e incapacidade de se comunicar. Alguns autistas podiam ter atrasos no desenvolvimento e certa incapacidade de entender o código social, mas eram plenamente capazes e talvez até superdotados em muitos outros aspectos.

Combinei passar um fim de semana com Temple na sua casa no Colorado. Pensei que renderia uma interessante observação adicional no artigo que estava escrevendo sobre Stephen.

Temple se empenhou em ser cortês, mas ficou claro de várias maneiras que ela pouco percebia o que podia estar passando na cabeça de outras pessoas. E enfatizou que ela mesma não pensava em termos linguísticos, mas sim em termos visuais muito concretos. Sentia uma grande empatia por gado e julgava "enxergar do ponto de vista de uma vaca". Com isso, além da sua excelência em engenharia, ela se tornara uma especialista de renome mundial em projetos de instalações mais humanitárias para bovinos e outros animais. Fiquei muito comovido com a sua inteligência evidente e a sua vontade de se comunicar, tão diferente da passividade e aparente indiferença de Stephen em relação aos outros. Quando me deu um abraço de despedida, vi que teria de escrever um longo ensaio sobre ela.

Uns quinze dias depois de ter enviado meu artigo sobre Temple ao *New Yorker*, encontrei por acaso Tina Brown, a nova editora da revista, que me disse: "Temple será uma heroína americana". Tinha razão. Temple agora é uma heroína para muitos integrantes da comunidade autista do mundo, amplamente admirada por nos obrigar a ver o autismo e o Asperger não tanto como deficiências neurológicas, mas sim como outros modos de ser, com as suas características e necessidades únicas e próprias.

Meus livros anteriores mostravam pacientes lutando para sobreviver e se adaptar (muitas vezes de maneira bastante engenhosa) a várias condições ou "deficiências" neurológicas, mas, para Temple e muitos dos outros sobre os quais escrevi em *Um antropólogo em Marte*, as suas "condições" eram fundamentais para as suas vidas e muitas vezes constituíam fonte de originalidade ou criatividade. Dei ao livro o subtítulo de "Sete histórias paradoxais", porque todos os seus personagens haviam encontrado ou criado adaptações inesperadas aos seus distúrbios, todos eles tinham, como compensação, outros talentos de vários tipos.

***

Em 1991, recebi um telefonema sobre um homem (dei-lhe o nome de Virgil quando escrevi a seu respeito em *Um antropólogo em Marte*) que ficara praticamente cego desde a infância, por catarata e lesão na retina. Agora, com cinquenta anos, estava para se casar e a noiva insistira que fizesse uma cirurgia de catarata — o que haveria a perder? A esperança é que ele pudesse começar vida nova dotado de visão.

Mas, quando retiraram as ataduras após a cirurgia, da boca de Virgil não saiu nenhuma exclamação milagrosa ("Estou enxergando!"). Parecia fitar o vazio, aturdido, sem focalizar o cirurgião à sua frente. Somente quando o cirurgião falou — dizendo: "Então?" — é que passou pelo rosto de Virgil um ar de reconhecimento. Ele sabia que as vozes vêm dos rostos e deduziu que aquele caos de luzes, sombras e movimentos devia ser o rosto do cirurgião.

A experiência de Virgil foi quase igual à de SB, um paciente descrito trinta anos antes pelo psicólogo Richard Gregory, e passei muitas horas conversando com ele sobre o caso de Virgil.

Richard e eu nos conhecêramos no escritório de Colin Haycraft em 1972, quando Colin preparava a publicação não só de *Tempo de despertar*, mas também *Illusion in Nature and Art* [A ilusão na natureza e arte], de Gregory. Era um sujeito robusto, com um palmo a mais que eu, com tal espontaneidade, exuberância, energia física e mental, junto com uma espécie de inocência e prazer por brincadeiras, que me faziam pensar num garotão de doze anos, esfuziante e brincalhão. Eu ficara encantado com os seus livros anteriores — *Eye and Brain* [Visão e cérebro] e *The Intelligent Eye* [O olho inteligente], que mostravam a desenvolta e prazenteira operação de um intelecto vigoroso e apaixonado, com um típico amálgama de humor e profundidade. Era possível identificar uma frase de Gregory com a facilidade com que reconhecemos um compasso de Brahms.

Nós dois tínhamos um interesse especial pelo sistema visual do cérebro e como nossa capacidade de reconhecimento visual podia ser afetada por lesões ou doenças ou enganada por ilusões visuais.[4] Ele tinha a forte impressão de que as percepções não eram meras reproduções de dados sensoriais recebidos dos olhos ou dos ouvidos, mas tinham de ser "construídas" pelo cérebro, construção esta que envolvia a colaboração de vários subsistemas cerebrais e era constantemente moldada pela memória, pela probabilidade e pelas expectativas.

Durante uma longa carreira produtiva, Richard mostrou que as ilusões visuais ofereciam uma maneira importante de entender todos os tipos de funções neurológicas. O jogo tinha um papel central para ele, tanto como jogo intelectual (ele era um constante trocadilhista) quanto como método científico. Ele considerava que o cérebro jogava com ideias, que o que chamamos de percepções eram, na verdade, "hipóteses perceptuais" que o cérebro construía e jogava com elas.

Quando eu morava em City Island, muitas vezes levantava no meio da noite e ia andar de bicicleta pelas ruas vazias, e uma noite observei um fenômeno estranho: se eu olhasse os raios da roda da frente enquanto girava, havia um momento em que eles apareciam imóveis, como numa imagem congelada. Aquilo me fascinou e liguei imediatamente para Richard, esquecendo que devia ser de manhã muito cedo na Inglaterra. Mas ele não levou a mal e me apresentou três hipóteses ali na hora. Seria o "congelamento" um efeito estroboscópico causado pela oscilação de corrente do meu dínamo? Seria um efeito dos movimentos sacádicos constantes dos meus olhos? Ou isso indicaria que o cérebro de fato "construía" uma sensação de movimento a partir de uma série de "imagens congeladas"?[5]

Nós dois tínhamos paixão pela visão estereoscópica; Richard às vezes enviava cartões de Natal em estéreo para os amigos, e a sua casa em Bristol, que parecia um museu, era cheia de estereoscópios antigos, junto com outros velhos instrumentos ópticos de todos os tipos. Consultei-o diversas vezes enquanto escrevia sobre Susan Barry ("Sue Estéreo"), que desde cedo mostrava cegueira estéreo, mas mesmo assim adquirira visão estéreo aos cinquenta anos. Era uma ocorrência considerada impossível, sendo a opinião corrente que havia apenas um curto período crucial para a experiência estéreo na primeira infância e, se não se obtivesse visão estéreo aos dois ou três anos de idade, depois seria tarde demais.

E então, na esteira de Sue Estéreo, comecei a perder uma parte da visão de um dos olhos, vindo depois a perdê-la totalmente. Escrevia a Richard sobre as coisas às vezes assustadoras que estavam acontecendo com a minha vista e comentava que, depois de uma vida inteira enxergando o mundo numa rica e bela profundidade estéreo, agora eu o enxergava tão achatado e desnorteante que às vezes parecia perder os próprios conceitos de distância e profundidade. Richard tinha uma paciência infinita com as minhas inquietações, e as suas sacações eram inestimáveis. Eu sentia que era ele, mais do que ninguém, quem me ajudava a entender a experiência pela qual estava passando.

No começo de 1993, Kate me estendeu o telefone e disse: "É John Steele, ligando de Guam".

Guam? Eu nunca tinha recebido uma ligação de Guam. Nem sabia direito onde ficava. Vinte anos antes, mantivera uma breve correspondência com um certo John Steele, neurologista de Toronto coautor de um artigo sobre alucinações infantis ligadas à enxaqueca. Aquele John Steele era conhecido por ter identificado a síndrome Steele-Richard-Olszewski, uma doença cerebral degenerativa que agora era chamada de paralisia supranuclear progressiva. Peguei o telefone e, afinal, era o mesmo John Steele. Contou que havia mudado para a Micronésia, morando primeiro em algumas das ilhas Carolinas e agora em Guam. Por que estava ligando? Disse que havia uma doença extraordinária chamada *lytico-bodig*, endêmica entre a população chamorro nativa de Guam. Muitos tinham sintomas extremamente parecidos com os que eu descrevera e filmara nos meus pacientes pós-encefalíticos. Como agora eu era uma das pouquíssimas pessoas que tinham visto tais pós-encefalíticos, John perguntou se eu poderia examinar alguns dos seus pacientes e lhe dar minha opinião.

Lembrei que tinha ouvido falar da doença de Guam na época da minha residência; era às vezes tida como a Pedra de Roseta das doenças neurodegenerativas, pois seus portadores frequentemente mostravam sintomas como os do mal de Parkinson, da ELA (esclerose lateral amiotrófica) ou da demência, e talvez pudesse lançar alguma luz sobre todas elas. Durante décadas, vários neurologistas tinham ido a Guam, tentando descobrir a causa da doença, mas a maioria desistira.

Cheguei a Guam algumas semanas depois, e John, figura que se reconhecia na mesma hora, me recebeu no aeroporto. Fazia um calor sufocante, e todo mundo usava camisas e bermudas coloridas, exceto John, trajando garbosamente um terno tropical, gravata e chapéu de palha. "Oliver!", ele exclamou. "Que bom que você veio!"

Enquanto seguíamos no seu conversível vermelho, John discorreu sobre a história de Guam; também apontou para as fileiras de cicadáceas, uma espécie vegetal muito primitiva, semelhante à palmeira, que outrora cobria toda a área de Guam; ele sabia que eu me interessava por cicadáceas e outras plantas primitivas. Na verdade, pelo telefone ele sugerira que eu fosse a Guam como "neurologista cicadológico" ou como "cicadologista neurológico", pois muitos pensavam que o responsável pela estranha doença local era uma farinha obtida das sementes dessas cicadáceas, utilizada na alimentação dos chamorros.

Nos dias seguintes, acompanhei John nas suas visitas às casas dos pacientes. Isso me fez lembrar de quando eu, menino, ia com meu pai nas suas visitas domésticas. Conheci vários pacientes de John e, de fato, alguns me relembraram os pacientes do *Tempo de despertar*. Decidi que voltaria a Guam para uma visita mais demorada — dessa vez com câmera, para filmar alguns desses pacientes únicos.

A visita a Guam também foi muito importante no plano humano. Enquanto os pacientes pós-encefalíticos tinham sido postos de lado durante décadas, vivendo num hospital, com frequência abandonados pela família, em Guam as pessoas com *lytico-bodig* se mantinham como parte da família, parte da comunidade, até o fim. Isso me mostrou claramente a barbárie da nossa medicina e dos costumes do nosso mundo "civilizado", onde afastamos e tentamos esquecer os doentes ou os dementes.

***

Um dia em Guam, comecei a falar com John sobre outro interesse meu, o daltonismo, tema que me atraíra profundamente por muitos anos. Pouco tempo antes, eu conhecera um pintor, sr. I., que de repente havia perdido a capacidade de perceber cores, depois de uma vida inteira enxergando colorido. Ele sabia o que estava perdendo, mas, se alguém *nascesse* sem a capacidade de enxergar cores, não teria ideia do que era uma cor. As pessoas "daltônicas", na sua maioria, têm na verdade apenas uma deficiência cromática: têm dificuldade em diferenciar algumas cores, porém enxergam nitidamente outras. Mas a incapacidade de enxergar qualquer cor, o daltonismo congênito total, é extremamente rara; afeta cerca de uma pessoa em 30 mil. Como as pessoas com tal condição se dariam num mundo que, para as demais, bem como para aves e mamíferos, é cheio de cores sugestivas e informativas? Será que tais acromatópsicos, assim como os surdos, desenvolvem habilidades e estratégias especiais como compensação? Podem criar, tal qual os surdos, toda uma cultura e comunidade?

Comentei com John que tinha ouvido um comentário — uma lenda romântica, talvez — sobre um remoto vale povoado apenas por pessoas com daltonismo total. John disse: "Sim, conheço o lugar. Não é exatamente um vale, mas é muito isolado, um minúsculo atol de coral relativamente próximo de Guam — apenas uns 2 mil quilômetros de distância". A ilha, Pingelap, ficava perto de Pohnpei, uma ilha vulcânica maior onde John trabalhara durante alguns anos. Contou que atendera alguns pacientes pingelapenses em Pohnpei e, pelo que sabia, cerca de dez por cento da população de Pingelap era daltônica total.

***

Alguns meses depois, Chris Rawlence, que escrevera o libreto para a ópera de Michael Nyman sobre *O homem que confundiu sua mulher com um chapéu*, propôs fazermos uma série de documentários para a BBC.[6] E assim voltamos à Micronésia em 1994, acompanhados pelo meu amigo oftalmologista, Bob Wasserman, e por Knut Nordby, psicólogo norueguês que era daltônico total. Chris e sua equipe providenciaram um aviãozinho precário para nos levar a Pingelap, e Bob, Knut e eu imergimos na história e na vida cultural absolutamente extraordinária dessas ilhas. Examinamos pacientes e conversamos com médicos, botânicos e cientistas; andamos por florestas tropicais; mergulhamos nos recifes; provamos uma bebida inebriante, o *sakau*.

Foi apenas no verão de 1995 que parei e sentei para escrever sobre essas experiências na ilha, e na verdade concebi o livro como duas narrativas de viagem: "A ilha dos daltônicos", sobre Pingelap, junto com "A ilha das cicadáceas", sobre a estranha doença de Guam. (Acrescentei a ambas uma espécie de desfecho sobre o tempo geológico profundo e as minhas plantas antigas favoritas, as cicadáceas.)

Senti-me em liberdade para explorar, além dos temas neurológicos, muitos outros não neurológicos, e o livro incluía mais de sessenta páginas de notas, várias delas constituindo breves ensaios sobre botânica, matemática ou história. Assim, *A ilha dos daltônicos* era diferente de qualquer livro anterior meu: mais lírico, mais pessoal. Em certos aspectos, continua a ser o meu livro favorito.

O ano de 1993 não só trouxe o início de novas aventuras e viagens pela Micronésia e outros lugares, mas também me lançou a outra jornada, uma viagem mental pelo tempo, relembrando e revisitando na memória algumas paixões dos meus primeiros anos.

Bob Silvers me perguntou se eu podia fazer a resenha de uma nova biografia de Humphry Davy. Fiquei entusiasmado, pois Davy era um dos meus ídolos quando menino; adorava ler sobre as suas experiências químicas no começo do século XIX e reproduzi-las no meu pequeno laboratório pessoal. Voltei a mergulhar na história da química e conheci o químico Roald Hoffmann.

Alguns anos depois, Roald, sabendo da minha paixão de infância pela química, enviou-me um embrulho com a tabela periódica impressa num grande cartaz, com fotos de cada elemento, um catálogo químico e uma barrinha de metal acinzentado muito denso que identifiquei na hora como tungstênio. Como decerto previra Roald, isso me despertou instantaneamente as lembranças do meu tio, que tinha uma fábrica que produzia barras de tungstênio e fazia lâmpadas com filamentos de tungstênio. Aquela barra de tungstênio foi a minha *madeleine*.

Comecei escrevendo sobre a minha meninice, a infância na Inglaterra antes da Segunda Guerra Mundial, o exílio num internato sádico durante a guerra e a descoberta da solidez na minha paixão pelos números e, mais tarde, pelos elementos e pela beleza das equações que podiam representar qualquer reação química. Era um livro de uma espécie nova para mim, reunindo memórias e um tipo de história da química. No final de 1999, já havia escrito muitas centenas de milhares de palavras, mas sentia que o livro ainda não ganhara unidade.

***

Eu me deliciava com os diários de história natural do século XIX, todos eles consistindo numa mescla de pessoal e científico — em particular, *Viagem ao arquipélago malaio*, de Wallace, *Um naturalista no rio Amazonas*, de Bates, e *Notas de um botânico no Amazonas e nos Andes*, de Spruce, e a obra que inspirou a todos eles (e a Darwin também), a *Personal Narrative*, de Alexander von Humboldt. Agradava-me pensar que Wallace, Bates e Spruce estiveram se cruzando, se revezando no mesmo trecho do Amazonas durante os mesmíssimos meses de 1849, e que todos eram bons amigos. (Mantiveram correspondência durante toda a vida, e Wallace veio a publicar as *Notas* de Spruce postumamente.)

Todos eles eram, em certo sentido, diletantes — autodidatas, movidos por iniciativa própria, sem pertencer a nenhuma instituição — e viviam, como me parecia às vezes, num mundo idílico, numa espécie de Éden, ainda sem as turbulências, sem as perturbações causadas pelas rivalidades quase mortíferas que logo marcariam um mundo cada vez mais profissionalizado (aqueles tipos de rivalidades retratados com tanta vividez por H. G. Wells no seu conto "The Moth" [A mariposa]).

Essa atmosfera afável, intacta, pré-profissional, regida por um espírito de aventura e por um sentimento de assombro perante a natureza, mais do que pelo egoísmo e pelo desejo de fama e prioridade, ainda sobrevive aqui e ali, creio, em certas sociedades de história natural, cuja existência discreta, mas essencial, é praticamente desconhecida do público. Uma delas é a Sociedade Americana de Samambaias, que realiza reuniões mensais e de vez em quando organiza excursões em campo — "buscas de samambaias" — de vários tipos.

Em janeiro de 2000, ainda me debatendo para completar *O tio Tungstênio*, saí numa excursão com cerca de vinte integrantes da sociedade de samambaias com destino a Oaxaca, que contava com mais de setecentos tipos de samambaias cadastradas. Eu não planejara manter um diário detalhado, mas era tão grande o espírito de aventura e tão rica a experiência que escrevi quase sem parar durante os dez dias da viagem.[7]

O bloqueio que estava sentindo com *O tio Tungstênio* se desfez de súbito em plena cidade de Oaxaca, quando tomei a condução na praça da cidade para voltar ao hotel. No ônibus, à minha frente estava sentado um casal, um homem fumando charuto e a sua esposa, que conversavam em alemão suíço. Essa junção entre ônibus e língua me levou de volta a 1946, como escrevi no *Diário de Oaxaca*:

> A guerra recém-terminada, meus pais decidiram visitar o único país "intacto" da Europa, a Suíça. O Schweizerhof de Lucerna tinha uma berlinda elétrica alta que rodava com elegância e silêncio desde que fora construída, quarenta anos antes. Ocorre-me uma súbita recordação, ao mesmo tempo doce e dolorosa, de mim aos treze anos, entrando na adolescência.

O frescor e nitidez de todas as minhas percepções na época. E meus pais — jovens, vigorosos, recém-entrados na casa dos cinquenta.*

Quando retornei a Nova York, as lembranças da meninice continuaram a voltar, e dei andamento ao resto do *Tio Tungstênio*, o lado pessoal parecendo se entrelaçar com o histórico e o químico — e assim nasceu esse híbrido, com duas histórias e duas vozes muito diferentes amalgamadas de alguma maneira.

Outra pessoa que também sentia esse mesmo amor profundo pela história natural e pela história da ciência era Stephen Jay Gould.

Eu lera o seu *Ontogeny and Phylogeny* [Ontogenia e filogenia] e muitos dos seus artigos mensais na revista *Natural History*. Gostava especialmente do livro *Vida maravilhosa*, de 1989, que transmitia uma impressão vigorosa da pura sorte — ou azar — que pode recair sobre qualquer espécie de planta ou animal e do papel enorme que o acaso desempenha na evolução. Como escreveu ele, se pudéssemos "repercorrer" a evolução, a cada vez ela se mostraria totalmente diferente. O *Homo sapiens* deriva de uma combinação específica de contingências que acabou resultando em nós. Foi, diz ele, um "glorioso acaso".

A concepção de evolução de Gould me entusiasmou tanto que quando um jornal da Inglaterra me perguntou qual o livro que eu mais apreciara em 1990, escolhi *Vida maravilhosa*, que apresentava vividamente a assombrosa variedade de formas de vida surgidas na "explosão cambriana", há mais de 500 milhões de anos (que estavam magnificamente preservadas nos Xistos de Burgess, nas montanhas Rochosas canadenses), e a enorme quantidade dessas formas de vida que sucumbiu à concorrência, às catástrofes ou ao mero azar.

Steve viu essa pequena resenha do livro e me enviou um exemplar com uma generosa dedicatória, apresentando-o como

---

* *Diário de Oaxaca*. Trad. Laura Teixeira Motta. São Paulo: Companhia das Letras, 2002.

"a versão geológica" do tipo de contingência, de imprevisibilidade intrínseca que eu descrevera nos meus pacientes pós-encefalíticos. Agradeci e ele respondeu com uma carta que transbordava com a energia, a exuberância e o estilo que lhe são próprios. Começava assim:

> Prezado dr. Sacks,
>
> Fiquei emocionado ao receber sua carta. É improvável que exista um prazer maior na vida do que saber que um herói intelectual nosso aprecia, por sua vez, o nosso próprio trabalho. De fato penso que, em algum sentido coletivo, mas obviamente sem nenhum contato, vários de nós trabalhamos para um objetivo comum, fundado numa teoria da contingência. O seu trabalho nos estudos de caso sem dúvida acompanha Edelman na neurologia, teoria do caos em geral, McPherson sobre a Guerra Civil e meu próprio material sobre a história da vida. É claro que não há nenhuma novidade na contingência *per se*. Todavia, o tema em geral é visto como algo exterior à ciência ("simplesmente história") ou, ainda pior, como representante ou mesmo ponto de convergência de um espiritualismo não científico. A questão não é destacar a contingência, mas identificá-la como ponto central de uma ciência genuína baseada na irredutibilidade do individual, não como algo que se contrapõe à ciência, mas como uma perspectiva do que chamamos de lei natural e, portanto, como um dado primário da própria ciência.

Depois de abordar vários outros tópicos, ele concluiu:

> Engraçado como, na hora em que entramos em contato com uma pessoa que faz anos que queremos conhecer, começamos a ver por toda parte coisas que temos vontade de discutir com essa pessoa.
> Cordialmente,
>
> Stephen Jay Gould

Só viemos a nos conhecer pessoalmente uns dois anos depois, quando um jornalista de televisão da Holanda nos convidou para uma série de entrevistas. Quando o produtor perguntou se eu conhecia Steve, respondi: "Nunca o encontrei, embora troquemos correspondência. Mas, mesmo assim, considero-o um irmão".

Steve, pelo seu lado, havia escrito ao produtor: "Tenho uma vontade enorme de conhecer Oliver Sacks. Vejo-o como um irmão, mas nunca nos encontramos".

Éramos seis ao todo — Freeman Dyson, Stephen Toulmin, Daniel Dennett, Rupert Sheldrake, Steve e eu. Fomos entrevistados separadamente e então, alguns meses depois, fomos a Amsterdam, onde ficamos hospedados em hotéis distintos. Nenhum de nós conhecia os outros, e havia a expectativa de alguma explosão maravilhosa (e talvez violenta) quando nos encontrássemos. O programa de tevê, chamado *Um glorioso acaso*, com treze horas de duração, teve uma enorme audiência na Holanda, e a transcrição do programa em livro foi um sucesso de vendas.

A reação de Steve ao programa foi tipicamente galhofeira. Escreveu: "Estou surpreso em ver que a nossa série holandesa foi tão bem recebida. Claro que gostei demais de conhecer todos vocês, mas duvido que eu sentisse vontade de passar horas na frente de um aparelho de tevê assistindo a uma conversa dessas entre um bando de caras que, nesses dias politicamente corretos, são tidos como machos europeus brancos ultrapassados".

Steve lecionava em Harvard, mas morava no centro de Nova York, de forma que éramos vizinhos. Quantas facetas, quantas paixões tinha Steve! Ele adorava andar e tinha um enorme conhecimento arquitetônico de Nova York e da paisagem urbana de cem anos atrás. (Apenas alguém com tamanha sensibilidade à arquitetura empregaria os tímpanos de arco como metáfora evolutiva.) Era extremamente musical: cantava num coro em Boston e adorava Gilbert e Sullivan; creio que ele conhecia todo o Gilbert e Sullivan de cor. Certa vez, quando fomos visitar um amigo em Long Island, Steve passou três horas na piscina de água quente, cantando Gilbert e Sullivan sem se repetir uma só vez. Também conhecia uma quantidade fabulosa de canções da época das duas guerras mundiais.

Steve e sua esposa Rhonda eram amigos muito generosos e adoravam dar festas de aniversário. Steve fazia um bolo de aniversário usando uma receita materna e sempre escrevia um poema para recitar. Ele era muito bom nisso; um ano, apresentou uma versão incrível de "Jaguadarte", e em outra festa recitou este:

PELO ANIVERSÁRIO DE OLIVER, 1997

Esse cara, que está apaixonado por uma palmeira
E antes podia estar numa propaganda motoqueira,
Rei do multidiversário,
Viva! Feliz aniversário!
Deixa o velho Freud comendo poeira.

Com enxaqueca, daltônico, perna mancando
Com a cabeça no chapéu, em Marte despertando
Oliver Sacks
Ainda tem uma vida máxi
E deixa os golfinhos para trás ao sair nadando.

Em outro aniversário, sabendo que eu adorava a tabela periódica, Steve e Rhonda pediram a todos os convidados que se fantasiassem de determinado elemento. Sou muito ruim com nomes e rostos, mas nunca esqueço um elemento. (Havia um homem que foi à festa com a minha velha amiga Carol Burnett. Não lembro o nome dele, não lembro o rosto dele, mas vou lembrá-lo sempre como argônio.) Steve era o xenônio, elemento 54, outro gás nobre.

***

Eu devorava os artigos mensais de Steve em *Natural History* e lhe escrevia com frequência sobre os assuntos abordados. Discutíamos sobre tudo, desde o papel da contingência nas reações dos pacientes ao nosso amor por museus (principalmente do tipo antigo com armários de prateleiras e gavetas; ambos viemos a público para defender a preservação do maravilhoso Mütter Museum na Filadélfia).

Eu também tinha uma vontade enorme, que remontava aos meus dias de biologia marinha, de conhecer melhor os comportamentos e sistemas nervosos mais primitivos, e aqui Steve foi uma influência importante na minha vida, alguém que me lembrava incessantemente que nada na biologia faz sentido a não ser à luz da evolução e do acaso, da contingência. Ele situava tudo no contexto do tempo evolutivo profundo.

A pesquisa de Steve se concentrava na evolução dos caracóis de terra nas Bermudas e nas Antilhas Holandesas, e para ele o vasto mundo dos invertebrados ilustrava, ainda melhor do que o mundo dos vertebrados, todo o leque de inventividade e engenhosidade da natureza a fim de encontrar novos usos para os mais variados tipos de estruturas e mecanismos que tinham evoluído desde cedo — é o que ele chamava de "exaptação". Assim, nós dois tínhamos esse gosto pelas formas de vida "inferiores".

Em 1993, escrevi a Steve sobre as maneiras de reunir o particular e o geral — no meu caso, as narrativas clínicas e a neurociência —, e ele respondeu: "Faz tempo que vivo exatamente essa mesma tensão, procurando atender com os meus ensaios ao meu prazer pelas coisas individuais e atender com os meus textos mais técnicos ao meu interesse pela generalidade. Gostei tanto do trabalho sobre os Xistos de Shale justamente porque me permitiu integrar os dois".

Steve foi muito gentil em ler o meu manuscrito de *A ilha dos daltônicos*, e a sua leitura foi muito cuidadosa, poupando-me uma série de asneiras.

Por fim, tínhamos também um interesse comum pelo autismo; como ele me escreveu: "As minhas razões de respeito são, em parte, pessoais. Tenho um filho autista, que é um dos grandes calculadores de dias e datas — instantaneamente, ao longo de milhares de anos. O seu artigo sobre os gêmeos calculadores é o ensaio mais comovente que já li na vida".

Ele escrevera de forma muito tocante sobre o seu filho Jesse num ensaio posteriormente publicado em *O milênio em questão*:

> Os humanos são, pronunciadamente, seres contadores de histórias. Organizamos o mundo como um conjunto de histórias. Como então alguém assim poderia entender o sentido de um ambiente tão confuso, se não consegue compreender histórias ou inferir intenções alheias? Nos anais do heroísmo humano, não conheço tema tão enobrecedor quanto as compensações que as pessoas descobrem e implementam quando os infortúnios da vida as privam dos atributos básicos de nossa natureza comum.*

---

* *O milênio em questão*. Trad. Samuel Titan Jr. São Paulo: Companhia das Letras, 1999. (N. E.)

Antes que eu o conhecesse, Steve havia travado uma batalha contra a morte, por volta dos quarenta anos. Tinha um tumor maligno muito raro — um mesotelioma —, mas estava decidido a vencer as probabilidades e sobreviver a esse câncer especialmente fatal. Foi um dos afortunados, com o auxílio da radiação e da quimioterapia. Sempre tinha sido um indivíduo de energia excepcional, mas, depois dessa experiência de enfrentamento com a morte, sua energia aumentou mais do que nunca. Não havia um minuto a perder; quem sabia o que poderia acontecer logo a seguir?

Vinte anos depois, aos sessenta anos, Steve desenvolveu um câncer aparentemente dissociado — um câncer do pulmão que se espalhou para o fígado e o cérebro. Mas a única concessão que ele fez à doença foi passar a dar aulas sentado, em vez de ficar em pé. Estava resolvido a concluir o seu *magnum opus*, *A estrutura da teoria evolutiva*, que saiu na primavera de 2002, no 25º aniversário de publicação de *Ontogeny and Phylogeny*.

Poucos meses depois, logo após sua última aula em Harvard, Steve entrou em coma e morreu. Foi como se ele tivesse perseverado pela pura força de vontade e então, depois de concluir seu último semestre de curso, depois de ver publicado seu último livro, estivesse pronto para partir. Morreu em casa, na sua biblioteca, rodeado pelos livros que amava.

Em um trem.

No Blue Mountain Center, em 2010.

Visitando pacientes no Beth Abraham, c. 1988.

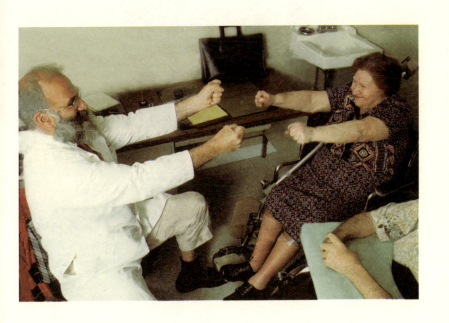

Com Peter Brook e nosso amigo Shane Fistell, portador da síndrome de Tourette, em 1995.

Com Temple Grandin, em 1994.

Com Robin Williams no set de Tempo de despertar, *em 1989.*

Roger Hanlon e eu compartilhamos a mesma paixão por lulas, moluscos e outros cefalópodes.

Um retrato do documentário Tempo de despertar, *de 1974.*

Pendurei um cartaz em minha casa de City Island para que eu me lembrasse de não aceitar convites, reservando, assim, tempo para escrever.

Com meus três irmãos, David, Marcus e Michael, nas bodas de ouro de nossos pais, em 1972.

Com meu pai na casa 37 da rua Mapesbury em seu 92º aniversário, em 1987.

Em Florença, onde eu tive um jantar revelador com Gerald M. Edelman, em 1988.

Conversando com Edelman em outra conferência alguns anos mais tarde, em Bolonha.

Trabalhando com as Irmãzinhas dos Pobres, em 1995.

Ralph Siegel, Bob Wasserman, Semir Zeki e eu apresentando um pôster sobre um pintor daltônico no encontro anual da Society for Neuroscience de 1992.

Passeando com meu amigo mais antigo, Eric Korn, no caminho de areia criado por Darwin na área externa da Down House, em 2010.

Visitando Jonathan Miller em sua casa em Londres, em 1987.

Com Kate Edgar, minha assistente e colaboradora por mais de trinta anos, em 1995.

Com Ralph Siegel no Platypusary, próximo a Melborne.

Sou mais feliz na água que em terra mergulhando e caminhando na praia em Curaçau.

Com equipamento de mergulho.

Mergulhando no lago Tahoe.

Recebendo da rainha Elizabeth o título de Cavaleiro da Ordem do Império Britânico.

Em frente à minha cicadácea preferida no Hortus Botanicus, em Amsterdam, em 2014.

Com Billy Hayes, em 2014.

Escrevendo em meu diário em Machu Picchu, em 2006.

UMA NOVA VISÃO DA MENTE

No começo de março de 1986, logo após o lançamento do *Chapéu*, recebi uma carta do sr. I., um artista de Long Island. Ele escrevia:

> Sou um artista consideravelmente bem-sucedido que acaba de passar dos 65 anos. No dia 2 de janeiro deste ano eu ia dirigindo meu carro quando levei uma trombada de um pequeno caminhão, do lado do passageiro. Durante a consulta no ambulatório de um hospital local, me disseram que eu tinha sofrido uma concussão. Durante o exame da vista, descobriram que eu não conseguia distinguir letras ou cores. As letras pareciam caracteres gregos. Minha visão era tal que tudo me parecia visto da tela de um televisor em preto e branco. Depois de alguns dias, passei a distinguir letras e fiquei com uma visão de águia — consigo ver uma minhoca se contorcendo a uma quadra de distância. A precisão do foco é inacreditável. MAS ESTOU COMPLETAMENTE DALTÔNICO. Procurei oftalmologistas que nada sabem sobre esse daltonismo. Procurei neurologistas — inutilmente. Mesmo sob hipnose, continuo sem conseguir distinguir as cores. Passei por todo tipo de exame. Todos os que você conseguir imaginar. Meu cachorro marrom é cinza-escuro. Suco de tomate é preto. TV em cores é uma mixórdia...*

O sr. I. se queixava de que o mundo em branco e preto, lúgubre e "plúmbeo", onde agora vivia, deixava as pessoas horrorosas e a pintura impossível. Será que eu já vira uma condição dessas antes? Podia descobrir o que havia acontecido? Podia ajudá-lo?

---

* *Um antropólogo em Marte: Sete histórias paradoxais.* Trad. Bernardo Carvalho. São Paulo: Companhia das Letras, 1995.

Respondi que já tinha ouvido falar, mas nunca vira pessoalmente esses casos de acromatopsia adquirida. Não sabia se podia ajudar, mas convidei o sr. I. a vir conversar comigo.

O sr. I. ficara daltônico depois de 65 anos de visão cromática normal — totalmente daltônico, como "se estivesse diante da tela de um televisor em branco e preto". O caráter repentino da ocorrência era incompatível com todas as lentas deteriorações que podem afetar as células cônicas da retina e indicava um problema num nível muito mais elevado, naquelas partes do cérebro especializadas na percepção das cores.

Além disso, ficou evidente que o sr. I. perdera não só a capacidade de enxergar cores, mas também de *imaginá-las*. Agora sonhava em branco e preto, e mesmo as suas auras de enxaqueca eram despidas de cor.

Alguns meses antes, eu estivera em Londres para o lançamento do *Chapéu*, e um colega me convidou para ir com ele a uma conferência no National Hospital em Queen Square. "Semir Zeki vai falar", disse o meu colega. "Ele é o grande bambambã em percepção cromática."

Zeki andara fazendo uma investigação neurofisiológica da percepção de cores, com registros a partir de eletrodos inseridos no córtex visual de macacos, e havia provado a existência de uma área exclusiva (V4) responsável pela construção da cor. Segundo ele, parecia existir uma área análoga no cérebro humano. Fiquei fascinado com a apresentação de Zeki, sobretudo por empregar a palavra "construção" em relação à percepção cromática.

Toda uma nova maneira de pensar parecia irradiar do trabalho de Zeki, e me fez refletir sobre a possível base neural da consciência de uma forma que jamais me ocorrera — e perceber que, com as nossas novas capacidades de criar imagens do cérebro e os nossos novos meios de registrar a atividade dos neurônios individuais em cérebros vivos e conscientes, poderíamos esboçar como e onde são "construídas" todas as espécies de experiências. Era uma ideia extremamente estimulante. Entendi o grande salto dado pela neurofisiologia desde os meus dias de estudante no começo dos anos 1950, quando não tínhamos ao nosso alcance, e quase escapava à nossa imaginação, qualquer meio de registrar a atividade de células nervosas individuais do cérebro, estando o animal consciente, percebendo e agindo.

***

Por volta dessa época, fui a um concerto no Carnegie Hall. O programa incluía a grande *Missa em dó menor* de Mozart e, depois do intervalo, o seu *Réquiem*. Por acaso, um jovem neurofisiologista, Ralph Siegel, estava sentado algumas filas atrás de mim; tivéramos um rápido encontro no ano anterior, em minha visita ao Salk Institute, onde ele era um dos protegidos de Francis Crick. Quando Ralph viu que eu estava com um caderno de notas no colo, escrevendo sem cessar durante todo o concerto, logo imaginou que aquela figura volumosa na frente dele devia ser eu. No final do concerto, Siegel veio e se apresentou, e eu o reconheci imediatamente — não pelo rosto (os rostos, na maioria, parecem todos iguais para mim), mas pelo cabelo cor de fogo e pela atitude entusiástica e extrovertida.

Ralph estava curioso — o que fiquei escrevendo durante o concerto inteiro? Não tinha prestado nenhuma atenção à música? Pelo contrário, respondi, prestei atenção, sim, e não só como pano de fundo. Citei Nietzsche, que também costumava escrever durante os concertos; ele amava Bizet e certa vez escreveu: "Bizet me faz um filósofo melhor".

Falei que Mozart me fazia sentir um neurologista melhor e que fiquei escrevendo sobre um paciente que andava sob os meus cuidados — o artista daltônico. Ralph ficou empolgado; ele já ouvira falar do sr. I., pois eu havia descrito o caso a Francis Crick alguns meses antes. Ralph trabalhava explorando o sistema visual em macacos, mas disse que adoraria conhecer o sr. I., que poderia lhe dizer exatamente o que via (ou não via), ao contrário dos macacos com que trabalhava. Resumiu meia dúzia de exames simples, mas essenciais, que poderiam ajudar a isolar a fase do processo em que a construção cromática se danificara no cérebro do pintor.

***

Ralph sempre pensava em termos fisiológicos profundos, ao passo que nós neurologistas costumamos nos contentar com a fenomenologia da lesão ou da doença cerebral, sem pensar muito nos mecanismos precisos envolvidos e sem pensar nada na questão de fundo, a saber, como a experiência e a consciência surgem da atividade do cérebro. Para Ralph, todas as questões que explorava no cérebro dos macacos, as avaliações que reunia uma a uma, com tanta paciência, sempre apontavam para a grande questão de fundo: a relação entre cérebro e mente.

Toda vez que eu lhe contava sobre as experiências vividas pelos meus pacientes, Ralph conduzia imediatamente a conversa para uma discussão fisiológica. Que partes do cérebro estavam envolvidas? O que se passava? Era possível simular no computador? Ele era um bom matemático por natureza, formado em física, e gostava de neurociência computacional, criando modelos ou simulações de sistemas neurológicos.[1]

Mantivemos grande amizade pelos vinte anos subsequentes. Ralph passava o verão no Salk Institute e muitas vezes eu ia visitá-lo lá. Como cientista, era extremamente rigoroso, muitas vezes ríspido e direto; como pessoa, era jovial, espontâneo e brincalhão. Adorava a sua vida em família, com esposa e filhos gêmeos — vida na qual eu era muitas vezes incluído como uma espécie de padrinho. Nós dois gostávamos muito de La Jolla, onde saíamos para longas caminhadas ou passeios de bicicleta, observávamos os parapentes pairando nas alturas ou nadávamos na enseada. La Jolla se convertera na capital mundial da neurociência em 1995, com o Salk Institute, o Scripps Research Institute e o Neurosciences Institute de Gerald Edelman que se integrara à Universidade da Califórnia em San Diego. Ralph me apresentou a alguns dos vários neurocientistas que trabalhavam no Salk, e comecei a me sentir parte dessa comunidade excepcionalmente original e diversificada.

Ralph morreu em 2011, de câncer cerebral, uma morte muito prematura aos 52 anos de idade. Sinto grande falta dele, mas a sua voz, como a de muitos amigos e mentores meus, tornou-se essencial ao meu pensamento.

***

Em 1953, quando estava em Oxford, li o célebre artigo de Watson e Crick sobre a "dupla hélice", que foi publicado na revista *Nature*. Eu gostaria de dizer que enxerguei imediatamente a sua tremenda importância, mas não foi o caso, nem para mim, nem, na verdade, para a maioria das pessoas na época.

Somente em 1962, quando Crick esteve em San Francisco e falou no Mount Zion Hospital, é que comecei a entender as enormes implicações da dupla hélice. Crick discorreu não sobre a configuração do DNA, mas sobre o trabalho que vinha desenvolvendo com o biólogo molecular Sydney Brenner, para determinar como a sequência de bases do DNA poderia especificar a sequência de aminoácidos nas proteínas. Tinham acabado de demonstrar, após quatro anos de trabalho intenso, que essa tradução envolvia um código de três nucleotídeos. Era uma descoberta tão importante quanto a da dupla hélice.

Mas estava claro que Crick já avançara para outras coisas. Como sugeriu na sua palestra, havia dois grandes empreendimentos a serem explorados no futuro: entender a origem e a natureza da vida e entender a relação entre cérebro e mente — em particular, a base biológica da consciência. Teria ele alguma ideia, quando nos fez a sua apresentação em 1962, de que estes seriam os temas que ele mesmo investigaria nos próximos anos, depois de ter "liquidado" a biologia molecular ou, pelo menos, tê-la levado a um estágio em que podia ser delegada a terceiros?

Em 1979, Crick publicou "Thinking About the Brain" [Pensando sobre o cérebro], um artigo na *Scientific American* que, em certo sentido, legitimava o estudo da consciência em termos neurocientíficos; até então considerava-se a questão da consciência um tema irremediavelmente subjetivo e, portanto, inacessível à investigação científica.

Alguns anos depois, em 1986, encontrei-o numa conferência em San Diego. Havia um grande público, cheio de neurocientistas, mas, na hora do jantar, Crick me viu, me pegou pelos ombros e me fez sentar ao lado dele, dizendo: "Me conte histórias!". Mais especificamente, ele queria histórias sobre as possíveis alterações da visão devido a doenças ou lesões cerebrais.

Não me lembro do que comemos nem de mais nada naquele jantar, a não ser que lhe contei muitas histórias dos meus pacientes e que cada uma delas lhe desencadeava explosões mentais de hipóteses e sugestões para maiores investigações. Escrevendo-lhe alguns dias depois, comentei que a experiência era "um pouco como sentar ao lado de um reator nuclear intelectual... Eu nunca sentira tanta incandescência". Ele ficou fascinado quando lhe contei sobre o sr. I., e também quando lhe contei que muitos pacientes meus, nos breves minutos que durava a aura da enxaqueca, experimentavam uma vibração e tremulação de imagens estáticas, "congeladas", em vez de terem uma percepção visual contínua normal. Crick me perguntou se essa "visão cinemática", como eu a chamava, podia ser uma condição permanente ou capaz de ser despertada de uma forma previsível, para poder ser investigada. (Respondi que não sabia.)

***

Ao longo de 1986, passei um bom tempo com o sr. I., e em janeiro de 1987 escrevi a Crick: "Agora redigi um relatório bastante longo sobre o meu paciente... Apenas na hora de escrever é que vim a entender como a cor pode ser, de fato, uma construção (cérebro-mental)".

Eu passara a maior parte da minha vida profissional abraçando as noções do "realismo ingênuo", encarando as percepções visuais, por exemplo, como meras transcrições de imagens retínicas; era essa concepção "positivista" que predominava nos meus tempos de Oxford. Mas agora, ao trabalhar com o sr. I., essa concepção estava cedendo lugar a uma visão muito diferente do cérebro-mente, uma visão que o entendia como basicamente construtivo ou criativo. Acrescentei que agora começara a me indagar se o cérebro também não construiria analogamente todas as qualidades perceptuais, inclusive a percepção do movimento.[2]

Na carta, mencionei que estava trabalhando no caso do sr. I. junto com meu amigo oftalmologista Bob Wasserman e com Ralph Siegel, que criara e realizara vários experimentos psicofísicos com o nosso paciente. Mencionei que Semir Zei também examinara e fizera testes com o sr. I.

No final de outubro de 1987, pude enviar a Crick "O caso do pintor daltônico", artigo que Bob Wasserman e eu havíamos escrito para *The New York Review of Books*, e no começo de janeiro de 1988 tive resposta de Crick — uma carta absolutamente surpreendente: cinco páginas datilografadas em espaço 1, com argumentação minuciosa, transbordando de ideias e sugestões, algumas das quais, disse ele, eram "especulações desenfreadas". Escreveu:

> Muito obrigado por me enviar o seu fascinante artigo sobre o artista daltônico [...]. Muito embora não seja um artigo científico em termos estritos, como você frisa na sua carta, mesmo assim ele despertou grande interesse entre os meus colegas e os meus amigos científicos e filosóficos daqui. Fizemos umas duas ou três discussões em grupo sobre ele e, além disso, mantive várias conversas adicionais em nível individual.

Ele acrescentou que enviara uma cópia do artigo e a sua carta a David Hubel, que, com Torsten Wiesel, havia feito um trabalho pioneiro sobre os mecanismos corticais da percepção visual. Fiquei muito animado em pensar que Crick estava abrindo o nosso artigo, o nosso "caso", à discussão nesses moldes. Aquilo me deu uma percepção mais profunda da ciência como empreendimento conjunto, dos cientistas como comunidade internacional e fraterna, compartilhando e refletindo mutuamente sobre os trabalhos, e do próprio Crick como uma espécie de eixo, em contato com todos nesse mundo neurocientífico.

"Claro, o traço mais interessante", escreveu ele,

> é a perda do senso cromático subjetivo do sr. I., a par da sua ausência na imaginação eidética e nos sonhos dele. Isso sugere claramente que uma parte crucial do aparato necessário para estes dois últimos fenômenos também é necessária para a percepção das cores. Ao mesmo tempo, sua memória para os nomes das cores e as associações cromáticas permaneceu intacta.

A seguir, ele resumia em minúcias vários artigos de Margaret Livingstone e David Hubel, nos quais esboçavam sua teoria dos três estágios no processamento visual inicial, e aventava que o sr. I. sofrera uma lesão num desses níveis (o "sistema globular" em V1), em que as células seriam especialmente sensíveis à falta de oxigênio (talvez causada por um pequeno derrame ou mesmo por intoxicação com monóxido de carbono).

"Por favor, desculpe a extensão desta carta", concluía ele. "Podemos conversar pelo telefone, depois que você tiver tido tempo de digerir tudo isso."

Bob, Ralph e eu ficamos absolutamente fascinados com a carta de Crick. Parecia mais profunda e mais sugestiva a cada vez que relíamos, e tivemos a impressão de que levaria dez anos de trabalho ou mais para acompanhar a torrente de sugestões feitas por Crick.

Ao me procurar de novo algumas semanas depois, Crick mencionou dois casos de António Damásio: num deles, a paciente perdera as imagens em cor, mas continuava a sonhar colorido. (Mais tarde, ela recuperou a visão cromática.)

E Crick escreveu:

> Muito contente em [...] saber que você planeja trabalhar mais sobre o sr. I. Todas as coisas que você menciona são importantes, principalmente os escaneamentos [...]. Ainda não há consenso entre os meus amigos sobre a lesão que poderia existir nesses casos de acromatopsia cerebral. Tenho sugerido (em nível muito hipotético) os glóbulos da V1 + alguma degeneração subsequente em níveis superiores, mas isso na verdade depende de examinar os scans (se a maioria da V4 estiver destruída, você deve enxergar alguma coisa). David Hubel me diz que é mais propenso à lesão da área V4, embora seja uma opinião preliminar. David van Essen me fala que suspeita de alguma área mais acima.

"Creio que a moral de toda essa história", concluiu Crick, "é que apenas uma cuidadosa e extensa psicofísica em [tal] paciente e a localização precisa da lesão nos ajudarão. (Até agora, não sabemos como estudar sonhos e imagens visuais num macaco.)"

***

Em agosto de 1989, Crick me escreveu: "No momento, estou tentando me acertar com a consciência visual, mas ela continua desconcertante como sempre". Ele incluiu o manuscrito de um artigo chamado "Towards a Neurobiological Theory of Consciousness" [Para uma teoria neurobiológica da consciência], um dos primeiros artigos sinópticos que resultariam da sua colaboração com Christof Koch na Caltech. Senti-me muito privilegiado ao ver esse manuscrito, sobretudo com o argumento cuidadosamente exposto pelos autores, afirmando que a maneira ideal de entrar nesse tema que parece inacessível seria por meio da exploração dos distúrbios da percepção visual.

O artigo de Crick e Koch era voltado para os neurocientistas e em poucas páginas cobria uma ampla área; em algumas passagens, era muito denso e muito técnico. Mas eu sabia que Crick também era capaz de escrever de forma bem acessível, pessoal e espirituosa; isso ficava especialmente evidente em seus dois livros anteriores, *Vida: O mistério da sua origem e natureza* e *Of Molecules and Men* [Sobre moléculas e homens]. Assim, agora eu alimentava esperanças de que ele conferisse uma forma mais popular e acessível à sua teoria neurobiológica da consciência, enriquecida com exemplos clínicos e cotidianos. (Foi o que ele fez em seu livro de 1994, *A hipótese espantosa.*)

***

Em junho de 1994, Ralph e eu jantamos com Crick em Nova York. A conversa se estendeu em todas as direções. Ralph falou do seu trabalho em curso sobre a percepção visual nos macacos e expôs suas ideias a respeito do papel fundamental do caos no nível neuronal; Francis falou sobre o andamento do seu trabalho com Christof Koch e as teorias mais recentes de ambos sobre os correlatos neurais da consciência; falei sobre a minha viagem em breve até Pingelap, com grande número de pessoas — quase dez por cento da população — nascidas com cegueira cromática total. Estava planejando ir até lá com Bob Wasserman e Knut

Nordby, um psicólogo perceptual norueguês que, assim como os pingelapenses, nascera sem receptores de cor na retina. Em fevereiro de 1995, enviei a Francis um exemplar de *Um antropólogo em Marte*, que acabara de sair e trazia uma versão aumentada de "O caso do pintor daltônico", cuja grande ampliação se devia, em parte, às nossas discussões sobre o caso. Também lhe contei um pouco sobre as minhas experiências em Pingelap, e que Knut e eu tentamos imaginar as mudanças que podiam ter ocorrido no seu cérebro em reação ao seu acromatismo de nascença. Na ausência de qualquer receptor de cores nas suas retinas, os centros de construção cromática no seu cérebro teriam se atrofiado? Teriam sido realocados para outras funções visuais? Ou ainda estariam, talvez, esperando alguma entrada de dados, um input capaz de ser fornecido por estimulação magnética ou elétrica direta? E, se isso fosse possível, ele iria pela primeira vez na vida enxergar cores? Saberia que era uma cor? Ou essa experiência visual seria inédita demais, desconcertante demais, para ser classificada? Eu sabia que tais perguntas também fascinariam Francis.

Continuamos a nos corresponder sobre vários assuntos. Escrevi-lhe longamente sobre o paciente a quem dei o nome de Virgil, que tivera a visão restaurada depois de uma cegueira durante toda a vida; enviei-lhe também algumas reflexões sobre a língua de sinais e a realocação do córtex auditivo nos surdos que se comunicavam por sinais. E muitas vezes eu entabulava uma espécie de diálogo mental com Crick, sempre que me deparava com problemas intrigantes sobre a consciência ou a percepção visual. Perguntava a mim mesmo: o que Francis pensaria disso? Como tentaria explicar? Como investigaria?

***

A criatividade ininterrupta de Francis — a incandescência que me surpreendeu ao conhecê-lo em 1986, aliada à sua maneira de ter sempre uma expectativa e ver anos ou décadas de trabalho futuro para si e para os outros — gerava uma impressão de imortalidade. De fato, com oitenta e tantos anos, ele continuava a publicar um grande fluxo de artigos excelentes, provocativos, sem mostrar nenhum sinal do cansaço, das desistências ou repetições da velhice. Assim, foi com certo choque que eu soube, no começo de 2003, que ele estava com graves problemas de saúde. Talvez eu tivesse esse dado no plano de fundo mental na carta que lhe escrevi em maio de 2003, mas não foi esta a principal razão para querer contatá-lo outra vez.

Eu andava pensando sobre o tempo — tempo e percepção, tempo e consciência, tempo e memória, tempo e música, tempo e movimento. Voltara mais especificamente a questionar se a passagem aparentemente contínua do tempo e do movimento, fornecida pelos nossos olhos, era uma ilusão — se de fato nossa experiência visual consistia numa série de "momentos" atemporais que, então, eram amalgamados por algum mecanismo superior no cérebro. Voltei a me referir às sequências "cinematográficas" de imagens congeladas, que os pacientes com enxaqueca haviam descrito e que eu mesmo vivenciara algumas vezes. (Também vivenciei essa experiência de maneira muito intensa, junto com outros transtornos perceptuais, quando me embriaguei com *sakau* na Micronésia.)

Quando comentei com Ralph que começara a escrever sobre tudo isso, ele disse: "Você precisa ler o último artigo de Crick e Koch. Eles propõem que a consciência visual consiste realmente numa sequência de 'instantâneos' — vocês três pensam nessa mesma linha".

Escrevi a Francis, anexando um rascunho do meu artigo sobre o tempo. Acrescentei, em todo caso, um exemplar do meu último livro, *O tio Tungstênio*, e alguns artigos recentes tratando do nosso caro tema da visão. Em 5 de junho de 2003, Francis me enviou uma longa carta, transbordante de jovialidade e efervescência intelectual, sem qualquer menção à sua saúde. Escrevia ele:

> Gostei muito de ler a narrativa dos seus primeiros anos. Um tio também me ajudou a praticar um pouco de química elementar e a soprar vidro, se bem que nunca senti o seu fascínio pelos metais. Como você, eu ficava muito impressionado com a Tabela Periódica e pelas ideias sobre as estruturas do átomo. De fato, no meu último ano na Mill Hill [a escola onde estudou], dei uma palestra expondo como o "átomo de Bohr", junto com

a mecânica quântica, explicava a Tabela Periódica, mas não sei bem o quanto realmente eu entendia de tudo aquilo.

Fiquei intrigado com as reações de Francis a *O tio Tungstênio* e escrevi de volta, perguntando até que ponto ele via uma "continuidade" entre o adolescente em Mill Hill que falava sobre o átomo de Bohr, o físico que viera a ser, o seu eu posterior da "dupla hélice" e seu eu atual. Citei uma carta que Freud escrevera a Karl Abraham em 1924 — Freud estava então com 68 anos —, na qual ele dizia: "É exigir demais da unidade da personalidade pretender me identificar com o autor do artigo sobre os gânglios espinhais da lampreia. Mesmo assim, parece ser o caso".

Quanto a Crick, a aparente descontinuidade era ainda maior, pois Freud era biólogo desde o início, ainda que seus primeiros interesses se concentrassem na anatomia de sistemas nervosos primitivos. Já Francis havia se formado em física, trabalhou em minas magnéticas durante a guerra e fez seu doutorado em físico-química. Apenas então, na casa dos trinta anos — idade em que a maioria dos pesquisadores já está assentada no que faz —, é que ele teve uma transformação, um "renascimento", como diria mais tarde, e passou para a biologia. Na sua autobiografia, *What Mad Pursuit* [Que busca louca], ele fala da diferença entre física e biologia:

> A seleção natural quase sempre se processa sobre o que veio antes [...]. É a complexidade resultante que dificulta tanto dar uma ordem aos organismos biológicos. As leis básicas da física com frequência podem ser expressas em forma matemática simples, e provavelmente são as mesmas em todo o universo. As leis da biologia, por outro lado, muitas vezes não passam de generalizações amplas, visto que descrevem mecanismos (químicos) bastante elaborados que a seleção natural desenvolveu ao longo de milhões de anos [...]. Eu mesmo, até os trinta e poucos anos, conhecia muito pouco de biologia, exceto de maneira muito geral [...] minha formação era em física. Levei algum tempo para me adaptar ao modo de pensar bastante diferente necessário na biologia. Era quase como se precisasse renascer.

Em meados de 2003, a doença de Francis estava começando a cobrar seu preço, e passei então a receber cartas de Christof

Koch, que naquela época passava vários dias da semana com ele. Os dois haviam ficado tão próximos, assim parecia, que muitos dos seus pensamentos eram dialógicos, surgindo na interação mútua, e o que Christof me escrevia sintetizava os pensamentos de ambos. Muitas frases suas começavam: "Francis e eu temos mais algumas perguntas sobre a sua experiência pessoal... Francis pensa que... Já eu não tenho certeza...", e assim por diante.

Em resposta ao meu artigo sobre o tempo (uma versão dele foi publicada mais tarde em *The New York Review of Books* como "In the River of Consciousness" [No rio da consciência]), Crick me fez perguntas detalhadas sobre a velocidade da tremulação visual que se tem nas auras da enxaqueca. Eram questões que havíamos discutido quando nos conhecêramos quinze anos antes, mas, pelo visto, nós dois tínhamos esquecido; seguramente nenhum de nós fez referência às nossas cartas anteriores. Era como se não se pudesse chegar a nenhuma solução em 1986, e nós dois, cada qual à sua maneira, arquivamos, "esquecemos" a questão, depositando-a no nosso inconsciente, onde ficaria incubando por mais quinze anos antes de ressurgir. Francis e eu convergíamos para um problema que nos derrotara no passado; agora estávamos mais próximos de uma resposta. Em agosto de 2003, era tão forte a minha sensação a esse respeito que achei que devia fazer uma visita a Francis em La Jolla.

Passei uma semana em La Jolla e fiz várias visitas a Ralph, que estava trabalhando outra vez no Salk. O ambiente no instituto era muito ameno, não competitivo (ou pelo menos assim me pareceu, como alguém de fora, na minha breve visita), uma atmosfera que agradara muito a Francis desde a sua chegada a Salk, em meados dos anos 1970, e que desde então, com sua presença constante, se intensificara ainda mais. Apesar da idade, ele continuava a ser uma figura central no Salk. Ralph me mostrou o carro dele, cuja placa tinha apenas quatro letras, A T G C — os quatro nucleotídeos do DNA —, e fiquei muito contente ao ver sua figura alta, ainda muito ereta, entrando no laboratório, embora a passos lentos, com ajuda de uma bengala.

Um dia, fiz uma palestra na parte da tarde e, logo que comecei, vi Francis entrar e, em silêncio, tomar assento no fundo.

Percebi que ele manteve os olhos fechados na maior parte do tempo e achei que havia caído no sono, mas, quando terminei, ele fez várias perguntas tão afiadas que vi que não perdera uma única palavra da palestra. Pelo que me disseram, essas suas aparições, em que ficava de olhos fechados, tinham enganado muitos palestrantes convidados, que depois então descobriam, às próprias custas, que aqueles olhos fechados velavam a mais aguda atenção, a mais clara e profunda inteligência que teriam ocasião de encontrar.

No meu último dia em La Jolla, quando Christof viera de Pasadena para uma visita, fomos todos convidados a dar um pulo na casa de Crick, para almoçar com ele e a esposa, Odile. "Dar um pulo" não era um termo despropositado; Ralph e eu, dirigindo, parecíamos saltar constantemente, de uma curva fechada para outra, até chegarmos à casa de Crick. Era um dia muito ensolarado, típico da Califórnia, e todos nos instalamos a uma mesa na frente da piscina (cuja água era de um azul fortíssimo — não por causa da cor da piscina nem do céu, explicou Francis, mas por causa da água local, que continha partículas minúsculas que, como poeira, difratavam a luz). Odile nos trouxe diversas iguarias — salmão, camarão, aspargos — e alguns pratos especiais que constituíam a dieta limitada de Francis, agora em quimioterapia. Embora ela não tenha participado da conversa, eu sabia que Odile, que era artista, acompanhava de perto todo o trabalho de Francis, quando menos pelo fato de ter sido ela a desenhar a dupla hélice do famoso artigo de 1953 e, cinquenta anos depois, a imagem congelada de um indivíduo correndo, para ilustrar a hipótese do instantâneo no artigo de 2003 que tanto entusiasmo me despertara.

Sentado ao lado de Francis, notei que suas sobrancelhas grossas estavam mais bastas e encanecidas do que nunca, e isso acentuava sua aparência de grande sábio. Mas essa imagem veneranda era constantemente desmentida pelo seu humor galhofeiro e pelos olhos faiscantes. Ralph estava ansioso para comentar com Francis o seu trabalho mais recente — uma nova forma de representação óptica que podia mostrar as estruturas quase no nível celular do cérebro vivo. Nunca fora possível até então visualizar a estrutura e a atividade do cérebro nessa escala, e era nessa "meso" escala que tanto Crick quanto Gerald Edelman, a despeito das suas diferenças, agora situavam as estruturas funcionais do cérebro.

Francis ficou bastante interessado na nova técnica e nas imagens de Ralph, mas ao mesmo tempo disparou uma saraivada de perguntas muito argutas, interrogando e questionando Ralph de uma maneira cerrada, mas também construtiva.

A pessoa com quem Francis mantinha a relação mais próxima, além de Odile, era sem dúvida Christof, o seu "filho científico", e era muito tocante ver como os dois, de formações e temperamentos tão distintos e com uma diferença de idade de quarenta anos ou mais, haviam desenvolvido um respeito e um amor mútuo tão profundo. (Christof tem uma corporeidade romântica, quase espalhafatosa, gosta de escalar rochedos perigosos e de usar camisas de cores muito vivas. Francis parecia quase asceticamente cerebral, com o intelecto tão impermeável a propensões de ordem emocional que às vezes Christof o comparava a Sherlock Holmes.) Francis falou com grande orgulho, um orgulho paterno, do livro de Christof que estava para sair, *The Quest for Consciousness* [A busca da consciência], e de "todo o trabalho que faremos depois que for publicado". Deu um resumo das dezenas de pesquisas, anos de trabalho, ainda por fazer — um trabalho que brotava sobretudo da convergência entre a biologia molecular e a neurociência dos sistemas. Fiquei imaginando o que Christof pensava, e Ralph também, pois era mais do que evidente para nós (e devia estar claro para Francis também) que a sua saúde estava em rápido declínio e ele não conseguiria ver senão o começo daquele vasto programa de pesquisas. Francis não tinha medo da morte, pelo que senti, mas sua aceitação vinha tingida pela tristeza de não estar vivo para ver as realizações científicas grandiosas, quase inimagináveis, do século XXI. Ele tinha certeza de que o problema central da consciência e da sua base neurobiológica estaria plenamente explicado, "resolvido", até 2030. "Você vai ver", dizia várias vezes a Ralph, "e talvez você também, Oliver, se viver até a minha idade."

Em janeiro de 2004, recebi a última carta de Francis dirigida a mim. Ele lera "In the River of Consciousness". "Está muito bem escrito", comentou ele, "mas creio que seria melhor o título 'A consciência é um rio?', pois o fio principal do artigo é que é bem possível que não seja." (Concordei com ele.)

"Apareça outra vez para almoçar", concluía a carta.

Em meados dos anos 1950, quando eu estava na escola de medicina, parecia existir uma distância intransponível entre a nossa neurofisiologia e a realidade concreta dos transtornos neurológicos, tal como vividos pelos pacientes. A neurologia continuava a seguir o método clínico-anatômico estabelecido por Broca cem anos antes, localizando as áreas lesadas no cérebro e estabelecendo correlações entre elas e os sintomas; assim, os distúrbios da fala eram relacionados à lesão na área da fala de Broca, a paralisia com a lesão nas áreas motoras e assim por diante. O cérebro era visto como um conjunto ou um mosaico de pequenos órgãos, cada qual com funções específicas, mas interconectados de alguma maneira. Porém não se fazia muita ideia do funcionamento do cérebro como um todo. Quando escrevi *O homem que confundiu sua mulher com um chapéu*, no começo dos anos 1980, minha maneira de pensar ainda se baseava nesse modelo, em que o sistema nervoso era concebido basicamente como algo fixo e invariável, com áreas "predeterminadas" para todas as funções.

Esse modelo era útil, por exemplo, para localizar a área da lesão numa pessoa com afasia. Mas como explicaria o aprendizado e os efeitos da prática? Como explicaria as reconstruções e revisões da memória que fazemos ao longo da vida? Como explicaria os processos de adaptação, de plasticidade neural? Como explicaria a consciência — a riqueza, a amplitude global, o fluxo em constante mudança, as múltiplas desordens da consciência? Como explicaria a individualidade ou o eu?

Apesar dos enormes avanços na neurociência dos anos 1970 e 1980, havia, de fato, uma crise ou um vazio conceitual. Não existia nenhuma teoria geral capaz de abrigar e conferir sentido à riqueza de dados, de observações feitas em diversas disciplinas diferentes, da neurologia ao desenvolvimento infantil, da linguística e à psicanálise.

***

Em 1986, li um artigo notável de Israel Rosenfield no *New York Review of Books*, no qual ele abordava a obra e as concepções revolucionárias de Gerald M. Edelman. Edelman era, para dizer o mínimo, arrojado. "Estamos no princípio da revolução neurocientífica", escreveu ele. "Ao final dela, saberemos como funciona a mente, o que determina a nossa natureza e o modo como conhecemos o mundo."

Alguns meses depois, junto com Rosenfield, combinei um encontro com o próprio Edelman, num local de reuniões perto da Universidade Rockefeller, onde, na época, ele tinha o seu Neurosciences Institut.

Edelman entrou, fez uma rápida saudação e então falou sem interrupção por vinte minutos ou meia hora, dando o esboço geral das suas teorias; nenhum de nós dois se atreveu a interrompê-lo. Depois se despediu e foi embora abruptamente; olhando pela janela, vi enquanto ele seguia depressa pela York Avenue, sem olhar para os lados. "É o andar de um gênio, de um monomaníaco", pensei comigo mesmo. "É como um possuído." Senti um profundo respeito e inveja — como gostaria de ter uma capacidade de concentração tão feroz! Mas aí pensei que a vida não devia ser muito fácil com um cérebro daqueles; com efeito, como vim a descobrir, Edelman não tirava nenhum dia de folga, dormia pouco e era movido, quase importunado, por um pensar incessante; muitas vezes telefonava para Rosenfield em plena madrugada. Talvez eu estivesse melhor com os meus próprios dotes, mais modestos.

Em 1987, Edelman publicou *Neural Darwinism* [Darwinismo neural], um volume de importância fundamental, o primeiro de uma série de livros apresentando e explorando as ramificações de uma ideia muito radical, que ele chamava de "teoria da seleção de grupos neuronais" ou, mais sugestivamente, de "darwinismo neural". Tive de me esforçar bastante para ler o livro, às vezes achando o texto impenetrável, em parte devido ao ineditismo das ideias de Edelman, em parte devido ao grau de abstração e à falta de exemplos concretos. Darwin dissera que a *Origem* consistia em "um único e longo argumento", mas ele escorava esse argumento com inúmeros exemplos de seleção natural (e artificial) e com um talento na escrita análogo ao de um romancista. *Neural Darwinism*, em contraposição, era puro argumento — um intenso e único arrazoado do começo ao fim. Não fui o único a ter dificuldades com *Neural Darwinism*: a densidade, a ousadia e a originalidade da obra de Edelman, forçando os limites da linguagem, eram assombrosas.

Anotei no meu exemplar de *Neural Darwinism* vários exemplos clínicos, torcendo para que Edelman, que tinha formação em neurologia e psiquiatria, tivesse feito o mesmo.

***

Em 1988, encontrei novamente Gerry, quando ambos fizemos palestras num congresso sobre a arte da memória em Florença.[3] Depois da sessão do congresso, jantamos juntos. Ele me pareceu muito diferente daquele homem entregue a um monólogo que eu encontrara antes, quando ele tentou condensar uma década de intensas reflexões em poucos minutos; agora estava mais à vontade, mostrando paciência com a minha lentidão. E a conversa foi em tom ameno. Gerry indagou sobre as minhas experiências com pacientes — experiências que podiam ser pertinentes para as suas reflexões, histórias clínicas que podiam guardar relação com as suas teorias sobre a consciência e o funcionamento do cérebro. Ele vivia um tanto afastado da vida clínica no Rockefeller, assim como Crick no Salk, e ambos sentiam muita falta de dados clínicos.

A toalha da nossa mesa era de papel e, quando surgiam alguns pontos obscuros, desenhávamos diagramas nela até explorarmos totalmente seu significado. Quando terminamos, senti que havia entendido sua teoria da seleção de grupos neuronais, ou pelo menos parte dela. Parecia elucidar um largo campo de conhecimento neurológico e psicológico, parecia ser um modelo plausível e verificável da percepção, da memória e do aprendizado, mostrando como um ser humano atinge a consciência e se torna um indivíduo único por meio de mecanismos cerebrais seletivos e interativos.

***

Crick e seus colaboradores haviam desvendado o código genético — um conjunto de instruções, em termos gerais, para construir um corpo, mas Edelman logo percebeu que o código genético não era capaz de especificar ou controlar o destino de cada célula individual dentro do corpo e que o desenvolvimento celular, sobretudo no sistema nervoso, estava sujeito às mais variadas contingências — as células nervosas podiam morrer, podiam migrar (Edelman chamava essas células migrantes de "ciganas"), podiam se conectar entre si de modos imprevisíveis — de forma que, mesmo no momento do nascimento, o conjunto dos delicados circuitos neurais é totalmente diferente até nos cérebros de gêmeos idênticos; já de partida são indivíduos diferentes que reagem à experiência de modo individual.

Ao estudar a morfologia das cracas um século antes de Crick e Edelman, Darwin observou que nunca nenhuma craca era igual a outra da mesma espécie; as populações biológicas consistiam não em réplicas idênticas, mas em indivíduos distintos e diferentes. Era sobre essa população de variantes que a seleção natural podia agir, preservando algumas linhagens para a posteridade, condenando outras à extinção (Edelman gostava de chamar a seleção natural de "uma gigantesca máquina mortífera"). Edelman julgava, quase desde o início da sua carreira, que certos processos análogos à seleção natural podiam ser cruciais para organismos individuais — principalmente os animais superiores — no decorrer da existência, as experiências de vida servindo para reforçar certas conexões ou constelações neuronais no sistema nervoso e para enfraquecer ou extinguir outras.[4]

Segundo Edelman, a unidade básica da seleção e mudança não eram os neurônios isolados, mas grupos de cinquenta a mil neurônios interligados; foi por isso que deu à sua hipótese o nome de teoria da seleção de grupos neuronais. Ele via a sua obra como a conclusão da tarefa de Darwin, acrescentando a seleção em nível celular no tempo de existência de um indivíduo único ao processo de seleção natural ao longo de muitas gerações.

Sem dúvida, algumas propensões ou disposições inatas fazem parte da nossa programação genética; do contrário, um bebê não teria absolutamente nenhuma tendência, não seria movido a fazer nada, a procurar nada, a ficar vivo. Essas propensões básicas (ao alimento, ao calor e ao contato com outras pessoas, por exemplo) orientam os primeiros movimentos e esforços de uma criatura.

E, num nível fisiológico elementar, existem vários dados sensoriais e motores, desde os reflexos que ocorrem automaticamente (em reação à dor, por exemplo) a certos mecanismos inatos no cérebro (o controle da respiração e funções autônomas, por exemplo).

Mas, na concepção de Edelman, pouquíssimas outras coisas são programadas ou já vêm prontas. Um filhote de tartaruga, quando sai do ovo, está pronto para seguir caminho. O bebê humano, não, ele precisa criar todos os tipos de categorizações, não só perceptuais, e usá-las para entender o mundo, para criar um mundo próprio, individual e pessoal, e descobrir como se mover dentro desse mundo. A experiência e a experimentação têm aqui uma importância fundamental. O darwinismo neural é uma seleção ligada essencialmente à *experiência*.

Mas a verdadeira "maquinaria" funcional do cérebro, para Edelman, consiste em milhões de grupos neuronais, organizados em unidades maiores ou "mapas". Esses mapas, que se convertem continuamente em padrões sempre mutáveis, de uma complexidade inimaginável, mas sempre dotados de significado, podem mudar em questão de minutos ou segundos. Isso nos faz lembrar C. S. Sherrington, com sua poética evocação do cérebro como "um tear mágico", no qual "milhões de lançadeiras velocíssimas tecem um padrão dissolvente, sempre dotado de significado, mas nunca duradouro; uma harmonia inconstante de subpadrões".

A criação de mapas que reagem seletivamente a certas categorias elementares — por exemplo, o movimento ou a cor no mundo visual — pode demandar a sincronização de milhares de grupos neuronais. Alguns mapeamentos ocorrem em partes predeterminadas, separadas e anatomicamente definidas do córtex cerebral, como é o caso da cor: a cor é construída sobretudo na área chamada V4. Mas grande parte do córtex tem plasticidade, como um "bem imóvel" com múltiplo potencial de uso que pode servir (dentro de certos limites) a qualquer função que se faça necessária; assim, o que seria o córtex auditivo em pessoas que escutam pode ser realocado para fins visuais em pessoas surdas de nascença, assim como aquilo que normalmente é o córtex visual pode ser usado para outras funções sensoriais nos cegos congênitos.

Ao examinar a atividade neural em macacos entregues a determinada tarefa visual, Ralph Siegel tinha plena consciência da distância entre métodos no nível "micro", em que se inserem eletrodos numa única célula nervosa para registrar sua atividade, e métodos no nível "macro" (imagens por ressonância magnética funcional, tomografias por emissão de pósitrons [PET] e outros), que mostram as reações de áreas inteiras do cérebro. Ciente da necessidade de algo intermediário, ele criou um método óptico muito original, em nível "meso", que lhe permitia observar dezenas ou centenas de neurônios durante as suas interações e sincronizações mútuas em tempo real. Uma das suas descobertas — inesperada e de início desconcertante — foi que os mapas ou constelações neuronais podiam mudar em questão de segundos, quando o animal aprendia ou se adaptava a outras informações sensoriais. Isso corresponde em larga medida à teoria da seleção dos grupos neuronais de Edelman, e Ralph e eu passamos muitas horas debatendo as implicações dessa teoria entre nós e com o próprio Edelman, o qual, como Crick, era fascinado pelo trabalho de Ralph.

No que se refere à percepção dos objetos, Edelman gosta de dizer que o mundo não é "rotulado", não vem "já dividido em objetos". Precisamos criar as nossas percepções através das nossas próprias categorizações. Como diz Edelman: "Toda percepção é um ato de criação". Enquanto nos movemos, nossos órgãos dos sentidos recolhem amostras do mundo e, a partir delas, criam-se mapas no cérebro. Lá, com a experiência, ocorre um fortalecimento seletivo daqueles mapeamentos que correspondem a percepções bem-sucedidas — bem-sucedidas na medida em que mostram maior utilidade e poder para a construção da "realidade".

Edelman aqui fala de mais uma atividade de integração, própria de sistemas nervosos mais complexos; esta ele chama de "sinalização reentrante". Em seus próprios termos, a percepção de uma cadeira, por exemplo, depende em primeiro lugar da sincronização de grupos neuronais ativados para formar um "mapa" e, a seguir, de outra sincronização de uma série de mapeamentos dispersos em todo o córtex visual — mapeamentos relacionados a muitos aspectos perceptuais distintos da cadeira (tamanho, formato, cor, pernas, relação com outros tipos de cadeiras: poltronas, cadeiras de balanço, cadeirinhas de bebês etc.). Dessa forma, chega-se a um percepto rico e flexível da "cadeiridade", que permite o reconhecimento instantâneo de inúmeros tipos de cadeiras *como* cadeiras. Essa generalização perceptual é dinâmica, de modo que pode ser continuamente atualizada, e depende da orquestração ativa e incessante de inúmeros pormenores.

Tal correlação e tal sincronização dos disparos neuronais entre áreas largamente separadas do cérebro são possíveis graças a riquíssimas conexões entre os mapas do cérebro — conexões que são recíprocas e podem conter milhões de fibras. Os estímulos de, digamos, tocar uma cadeira podem afetar um conjunto de mapas; os estímulos de ver a cadeira podem afetar outro conjunto. A sinalização reentrante se dá entre esses conjuntos de mapas, como parte do processo de perceber uma cadeira.

A categorização é a principal tarefa do cérebro, e a sinalização reentrante permite que o cérebro categorize suas próprias categorizações, então recategoriza estas e assim sucessivamente. Tal processo é o ponto de partida de um imenso caminho ascendente, permitindo níveis sempre mais altos de pensamento e consciência.

Poderíamos comparar a sinalização reentrante a uma espécie de ONU neural, com dezenas de vozes conversando juntas, incluindo nas suas conversas uma ampla variedade de relatórios do mundo exterior que chegam num fluxo constante e formando um quadro mais amplo, à medida que as novas informações ganham correlações e surgem novos insights.

Edelman, que um dia quis ser violinista de concerto, também utiliza metáforas musicais. Numa entrevista à rádio BBC, ele disse:

> Imagine: se você tivesse 100 mil fios conectando aleatoriamente quatro músicos enquanto tocam um quarteto de cordas e, mesmo sem trocar nenhuma palavra, os sinais estariam indo e vindo numa infinidade de formas ocultas [como em geral ocorre com as sutis interações não verbais entre os músicos], o que converte a totalidade dos sons num conjunto unificado. É assim que os mapas do cérebro funcionam por reentrada.

Os músicos estão conectados. Cada músico, interpretando individualmente a música, modula e é modulado de modo incessante pelos outros. Não existe uma interpretação definitiva ou "principal"; a música é criada de forma coletiva e cada performance é única. Tal é a imagem de Edelman para o cérebro, uma orquestra, um conjunto, mas sem maestro, uma orquestra que faz sua própria música.

***

Quando voltei ao meu hotel depois de jantar com Gerry naquela noite, sentia-me numa espécie de êxtase. A lua sobre o Arno parecia a coisa mais linda que já vira na vida. A sensação era a de ter sido liberado de décadas de desespero epistemológico — saindo de um mundo de analogias superficiais e descabidas com os computadores e entrando num mundo carregado de um rico significado biológico, que correspondia à realidade do cérebro e da mente. A teoria de Edelman era a primeira teoria verdadeiramente global da mente e da consciência, a primeira teoria biológica da individualidade e da autonomia.

Pensei: "Graças a Deus que estou vivo para conhecer essa teoria". Sentia-me como muitos deviam ter se sentido em 1859, imagino, quando *A origem das espécies* foi publicado. A ideia da seleção natural era espantosa, mas, quando se pensava a respeito, parecia óbvia. Da mesma forma, quando captei o que Edelman dizia naquela noite, pensei: "Mas que absoluta idiotice minha não ter eu mesmo pensado nisso!", como disse Huxley depois de ler a *Origem*. De repente, tudo parecia tão claro...

Algumas semanas depois de voltar de Florença, tive outra revelação, esta de um tipo bastante cômico e implausível. Eu me dirigia ao lago Jefferson através da luxuriante área rural do condado Sullivan, gozando a tranquilidade dos campos e sebes, quando vi uma... vaca! Mas uma vaca transfigurada pela minha nova visão edelmaniana da vida animal, uma vaca com um cérebro mapeando constantemente todas as suas percepções e movimentos, uma vaca cujo ser interior consistia em categorizações e mapeamentos, grupos neuronais faiscando e conversando em alta velocidade, uma vaca edelmaniana infundida pelo milagre da consciência primária. "Que animal maravilhoso!", pensei comigo mesmo. "Nunca tinha visto uma vaca desse ponto de vista."

A seleção natural podia me mostrar como as vacas em geral tinham vindo a ser o que eram, mas era necessário o darwinismo neuronal para entender o que era ser aquela vaca em particular. Ela pôde se tornar essa vaca específica graças à experiência que seleciona grupos neuronais específicos no seu cérebro e amplifica a atividade deles.

***

Edelman conjecturou que os mamíferos, as aves e alguns répteis têm uma "consciência primária", a capacidade de criar cenas mentais que os ajudam a se adaptar a ambientes complexos e mutáveis. Tal capacidade, para Edelman, dependia do surgimento de um novo tipo de circuito neuronal em algum "momento transcendente" da evolução — um circuito que permitisse uma quantidade maciça de conexões recíprocas e paralelas entre mapas neuronais, bem como entre os mapeamentos globais em andamento que integram novas experiências e recategorizam as categorias.

Edelman propôs também que, em algum segundo momento transcendente na evolução, o que possibilitou o desenvolvimento de uma "consciência de ordem superior" nos seres humanos (e talvez em algumas outras espécies, incluindo os símios e os golfinhos) foi um nível mais elevado de sinalização reentrante. A consciência de ordem superior traz um poder totalmente inédito de generalização e reflexão, de rememoração e imaginação, de reconhecimento de passado e futuro, de tal modo que, por fim, se alcança a autoconsciência, a noção de ser um eu no mundo.

***

Em 1992, fui com Gerry a uma conferência sobre a consciência no Jesus College, em Cambridge. Se os livros de Gerry eram quase sempre de difícil leitura, muitos presentes no auditório sentiram uma espécie de revelação ao vê-lo e ouvi-lo falar.

Naquela mesma ocasião — esqueci o que deu origem à conversa —, Gerry me disse: "Você não é teórico".

"Eu sei", respondi, "mas faço trabalho de campo, e você precisa do tipo de trabalho de campo que eu faço para o tipo de formulação teórica que você faz." Gerry concordou.

***

Muitas vezes me deparo com situações na prática neurológica cotidiana que desmontam por completo as explicações neurológicas clássicas e demandam explicações de tipo totalmente diverso, mas muitos desses fenômenos podem ser explicados, em termos edelmanianos, como falhas ou avarias no mapeamento local ou de ordem superior, em decorrência de doença ou lesão nervosa.

Quando a minha perna esquerda se tornou uma "estranha", depois da fratura e imobilização que se seguiram ao meu acidente na Noruega, meu conhecimento neurológico não me foi de ajuda; a neurologia clássica não tinha nada a dizer sobre a relação entre a sensação do conhecimento e a sensação do eu, não explicava como um membro, caso o fluxo da informação neural esteja prejudicado, pode se perder para a consciência e para o eu, pode ser "rejeitado", e como então pode se dar um rápido remapeamento do resto do corpo, excluindo aquele membro.

Se o hemisfério direito do cérebro estiver seriamente prejudicado nas suas áreas sensoriais (parietais), os pacientes podem apresentar uma "anosognosia", uma incapacidade de se dar conta de que há algum problema, mesmo que o lado esquerdo do corpo esteja insensível ou paralisado. Às vezes insistem que o seu lado esquerdo pertence a "outra pessoa". Para tais pacientes, em termos subjetivos, seu espaço e mundo estão íntegros, embora estejam vivendo num semimundo. Por muitos anos, a anosognosia foi erroneamente interpretada como um sintoma neurótico estranho, visto que ela é ininteligível nos termos da neurologia clássica. Mas Edelman entende essa condição como uma "doença da consciência", uma avaria total do mapeamento e da sinalização reentrante de alto nível num hemisfério e, em decorrência disso, uma reorganização radical da consciência.

Às vezes, após uma lesão neurológica, ocorre uma dissociação entre memória e consciência, deixando apenas a memória ou o conhecimento implícito. Assim, o meu paciente Jimmie, o marinheiro com amnésia, não tinha nenhuma memória explícita do assassinato de Kennedy, e, quando eu lhe perguntava se algum presidente fora assassinado no século xx, ele dizia: "Não, que eu saiba, não". Mas se eu lhe perguntasse: "Então, só por hipótese, se tivesse ocorrido algum assassinato presidencial sem o seu conhecimento, qual o seu palpite sobre onde teria ocorrido: Nova York, Chicago, Dallas, New Orleans ou San Francisco?", ele invariavelmente dava o "palpite" correto de Dallas.

Da mesma forma, pacientes com cegueira cortical total, devido a uma lesão maciça nas áreas visuais primárias do cérebro, vão afirmar que não conseguem enxergar nada, mas também dão "palpites" misteriosamente corretos sobre o que está diante deles — é a chamada "visão cega". Em todos esses casos, a percepção e a categorização perceptual foram preservadas, mas estão dissociadas da consciência de ordem superior.

A individualidade está profundamente inserida dentro de nós desde o primeiro instante, no nível neuronal. Mesmo no nível motor, os pesquisadores mostraram que um bebê não segue padrões preestabelecidos para aprender a andar ou alcançar alguma coisa. Cada bebê experimenta diversas maneiras de alcançar objetos e descobre ou seleciona suas próprias soluções motoras ao longo de vários meses. Ao tentarmos pensar a base neural desse aprendizado individual, podemos imaginar uma "população" de movimentos (e os seus correlatos neurais) que são reforçados ou eliminados pela experiência.

Podemos fazer considerações semelhantes sobre a recuperação e a reabilitação após derrames e outros problemas. Não existem regras; não existe um caminho traçado para a recuperação; cada paciente precisa descobrir ou criar seus próprios padrões motores e perceptuais, suas próprias soluções para os desafios que enfrenta, e cabe ao terapeuta sensível ajudá-lo nisso.

Na sua acepção mais ampla, o darwinismo neural sugere que estamos destinados, queiramos ou não, a uma existência de particularidade e autodesenvolvimento, destinados a criar nossos próprios caminhos individuais ao longo da vida.

***

Quando li *Neural Darwinism*, perguntei-me se ele mudaria a face da neurociência como a teoria de Darwin mudara a face da biologia. A resposta sintética, mas inadequada, é "não", embora hoje inúmeros cientistas tomem muitas ideias de Edelman como algo comum, sem reconhecer ou talvez nem sequer saber que *são* de Edelman. Neste sentido, o seu pensamento, ainda que não se reconheça explicitamente, transformou os próprios fundamentos da neurociência.

Nos anos 1980, a teoria de Edelman era tão nova e original que não se encaixava facilmente em nenhum dos modelos existentes, nenhum dos paradigmas da neurociência, e foi isso, creio, que impediu a sua ampla aceitação — além da redação às vezes muito densa e difícil de Edelman. A sua teoria era "prematura", tão à frente do seu tempo, tão complexa, exigindo novas maneiras de pensar, que enfrentou resistência ou foi ignorada naquela década de 1980, mas nos próximos vinte ou trinta anos, com novas tecnologias, estaremos em posição favorável para verificar (ou refutar) seus postulados fundamentais. Para mim, ela continua a ser a explicação mais poderosa e mais precisa sobre como nós, seres humanos, e os nossos cérebros construímos nossas identidades e mundos muito individuais.

EM CASA

Às vezes eu sentia que fora desleal em deixar a Inglaterra. Recebera a melhor educação inglesa, absorvera o melhor da dicção e da prosa inglesa, os hábitos e tradições de mil anos, e aqui estava eu pegando essa preciosa bagagem intelectual, tudo o que fora investido em mim, e saindo do país sem nem dizer "obrigado" ou "até logo".

Apesar disso, eu continuava a ver a Inglaterra como um lar, voltava sempre que podia e me sentia mais forte — um escritor melhor — sempre que tinha os pés em solo natal. Mantinha contato próximo com parentes, amigos e colegas na Inglaterra e acreditava que os meus dez, vinte, trinta anos nos Estados Unidos não passavam de uma longa visita e que, mais cedo ou mais tarde, voltaria para casa.

Minha sensação da Inglaterra como "lar" sofreu um golpe em 1990, quando meu pai morreu e a casa na Mapesbury Road — onde nasci e fui criado, que frequentemente revisitava e onde muitas vezes me hospedava quando voltava à Inglaterra, a casa que para mim estava impregnada em cada centímetro de inúmeras emoções e lembranças — foi vendida. Deixei de sentir que tinha um lar ao qual podia voltar e, a partir daí, minhas visitas pareciam visitas mesmo, e não um retorno ao meu país e ao meu povo.

Mesmo assim, sentia um estranho orgulho do meu passaporte britânico, o qual (antes de 2000) tinha uma bela capa dura e larga, gravada com letras douradas, muito diferente daquelas coisinhas frágeis emitidas pela maioria dos países. Não pedi cidadania americana e estava satisfeito em ter visto de permanência e ser considerado "estrangeiro residente". Isso combinava com o que eu sentia, pelo menos durante grande parte do tempo — um estrangeiro amistoso e observador, olhando tudo ao meu redor, mas sem responsabilidades cívicas, como o voto nas eleições, a participação num júri ou a necessidade de me aliar às ações do governo ou à política do país. Sentia-me muitas vezes (como disse Temple Grandin a respeito de si mesma) como um antropólogo em Marte. (Essa sensação era muito menos marcada nos meus tempos da Califórnia, onde me sentia unido às montanhas, às florestas e aos desertos da Costa Oeste.)

E então, em junho de 2008, para a minha surpresa, soube que o meu nome estava na Lista das Distinções de Aniversário da Rainha — que eu ia me tornar um Comandante da Ordem do Império Britânico. Achei graça no termo "comandante" — não conseguia me imaginar como comandante na ponte de um destróier ou de um navio de combate —, mas fiquei curiosa e profundamente emocionado com a honraria.

Não sou dado a formalidades nem a trajes de ocasião — minhas roupas em geral são velhas e desleixadas e tenho apenas um terno —, mas gostei muito da etiqueta no Palácio de Buckingham: como fazer a reverência, como andar de ré perante a rainha, como esperar que ela estenda a mão ou se dirija à pessoa. (Não se deve tocar nem se falar à figura real, a menos que seja solicitado.) Eu estava com certo medo de cometer alguma barbaridade, como desmaiar ou peidar na frente da rainha, mas tudo transcorreu bem. Durante a cerimônia, impressionou-me muito a resistência física da rainha: quando chegou a minha vez de ser chamado, ela estava em pé, costas retas, sem se apoiar em nada, já fazia mais de duas horas (naquele dia, foram duzentos os homenageados). A rainha falou comigo rapidamente, mas de forma muito cordial, perguntando-me no que eu estava trabalhando. Deu a impressão de ser uma pessoa muito gentil e bondosa, com senso de humor. Era como se ela — e a Inglaterra — estivesse dizendo: "Você fez um trabalho útil e respeitável. Volte para casa. Está tudo perdoado".

A vida de médico, de atender aos pacientes, não foi interrompida durante a redação de *Vendo vozes*, da *Ilha* ou do *Tio Tungstênio*. Continuei a atender no Beth Abraham, nas Irmãzinhas e outros lugares mais.

No verão de 2005, fui à Inglaterra para visitar Clive Wearing, o extraordinário músico amnésico que fora personagem do filme de Jonathan Miller de 1986, *Prisioneiro da consciência*. A mulher de Clive, Deborah (com quem eu me correspondia fazia anos), acabava de publicar um livro admirável sobre o marido, e esperava que agora eu pudesse ver como ele estava, vinte anos após a terrível encefalite que sofrera. Embora não se lembrasse de quase nada da sua vida adulta e não conseguisse reter novos fatos por mais de três ou quatro segundos, Clive ainda era capaz de tocar órgão e reger um coro, exatamente como fazia antes, como músico profissional. Ele era a própria ilustração do poder especial da música e da memória musical, e eu queria escrever a esse respeito. Pensando neste e em vários outros temas "neuromusicais", achei que devia tentar montar um livro sobre a música e o cérebro.

Alucinações musicais, que foi como ele veio a se chamar, começou como um projeto modesto; pensei num livro bem pequeno, talvez com três capítulos. Mas, quando comecei a pensar nas pessoas com sinestesia musical, pessoas com amusia, incapazes de reconhecer qualquer música, pessoas com demência frontotemporal que podiam ter um súbito surto ou liberação de talentos e paixões musicais insuspeitadas, pessoas com ataques musicais ou ataques induzidos pela música, pessoas perseguidas por melodias de "*earworms*", vermes de ouvido, por imagens repetitivas ou francas alucinações musicais, o livro ficou muito maior.

Além disso, eu ficara fascinado pelo poder terapêutico da música que vira nos meus pacientes pós-encefalíticos, há quarenta anos, mesmo antes de serem despertados pela L-dopa. Desde então, impressionava-me a capacidade da música em ajudar pacientes com muitos outros problemas: amnésia, afasia, depressão e até demência.

Desde o lançamento do *Chapéu* em 1985, eu recebia uma quantidade sempre maior de cartas de leitores, muitas vezes descrevendo suas experiências pessoais. Com isso, minha prática médica, por assim dizer, estendeu-se muito além dos limites da clínica. Assim, algumas dessas cartas e relatos vieram a enriquecer muito *Alucinações musicais* (e depois *A mente assombrada*), tanto quanto as minhas visitas e correspondências com médicos e pesquisadores.

E, enquanto escrevia sobre vários pacientes e temas novos em *Alucinações musicais*, também revisitei muitos dos pacientes sobre os quais discorrera antes, concentrando-me agora nas suas reações à música e considerando-os à luz das novas formas de visualização do cérebro e conceitos sobre como o cérebro-mente cria construções e categorias.

***

Entrei na casa dos setenta anos com excelente saúde; tinha alguns problemas ortopédicos, mas nada sério ou ameaçador. Não pensava muito em doenças ou na morte, embora tivesse perdido meus três irmãos mais velhos, além de muitos amigos e contemporâneos.

Todavia, em dezembro de 2005, um câncer se deu a conhecer de forma súbita e dramática — um melanoma no meu olho direito, que apresentou uma incandescência súbita num lado e então uma cegueira parcial. Provavelmente, ele vinha crescendo devagar fazia algum tempo e, nessa altura, havia se aproximado da fóvea, a minúscula área central onde a visão é mais aguda. O melanoma tinha má fama e, quando foi anunciado o diagnóstico, tomei-o como sentença de morte. Mas os melanomas oculares, apressou-se a dizer meu médico, eram relativamente benignos; era raro apresentarem metástase e aceitavam muito bem o tratamento.

O câncer foi submetido a radiações, depois a laser várias vezes, porque ele continuava a ressurgir em algumas áreas. No primeiro ano e meio de tratamento, a visão do meu olho direito oscilava quase diariamente, de quase cego a quase normal, e essas variações me levavam do terror ao alívio e depois de volta ao terror — de um extremo emocional a outro.

Teria sido uma situação difícil de suportar (e eu me tornaria de convívio ainda mais difícil) se não tivesse me encantado com alguns dos fenômenos visuais que ocorriam enquanto, pouco a pouco, a minha retina — e visão — era consumida pelo tumor e pelo laser: as loucas distorções topológicas, as alterações de cor, o preenchimento engenhoso, mas automático, dos pontos cegos, o espraiamento desenfreado da cor e da forma, a percepção prolongada de cenas e objetos quando fechava os olhos e, não menos importante, as variadas alucinações que agora enxameavam os meus pontos cegos cada vez maiores. Era evidente que o meu cérebro estava tão envolvido no processo quanto o próprio olho.

Eu tinha medo de ficar cego, mas tinha ainda mais medo de morrer, e assim fiz uma espécie de trato com o melanoma; falei para ele: leve o olho, se for o caso, mas deixe o resto de mim em paz.

Em setembro de 2009, depois de três anos e meio de tratamento, a retina do meu olho direito, frágil devido à radiação, teve uma hemorragia, o que o deixou totalmente cego; as tentativas de remover o sangue deram em nada, pois a retina logo voltava a sangrar. Sem a visão binocular, agora eu tinha muitos fenômenos novos, incapacitantes (mas às vezes cativantes!), para enfrentar — e investigar. A perda da visão em estéreo era para mim, um estereófilo apaixonado, uma triste privação e, também, muitas vezes perigosa. Sem a percepção da profundidade, era como se os degraus e as curvas fossem linhas no chão e os objetos distantes pareciam estar no mesmo plano dos mais próximos. Com a perda do campo visual à minha direita, eu tinha muitos acidentes, batendo em coisas ou pessoas que pareciam surgir de repente na minha frente, saídas do nada. E eu estava cego do lado direito não só em termos físicos, mas também mentais. Não conseguia mais sequer *imaginar* a presença daquilo que não conseguia mais ver. Tal negligência hemiespacial, como dizem os neurologistas, geralmente resulta de um derrame ou de um tumor na área visual ou parietal do cérebro. Para mim, como neurologista, esses fenômenos tinham um fascínio especial, pois proporcionavam um panorama interessantíssimo das maneiras como o cérebro funciona (ou deixa de funcionar ou funciona mal) quando o fornecimento de dados a partir dos sentidos é insuficiente ou anormal. Documentei tudo isso nos mínimos detalhes — os meus diários do melanoma chegaram a 90 mil palavras — e estudei, realizando os mais variados tipos de experimentos perceptuais. O episódio todo, como o da minha "perna", tornou-se um *experimentum suitatis*, um experimento em mim ou comigo mesmo.

As consequências perceptuais da minha lesão ocular constituíam um solo fértil de investigação; era como se estivesse descobrindo um mundo todo de fenômenos estranhos, mas não podia deixar de pensar que todos os pacientes com problemas oculares como o meu certamente viviam alguns dos mesmos fenômenos perceptuais que estavam ocorrendo comigo. Assim, ao escrever sobre as minhas experiências pessoais, eu estaria escrevendo por eles também. De todo modo, a sensação de descoberta era muito estimulante e me permitiu atravessar anos que, de outra forma, teriam sido assustadores e minariam o meu ânimo, e para isso também contribuiu o fato de continuar a escrever e a ver os pacientes.

***

Eu estava trabalhando com afinco num novo livro, *O olhar da mente*, quando fui atingido por outra série de reveses e problemas cirúrgicos. Em setembro de 2009, logo após a hemorragia no meu olho direito, tive de fazer uma substituição completa do joelho esquerdo (isso também gerou, claro, um modesto diário). Avisaram-me que eu teria um prazo aproximado de dois meses pós-cirurgia para recuperar o movimento completo do joelho; se não conseguisse, ficaria com a perna rígida pelo resto da vida. Forçar o joelho e romper o tecido da cicatriz seria muito doloroso. "Não se faça de valente", disse o cirurgião. "Pode tomar todos os analgésicos de que precisar." Meus terapeutas, além disso, falavam da dor em termos quase amorosos. "Aceite-a", diziam. "Mergulhe nela." Era uma "dor boa", insistiam eles, e era fundamental que eu forçasse até o limite se quisesse ganhar plena flexibilidade no prazo curto de que dispunha.

Eu estava indo bem na reabilitação, dia a dia ganhando força e amplitude do movimento, até que veio outro problema indesejado: a ciática que eu combatera por muitos anos ressurgiu, no começo devagar e timidamente, mas logo atingindo uma intensidade que eu jamais conhecera.

Esforcei-me em continuar a reabilitação, em manter a atividade, mas a dor ciática me venceu e em dezembro fiquei acamado. Eu dispunha de grande quantidade de morfina que restara da cirurgia no joelho: ela fora de valor inestimável para me ajudar na dor "boa" do joelho, mas não tinha praticamente nenhuma utilidade contra a dor neurálgica típica da compressão de um nervo espinhal. (Isso ocorre com todas as dores "neuropáticas".) Ficou totalmente impossível sentar, por um segundo que fosse.

Não podia sentar e tocar piano — privação grave, pois eu retomara o piano e as aulas de música ao fazer 75 anos (como havia escrito sobre a capacidade das pessoas, mesmo mais velhas, de aprender novas habilidades, pensei que era hora de seguir meu próprio conselho). Experimentei tocar em pé, mas foi impossível.

Passei a escrever tudo em pé; montei uma plataforma especial na minha escrivaninha, usando dez volumes do *Oxford English Dictionary* como suporte. A concentração durante a escrita, pelo que descobri, era quase tão eficaz quanto a morfina e não tinha efeitos colaterais. Detestava ficar na cama, sofrendo dores infernais, e passava o máximo de tempo possível escrevendo em pé à minha escrivaninha improvisada.

De fato, parte das minhas reflexões, anotações e leituras nessa época era *sobre* a dor, tema a respeito do qual nunca havia pensado realmente. Minha experiência recente, durante dois meses, mostrara que existiam pelo menos dois tipos de dor com diferenças radicais entre si. A dor da cirurgia no joelho era totalmente localizada; não se espraiava além da área do joelho e dependia apenas do quanto eu esticava os tecidos contraídos que tinham sido operados. Era fácil quantificá-la numa escala de zero a dez e, acima de tudo, como diziam os terapeutas, era uma "dor boa", uma dor que se podia aceitar, suportar e vencer.

Já a "ciática" (termo inadequado) era de natureza completamente distinta. Para começar, não era localizada; difundia-se muito além da área enervada pelas raízes nervosas L5 comprimidas, no lado direito. Não surgia como uma reação previsível ao estímulo de esticá-las, como no caso da dor do joelho. Pelo contrário, a dor vinha em espasmos súbitos que eram totalmente imprevisíveis e não havia como se preparar para ela; não havia como ranger os dentes com antecedência. Era de uma intensidade que escapava a qualquer escala; não havia quantificação possível; na verdade, era avassaladora.

Pior ainda, esse tipo de dor tinha um componente afetivo todo próprio, que eu sentia dificuldade em descrever, um quê de agonia, de angústia, de horror — palavras ainda insuficientes para captar sua essência. A dor neurálgica não pode ser "aceita", combatida ou incorporada. Ela reduz a pessoa a uma espécie de pasta trêmula, quase irracional; todo o arbítrio e a força de vontade da pessoa, sua própria identidade desaparecem sob a investida dessa dor.

Reli os grandiosos *Studies in Neurology*, de Henry Head, em que ele estabelece um contraste entre as sensações "epicríticas" — localizadas com precisão, discriminativas e proporcionais ao estímulo — e as sensações "protopáticas": difusas, carregadas de afeto, paroxísticas. Essa dicotomia parecia corresponder bem aos dois tipos de dor que eu sentia, e pensei em escrever um ensaio ou um livrinho muito pessoal sobre a dor, ressuscitando, entre outras coisas, os termos e distinções de Head, esquecidos desde longa data. (Impingi longamente minhas reflexões a amigos e colegas, mas nunca concluí o ensaio que pretendia.)

Em dezembro, minha ciática ficara tão avassaladora que não conseguia mais ler nem pensar nem escrever, e pela primeira vez na vida pensei em suicídio.[1]

A cirurgia da coluna ficou marcada para o dia 8 de dezembro. A essa altura, eu estava com doses gigantescas de morfina, e o cirurgião me alertou que, durante umas duas semanas, a dor podia piorar ainda mais por causa do edema pós-operatório — como de fato ocorreu. O mês de dezembro de 2009 prosseguiu nesses moldes inflexíveis, e a medicação pesada que eu tomava para a dor talvez intensificasse todos os meus sentimentos na época, as frequentes oscilações súbitas entre medo e esperança. Incapaz de suportar 24 horas por dia na cama, mas ainda precisando ficar deitado, comecei a ir até meu escritório (a bengala numa das mãos e com a outra segurando o braço de Kate), onde pelo menos podia ditar cartas e atender aos telefonemas, fazendo de conta que voltara ao trabalho, deitado no sofá dali.

Logo após o meu aniversário de 75 anos em 2008, conheci alguém de quem gostei. Billy, um escritor, acabara de se mudar de San Francisco para Nova York, e começamos a jantar juntos. Tímido e inibido durante toda a minha vida, deixei que a amizade e a intimidade se desenvolvessem entre nós, talvez sem perceber plenamente a sua profundidade. Só em dezembro de 2009, ainda me recuperando das cirurgias no joelho e nas costas, crivado de dor, é que percebi como eram profundas.

Bill estava indo passar o Natal com a família em Seattle e, pouco antes de viajar, veio me ver e (daquela sua maneira séria e cuidadosa) disse: "Desenvolvi um profundo amor por você". Percebi, quando ele disse isso, o que antes eu não percebera ou escondera de mim mesmo — que havia desenvolvido, eu também, um profundo amor por ele — e os meus olhos se encheram de lágrimas. Ele me beijou e foi embora.

Pensava em Bill quase ininterruptamente durante o tempo em que ele se ausentou, mas, não querendo incomodá-lo quando estava com sua família, aguardava os seus telefonemas com enorme ansiedade e uma espécie de tremor. Nos dias em que ele não podia me telefonar no horário habitual, eu ficava aterrorizado à ideia de que teria se mutilado ou morrido num acidente de trânsito, e quase chorava de alívio quando, uma ou duas horas depois, ele ligava.

Eu sentia uma intensa emotividade nessa época: músicas que me eram caras ou os longos crepúsculos dourados no fim da tarde me levavam às lágrimas. Não sabia bem pelo que chorava, mas tinha uma profunda sensação de amor, de morte e de transitoriedade numa mescla indissociável.

Deitado na cama, mantive um caderno de anotações de todos os meus sentimentos — um caderno dedicado a "apaixonar-se". Billy voltou no dia 31 de dezembro, tarde da noite, trazendo uma garrafa de champanhe. Quando abriu a garrafa, brindamos um ao outro, dizendo: "A você". E então, chegando o Ano-Novo, brindamos a ele.

***

Na última semana de dezembro, a dor no nervo começara a diminuir. Seria porque o edema pós-operatório estava se reduzindo? Ou seria porque — hipótese que não pude evitar — a alegria de amar estava medindo forças com a dor da nevralgia e era capaz de derrotá-la quase tanto quanto a hidromorfona ou o fentanil? Seria o próprio enamoramento que inundava o corpo de opioides, de canabinoides ou qualquer coisa assim?

Em janeiro, voltei a escrever na escrivaninha improvisada dos volumes do *Oxford*, e agora podia sair um pouco, desde que me mantivesse em pé. Ficava em pé no fundo do auditório dos teatros e salões de conferências, ia a restaurantes que tivessem um bar onde podia ficar em pé e retomei as sessões com o meu analista, embora tivesse de ficar em pé diante dele no consultório. Voltei ao manuscrito de *O olhar da mente*, abandonado na escrivaninha quando fiquei preso na cama.

***

Às vezes eu tinha a impressão de viver a certa distância da vida. Isso mudou quando Billy e eu nos apaixonamos. Aos vinte anos, eu me apaixonara por Richard Selig; aos 27, de maneira torturante, por Mel; aos 32, de um modo ambíguo, por Karl; e agora (pelo amor de Deus!) eu estava com 77 anos.

Foram necessárias mudanças profundas, quase geológicas; no meu caso, foi preciso mudar os hábitos de solidão de toda uma vida, bem como uma espécie de ensimesmamento e um egoísmo implícito. Novas necessidades, novos medos passam a fazer parte da nossa vida — a necessidade do outro, o medo do abandono. São necessárias profundas adaptações mútuas.

Para Billy e para mim, elas foram mais fáceis porque tínhamos interesses e atividades comuns; nós dois somos escritores, e foi assim, na verdade, que nos conhecemos. Eu havia lido as provas do livro de Billy, *The Anatomist*, que me despertou admiração. Escrevi a ele, sugerindo que podíamos nos encontrar quando viesse à Costa Leste (o que ocorreu quando Billy esteve em Nova York em setembro de 2008). Gostei da sua maneira de pensar, séria e ao mesmo tempo jocosa, da sua sensibilidade aos sentimentos alheios e da sua mescla de franqueza e delicadeza. Para mim, era uma experiência nova ficar deitado em paz nos braços de outra pessoa, conversar, ouvir música ou ficar em silêncio juntos. Aprendemos a cozinhar e a comer juntos refeições de verdade; até então, eu vivia basicamente de cereais em flocos ou sardinhas, que comia direto da lata, em pé, em trinta segundos. Começamos a sair juntos — indo às vezes a concertos (que eu preferia), às vezes a galerias de arte (que ele preferia), e com frequência ao Jardim Botânico de Nova York, que eu percorrera sozinho por mais de quarenta anos. E começamos a viajar juntos: para a minha cidade, Londres, onde o apresentei a parentes e amigos; para a cidade dele, San Francisco, onde Billy tinha muitos amigos; e para a Islândia, que ambos adorávamos.

Muitas vezes nadamos juntos, em casa ou no exterior. Às vezes lemos um para o outro os nossos trabalhos em andamento, mas em geral, como qualquer outro casal, conversamos sobre o que estamos lendo, assistimos a filmes antigos na televisão, contemplamos o pôr do sol juntos ou dividimos sanduíches no almoço. Compartilhamos as nossas vidas de uma forma tranquila e multidimensional — uma dádiva grandiosa e inesperada na minha velhice, depois de toda uma vida me mantendo à distância.

Chamavam-me de Tintudo quando era menino, e ainda me sujo de tinta como há setenta anos.

Comecei a escrever diários a partir dos catorze anos e, na última vez em que contei, eram quase mil. Existem em todos os tamanhos e formatos, desde caderninhos de bolso que andam comigo até volumes enormes. Sempre mantenho um caderno de notas na mesinha de cabeceira, para os sonhos e pensamentos noturnos, e procuro ter sempre um comigo na beira da piscina, à margem de um lago ou na praia; a natação também me ajuda muito a formular pensamentos que preciso anotar, sobretudo quando já se apresentam em forma de frases ou parágrafos completos, como às vezes acontece.

Quando escrevia o livro da *Perna*, recorri intensamente aos diários pormenorizados que mantive como paciente em 1974. Para *O diário de Oaxaca*, também recorri bastante aos meus cadernos de notas manuscritas. Mas, de modo geral, raramente examino os diários que redigi durante a maior parte da minha vida. O ato de escrever já é suficiente; serve para desanuviar meus pensamentos e sentimentos. O ato de escrever é parte essencial da minha vida mental; as ideias surgem e são moldadas no ato da escrita.

Não escrevo meus diários para os outros e tampouco costumo voltar a eles, mas constituem uma forma especial, indispensável, de conversar comigo mesmo.

A necessidade de pensar por escrito não se restringe aos cadernos de notas. Ela se espalha para o verso de envelopes, cardápios, qualquer pedaço de papel que esteja à mão. E muitas vezes transcrevo citações que me agradam, redigindo ou digitando em folhas de papel colorido, que prego num quadro de avisos. Quando morava em City Island, meu escritório era repleto de citações, que ficavam num fichário que eu pendurava pela argola nas varetas da cortina acima da escrivaninha.

A correspondência também é uma parte importante da vida. De modo geral, gosto muito de escrever e receber cartas — é um intercâmbio com outras pessoas, outras *individualidades* — e não raro me vejo escrevendo cartas quando não consigo "escrever" — seja lá o que significa Escrever (com E maiúsculo). Guardo todas as cartas que recebo, bem como cópias das minhas. Agora, tentando reconstruir partes da minha vida — como o período crucial e muito movimentado quando cheguei aos Estados

Unidos, em 1960 —, essas cartas antigas são um tesouro precioso, corrigindo as ilusões e enganos da memória e da fantasia.

Dediquei uma parcela enorme da minha atividade escrita às minhas notas clínicas — e durante muitos anos. Com uma população de quinhentos pacientes no Beth Abraham, trezentos abrigados nos lares das Irmãzinhas e milhares de pacientes entrando e saindo do Bronx State Hospital, escrevi bem mais de mil notas por ano ao longo de muitas décadas, e gostava disso; as minhas anotações eram extensas e detalhadas, e há quem diga que algumas podem ser lidas como romances.

De todo modo, sou um narrador, um contador de histórias. Desconfio que o gosto pela narrativa é uma disposição humana universal, que acompanha as nossas capacidades de linguagem, de consciência de si e de memória autobiográfica.

O ato de escrever, quando dá certo, me dá um prazer, uma alegria como nada mais na vida. Leva-me para outro lugar — seja qual for o assunto —, onde fico totalmente absorvido, alheio a distrações, preocupações, inquietações ou mesmo ao passar do tempo. Nesses estados de espírito raros, celestiais, posso escrever ininterruptamente até não conseguir mais enxergar o papel. Só então percebo que anoiteceu e que escrevi o dia inteiro.

Ao longo da vida, escrevi milhões de palavras, mas o ato de escrever continua tão fresco e tão divertido como na época em que comecei, há quase setenta anos.

AGRADECIMENTOS

Teria sido impossível montar essa autobiografia sem Kate Edgar. Faz mais de trinta anos que Kate desempenha um papel único na minha vida — como assistente pessoal, editora, colaboradora e amiga (dediquei a ela o meu último livro, *A mente assombrada*). E aqui, com a colaboração das nossas duas devotadas ajudantes, Hallie Parker e Hailey Wojcik, ela me ajudou a examinar todos os meus escritos anteriores, publicados e inéditos, bem como cartas e cadernos de notas desde os anos 1950.

Tenho uma dívida especial para com o meu amigo e colega neurologista Orrin Devinsky, com quem dialogo há 25 anos não só de médico para médico, mas também de amigo para amigo. Orrin fez uma leitura crítica das partes científicas e clínicas deste livro, como fizera em vários livros anteriores (é uma das pessoas a quem dediquei *Alucinações musicais*).

Dan Frank, meu editor na Knopf, leu várias versões sucessivas deste livro, dando conselhos e recomendações preciosas em cada etapa.

Meu querido amigo (e colega escritor) Billy Hayes guarda íntima ligação com a gênese, a redação e a forma deste livro, e é a ele que o dedico.

Centenas de pessoas foram caras e importantes para mim no decorrer de uma vida longa e movimentada, mas apenas algumas delas puderam ser incluídas no âmbito deste livro. Quero assegurar às demais que não me esqueci delas e continuarão a residir na minha lembrança e no meu afeto até o dia da minha morte.

NOTAS

EM MOVIMENTO [pp. 11-4]

1. Num caderno que eu mantinha na época, anotei a minha intenção de escrever cinco romances (incluído o da motocicleta), além de uma narrativa sobre a minha infância de químico. Nunca escrevi os romances, mas, 45 anos depois, escrevi uma narrativa autobiográfica, *Tio Tungstênio*.

2. Quando fiz o exame final do ensino médio, em 1949, meu examinador na prova de zoologia foi o grande zoólogo J. Z. Young, que descobrira os axônios nervosos gigantes das lulas; foi a investigação desses axônios gigantes que, alguns anos depois, levou ao nosso primeiro entendimento real da base elétrica e química da condução nervosa. Young ia pessoalmente passar todos os verões em Nápoles, para estudar o comportamento e o cérebro dos polvos. Até pensei se tentaria trabalhar com ele, como meu contemporâneo em Oxford Stuart Sutherland estava fazendo naquela altura.

3. Nos Estados Unidos, chamariam de internato (*internship*); na Inglaterra, os estagiários são chamados de *housemen* e os residentes de *registrars*.

4. Era algo realmente impressionante, embora eu não deixasse de pensar que minha mãe obtivera seu registro de especialista aos 27 anos.

5. Valentine Logue, colega de ambos na ala citada, costumava perguntar aos médicos iniciantes se viam algo "errado" no rosto dele, e só então percebíamos que havia algo estranho nos seus olhos: uma das pupilas era muito maior do que a outra. Entregávamo-nos a especulações intermináveis sobre a razão disso, mas Logue nunca nos esclareceu.

6. Kremer escreveu:

Pediram-me que examinasse um paciente intrigante na ala da cardiologia. Ele tinha fibrilação atrial, e um grande êmbolo deixara-o com hemiplegia; fui chamado para examiná-lo porque ele caía constantemente da cama à noite, e os cardiologistas não atinavam com a razão disso.

Quando lhe perguntei o que acontecia à noite, ele declarou com toda franqueza que quando acordava durante a noite sempre descobria que havia uma perna cabeluda, morta e fria na cama com ele, o que ele não conseguia entender, mas não podia tolerar; por isso, com o braço e a perna que não estavam paralíticos, ele a empurrava para fora da cama e, naturalmente, com certeza o resto dele ia atrás.

Era um exemplo excelente da perda completa da consciência de seu membro hemiplégico, mas, o que era interessante, não consegui levá-lo a dizer se sua perna daquele lado também estava na cama com ele, tão obcecado ele se mostrava com a desagradável perna estranha que estava ali.

Citei essa passagem da carta de Kremer quando tive ocasião de descrever um caso parecido "O homem que caía da cama" em *O homem que confundiu sua mulher com um chapéu*.

DEIXANDO O NINHO [pp. 45-62]

1. Descrevo muito mais detalhadamente a escola e seus efeitos sobre nós em *Tio Tungstênio*.

2. Anos depois, quando eu trabalhava no Bronx State Hospital, iria ver grandes distúrbios motores e ouvir queixas mentais semelhantes de centenas de esquizofrênicos tratados com doses maciças de remédios como Thorazine ou com uma categoria então recente de novos medicamentos, chamados butirofenonas, como o haloperidol.

SAN FRANCISCO [pp. 63-84]

1. Descobrira-se que, caso se fizessem pequenas lesões em certas áreas (injetando álcool ou congelando), essas lesões, longe de prejudicar os pacientes, podiam romper um circuito que se tornara hiperativo e era responsável por muitos sintomas de parkinsonismo. Esse tipo de cirurgia estereotáxica foi praticamente abandonado com o surgimento da L-dopa em 1967, mas agora está sendo retomado com a implantação de eletrodos e o uso de estimulação cerebral profunda em outras partes do cérebro.

2. Foi no Mount Zion que Libet realizou suas incríveis experiências, mostrando que, caso se pedisse aos participantes da experiência que cerrassem o punho ou fizessem alguma ação voluntária, o cérebro deles registrava uma "decisão" quase meio segundo antes de haver uma decisão consciente para agir. Os participantes sentiam que haviam feito um movimento consciente e por vontade própria, mas o cérebro deles, ao que parece, tinha tomado a decisão muito antes que *eles* o fizessem.

3. Achei interessante ver que, quando saiu *Collected Poems* de Thom, em 1994, este foi o único poema de *The Sense of Movement* que ele decidiu não reeditar.

4. A intenção era sincera, mas passaram-se mais de cinquenta anos e ainda

não sou cidadão americano. Foi parecido com o meu irmão na Austrália. Ele chegou lá em 1950, mas só adotou cidadania australiana cinquenta anos depois.

MUSCLE BEACH [pp. 85-115]

1. Meu pai, em presença de comida, não conseguia se conter, mas podia passar o dia inteiro se não houvesse comida; comigo é a mesma coisa. Na ausência de controles internos, preciso de controles externos. Tenho uma rotina fixa de alimentação e não gosto de me desviar dela.

2. As conquistas de Helfgott eram ainda mais extraordinárias, pois ele era um sobrevivente dos campos de Buchenwald e Theresienstadt.

3. Infelizmente, ela quebrou o quadril num lugar complicado, comprometendo a circulação do sangue na ponta do fêmur. Isso causou uma necrose avascular, que acabou por destruí-lo, causando uma dor forte e constante. Minha mãe foi estoica e continuou a atender seus pacientes, mantendo todas as atividades apesar da dor, mas envelheceu muito com isso; quando voltei a Londres em 1965, parecia dez anos mais velha que três anos antes.

4. Claro que não foi apenas mera coincidência. Um artigo publicado em 1963 descrevia mudanças axonais associadas à deficiência de vitamina E em ratos, e outro artigo de 1964 descrevia mudanças axonais semelhantes em camundongos que haviam recebido IDPN (iminodipropionitril). Outros laboratórios precisariam reproduzir essas novas descobertas, e era isso que os meus colegas na Ucla estavam fazendo.

5. O IDPN e outros compostos similares provocam excesso de excitação e hiperatividade não só em mamíferos, mas também em peixes, gafanhotos e até protozoários.

6. Eu tinha esperança de poder publicar postumamente uma parte do trabalho matemático de Jim; pensei em algo como *The Foundations of Mathematics*, o livro póstumo de F. P. Ramsey (que morreu aos 26 anos). Mas Jim era de resolver os problemas ali na hora: rascunhava uma equação, uma fórmula ou um diagrama lógico no verso de um envelope, depois amassava e jogava fora, ou perdia o papel.

7. Eu devia ter aprendido que o mar aberto não é para mim, que os vagalhões "malucos" são especialmente perigosos e podem aparecer do nada, mesmo em águas de aspecto calmo. Mais tarde tive dois acidentes parecidos. Um foi em Westhampton Beach, em Long Island; este destroçou a maior parte dos músculos do tendão do lado esquerdo, e aqui também foi um amigo, o meu velho amigo Bob Wasserman, que me resgatou. Outro, e tive sorte em sobreviver, foi quando, muito tolo, estava nadando de costas em mar aberto, na costa do Pacífico na Costa Rica.

Agora tenho pavor de surfe de peito e prefiro nadar em lagos e rios de águas mais calmas, mas ainda adoro mergulhar de tubo e de cilindro, que aprendi nas águas mansas do mar Vermelho em 1956.

8. Alguns anos depois, Topanga Canyon iria se transformar na meca de músicos, artistas e hippies dos mais variados tipos, mas no começo dos anos 1960, quando eu estava lá, o local era muito sossegado e relativamente despovoado. As casas nas trilhas de terra, como a minha, não tinham vizinhos por perto, e eu tinha de comprar água que era entregue de caminhão-pipa em galões de cerca de 6 mil litros, que ficavam armazenados numa caixa d'água.

9. Korey, homem de imensa visão, concebeu o surgimento de uma neurociência unificada anos antes da criação do termo. Nunca o conheci pessoalmente, pois ele morreu em 1963, em idade tragicamente prematura, mas deixou como legado a íntima interação de todos os laboratórios "neuro" (bem como dos departamentos de neurologia clínica) no Einstein — interação que continua até hoje.

FORA DO ALCANCE [pp. 116-45]

1. Na verdade, talvez eu nunca tenha esperado me dar bem na pesquisa. Numa carta de 1960 aos meus pais, comentando se faria pesquisas em fisiologia na Ucla, escrevi: "Provavelmente sou temperamental demais, preguiçoso demais, desajeitado demais e até desonesto demais para ser um bom pesquisador. As únicas coisas de que realmente gosto de fazer são falar... ler e escrever".

E citei uma carta que acabara de receber de Jonathan Miller, que dizia: "Eu, como Wells, fico encantado com a perspectiva e paralisado pela realidade da pesquisa científica. O único lugar em que nós [falando de nós três: ele mesmo, Eric e eu] nos movemos com desenvoltura ou alguma elegância é no mundo das ideias e palavras. O nosso amor à ciência é exclusivamente literário".

2. Talvez se imagine que o uso recreativo do pó de anjo não se estendeu além dos anos 1960, mas, examinando os últimos números disponíveis da DEA, órgão de combate às drogas, vejo que ainda em 2010 mais de 50 mil adultos jovens e estudantes do ensino médio tiveram de ser levados ao pronto-socorro depois de tomarem PCP.

3. Um leitor parecerista na Faber, porém, fez um comentário interessante. Disse ele: "O livro é de leitura fácil demais. As pessoas vão ficar desconfiadas — use um tom mais profissional".

4. Na verdade, acrescentei ao livro em 1992, incentivado em parte por ter visto uma exposição de arte criada em crises de enxaqueca, em parte pelas conversas com o meu amigo Ralph Siegel, excelente matemático e neurocientista. (Vinte anos depois disso, em 2012, revisitei o tema da aura da enxaqueca de mais outra perspectiva, quando escrevi *A mente assombrada*.)

5. Em 1972, papai foi consultado pelo nosso primo Al Capp, que apresentava uma série de sintomas peculiares que deixavam seus médicos perplexos.

Meu pai deu uma olhada nele, enquanto trocavam um aperto de mãos, e perguntou: "Você está tomando apresolina?". Era um remédio usado na época para controlar a pressão alta.

"Estou", respondeu Al, surpreso.

"Você está com LES, lúpus eritematoso sistêmico, causado pela apresolina", explicou meu pai. "Por sorte, essa forma causada pelo medicamento é totalmente reversível, mas, se você não parar com a apresolina, vai ser fatal."

Al considerava que o meu pai, com a sua intuição imediata e certeira, lhe salvara a vida.

6. Isso era recíproco, como Abba Eban escreveu num obituário para o meu pai no Jewish Chronicle:

Lembro que em 1967, depois da Guerra dos Seis Dias, quando passei por Londres voltando da ONU, o táxi em que eu estava parou ao lado de outro táxi num sinal vermelho. O meu motorista gritou para o colega: "Sabe quem está aqui comigo? Um sobrinho do dr. Sacks!".

Recebi a homenagem sem nenhum sentimento de humilhação e fiquei orgulhoso pelo tio Sam. Ele passou meses contando essa história com a sua típica exuberância.

7. Annie Landau, a mais velha, trocou o conforto de Londres pela Palestina em 1899. Não conhecia ninguém no novo local, mas estava decidida a contribuir para que as garotas anglo-judaicas em Jerusalém tivessem uma educação abrangente, numa época em que a maioria delas vivia na pobreza, no analfabetismo, sem acesso ao ensino, forçadas ao casamento na puberdade ou à prostituição. Não poderiam ter encontrado uma melhor defensora do que a minha tia, cuja paixão pela educação das mulheres venceu os mais variados obstáculos culturais e políticos. As suas festas, às quais compareciam ilustres judeus, árabes, cristãos e membros da representação britânica, eram lendárias, e a escola que ela dirigiu por 45 anos deixou um legado duradouro para o desenvolvimento da Jerusalém moderna. (A história de Annie Landau e a sua escola, a Escola Evelina de Rothschild, é apresentada por Laura S. Schor em *The Best School in Jerusalem: Annie Landau's School for Girls: 1900-1960*.)

TEMPO DE DESPERTAR [pp. 146-78]

1. MacDonald Critchley, na sua biografia de William R. Gowers, o neurologista (e botânico amador) da era vitoriana, escreve: "Para ele, os doentes neurológicos eram como a flora de uma selva tropical". Como Gowers, às vezes vejo os meus pacientes com distúrbios incomuns como seres diferentes, como formas de vida extraordinárias.

2. Por volta dessa época, tive uma discussão com o meu chefe no Einstein, Labe Scheinberg. "Quantos pacientes seus estão com L-dopa?", perguntou-me ele.

"Três, senhor", respondi, nervoso.

"Caramba, Oliver", disse Labe. "Estou com *trezentos* pacientes com L-dopa."

"Certo, mas aprendo cem vezes mais sobre cada paciente", respondi, irritado com o seu sarcasmo.

É necessário ter séries — lidando com populações, é possível extrair os mais variados tipos de generalizações —, mas também é necessário ter o concreto, o particular, o pessoal, e é impossível transmitir a natureza e o impacto de qualquer condição neurológica *sem* conhecer e descrever a vida dos pacientes tomados individualmente.

3. Em agosto de 1969, o "despertar" dos meus pacientes pós-encefalíticos chegou ao *New York Times* na forma de um longo artigo ilustrado de Israel Shenker. Ele descreveu o que eu chamava de "efeito ioiô" em alguns pacientes meus — oscilações súbitas dos efeitos da droga —, fenômeno que não foi descrito por nenhum outro colega meu nem em nenhum outro paciente senão anos mais tarde (quando então foi designado "efeito liga-desliga"). Embora a L-dopa fosse apresentada como "uma droga milagrosa", comentei no artigo a importância fundamental de prestar atenção à situação e à vida como um todo dos pacientes, e não apenas aos efeitos de uma droga em seus cérebros.

4. E de medo, pois pensei ao lê-lo: que lugar há para mim no mundo? Lúria viu, disse, escreveu e pensou tudo o que eu poderia algum dia dizer, escrever ou pensar. Fiquei tão transtornado que rasguei o livro ao meio (precisei comprar outro exemplar para a biblioteca e um para mim mesmo).

5. Aqui talvez eu estivesse sob a influência de algo que William James escrevera sobre seu professor, Louis Agassiz — como Agassiz "trancava um aluno no aposento cheio de cascos de tartarugas, de carapaças de lagostas ou de conchas de ostras, sem nenhum livro ou trabalho para ajudá-lo, e só o deixava sair depois de descobrir todas as verdades encerradas nos objetos".

6. Não foi esse o caso numa greve em 1984, quando ninguém pôde atravessar o piquete durante 47 dias. Muitos pacientes sofreram; trinta, como escrevi numa carta ao meu pai, morreram por negligência durante esse período, embora diretores e empregados temporários tivessem entrado para cuidar deles.

7. Raymond Greene, da Heinemann (que fizera uma resenha calorosa de *Enxaqueca* quando o livro saiu, no começo de 1971), queria me encomendar um livro sobre o parkinsonismo "bem do jeito" de *Enxaqueca*. Isso me encorajou e desencorajou ao mesmo tempo, pois eu não queria me repetir; sentia que precisava escrever outro tipo muito diferente de livro, mas não fazia ideia do *tipo* que devia ser.

8. Quando voltei a Londres alguns meses depois, porém, tio Dave estava mortalmente enfermo. Fui visitá-lo no quarto do hospital, mas agora ele estava fraco demais para falar, de modo que foi uma triste visita de despedida a um tio

que fora tão importante, um mentor tão fundamental para mim na meninice, e eu nunca soube como era a minha mãe na sua infância.

9. Com a morte da minha mãe e a conclusão de *Tempo de despertar* (ainda sem título), senti uma curiosa compulsão de ler e ver peças de Ibsen; Ibsen me atraía, atraía o meu estado de espírito, e era a única voz que eu conseguia suportar.

Depois de voltar a Nova York, fui assistir a todas as peças de Ibsen que consegui, mas não encontrei nenhuma encenação da peça que eu mais queria ver, *Quando despertamos de entre os mortos*. Por fim, em meados de janeiro, soube que estava sendo apresentada num pequeno teatro no norte de Massachusetts e fui direto até lá, para assistir; o tempo estava ruim e as estradas secundárias eram traiçoeiras. Não foi a melhor das interpretações, mas me identifiquei com Rubek, o artista repleto de sentimento de culpa. Naquele momento, decidi que teria de dar ao meu livro o título de *Tempo de despertar*.

10. Ele deixou o aparelho de som e todos os seus discos — além dos elepês, uma grande quantidade de 78 rotações — em Nova York, pedindo para "cuidar deles". Guardei e ouvi os discos por muitos anos, embora fosse cada vez mais difícil trocar as válvulas do amplificador. Em 2000, doei-os ao arquivo Auden na Biblioteca Pública de Nova York.

11. A sua carta então passava para outro tom e contava uma cena espantosa do seu encontro com Pavlov: o velho (Pavlov estava então na casa dos oitenta), parecendo um Moisés, rasgou ao meio o primeiro livro de Lúria, atirou os fragmentos no chão e gritou: "E você se diz cientista!". Lúria narrava esse episódio desconcertante com um gosto e uma vividez que ressaltavam o cômico e, em igual medida, o terrível da coisa.

12. Em 2007, quando ia começar um período de cinco anos como professor de neurologia em Columbia, tive de fazer uma entrevista médica para ser autorizado a trabalhar no hospital. Kate, minha amiga e assistente, estava comigo e a certa altura a entrevistadora, uma enfermeira, disse: "Tenho algo um tanto pessoal para perguntar. Prefere que a sra. Edgar saia da sala?".

"Não precisa", respondi. "Ela está a par de todos os meus assuntos." Eu achava que a entrevistadora ia perguntar sobre a minha vida sexual e assim, sem esperar a pergunta, falei: "Faz trinta e cinco anos que não tenho relação sexual".

"Oh, pobrezinho!", exclamou ela. "Temos de tomar alguma providência!" Todos nós rimos: ela ia apenas pedir o meu número da Previdência Social.

13. Foi somente alguns anos depois que os estados estranhos e instáveis que vi nos meus pacientes pós-encefalíticos vieram a ser observados em pacientes parkinsonianos "comuns" mantidos com L-dopa. Esses pacientes, com seus sistemas nervosos mais estáveis, podiam não mostrar esses efeitos durante muitos anos (ao passo que apareciam nos pós-encefalíticos em questão de semanas ou meses).

14. Em 1978, Kitty decidira se aposentar; pensávamos que havia atingido a idade usual da aposentadoria, 65 anos, mas soubemos que já tinha mais de

noventa anos, embora dotada de uma vivacidade e uma jovialidade assombrosas (seria por causa da música?). Kitty foi substituída por Connie Tomaino, uma jovem cheia de energia com especialização em terapia musical, que veio a organizar um amplo programa de terapia musical, explorando as abordagens musicais mais adequadas aos pacientes com demência, aos pacientes com amnésia e aos pacientes com afasia. Connie e eu trabalhamos em cooperação por muitos anos e ela ainda está no Beth Abraham, agora como diretora do Instituto de Música e Função Neurológica.

O TOURO NA MONTANHA [pp. 179-206]

1. No final dos anos 1970 e começo dos anos 1980, também passei algum tempo numa clínica de Alzheimer no Einstein, e preparei cinco longos relatos de caso baseados em alguns desses pacientes. Enviei o manuscrito ao meu ex-chefe no Einstein, Bob Katzman (passara a dirigir o departamento de neurologia na UCSD). Mas por alguma razão, no meio da mudança, ele se perdeu — mais um livro que, como "Mioclonia", nunca veria a luz do dia.

2. Não raro surgem dilemas incomuns, e aqui as Irmãzinhas mostram largueza moral e clareza mental. Uma das residentes, Flora D., parkinsoniana, teve grande ajuda com o uso de L-dopa, mas ficou preocupada com os sonhos muito vívidos que começou a ter. Não é incomum ter pesadelos ou sonhos eróticos com L-dopa, mas Flora tinha sonhos incestuosos, de relação sexual com o pai. Sentia-se culpada e angustiadíssima com isso, até que contou os sonhos a uma das freiras, que disse: "Você não é responsável pelos sonhos que tem dormindo. Seria outra coisa totalmente diferente se fossem sonhos *acordados*". Era uma distinção moral nítida, em consonância com uma nítida distinção fisiológica.

3. Alguns anos depois, contei sua história, com o título de "A mulher desencarnada", em *O homem que confundiu sua mulher com um chapéu*.

4. Descrevi o sr. Thompson em "Uma questão de identidade", em *O homem que confundiu sua mulher com um chapéu*.

5. No começo dos anos 1990, apresentei Jonathan à minha amiga Marsha Ivins, uma astronauta que estivera em cinco missões espaciais. (Ela me contou que leu "A mulher desencarnada" quando estava em órbita.)

Perguntávamo-nos como Ian se daria no espaço. A coisa mais próxima na questão da gravidade, disse Marsha, seria dar uma volta no avião de treino dos astronautas, conhecido como Vomit Comet, que, subindo em linha reta e então mergulhando a pique, leva os passageiros de quase 2 g a 0 g. A maioria das pessoas sente uma ausência geral de falta de peso em 0 g e um peso correspondente a 2 g, mas Ian não sentiu nenhum dos dois.

6. Eu pretendia escrever a sua história e incluir em *O homem que confundiu sua mulher com um chapéu*, mas no caso levei 25 anos para voltar a escrever sobre a síndrome de Charles Bonnet, em *A mente assombrada*.

UMA QUESTÃO DE IDENTIDADE [pp. 207-32]

1. Descrevi a primeira saída em "A possuída", um capítulo de *O homem que confundiu sua mulher com um chapéu*, mas ocultei a identidade de John P., apresentando-o como uma senhora de idade.

2. O paciente de Gilles de la Tourette, na verdade, não tinha a síndrome de Tourette, mas sim uma fixação erótica nele; tais fixações, como se viu no caso de John Lennon, podem levar ao assassinato. Tourette ficou hemiplégico e afásico com o tiro.

3. Quando saiu, "O marinheiro perdido" motivou uma carta de Norman Geschwind, um dos neurologistas mais originais e criativos dos Estados Unidos. Fiquei empolgadíssimo ao ter notícias dele. Respondi imediatamente, mas não recebi resposta, pois Geschwind acabara de sofrer um ataque cardíaco. Tinha apenas 58 anos, mas deixou um enorme legado.

4. Eu tinha a maior vontade de me comunicar com os surdos na sua própria língua, e Kate e eu frequentamos vários meses de aulas de Língua Americana de Sinais, mas infelizmente sou péssimo para aprender outras línguas e nunca fui capaz de formular mais do que umas poucas palavras e expressões em sinais.

5. Num livro posterior, descrevo mais detalhadamente nossas viagens ao Canadá, à Europa e pelos Estados Unidos.

6. Essas dissecações de cérebros eram sessões muito concorridas, que atraíam, entre outros, clínicos curiosos em ver se os seus diagnósticos estavam corretos. Numa ocasião memorável, examinamos os cérebros de cinco pacientes que tinham sido diagnosticados em vida como portadores de esclerose múltipla. As dissecações, porém, revelaram que todos os diagnósticos estavam errados.

7. Numa carta de setembro de 1977, tia Len agradeceu o meu telegrama de feliz aniversário ("[ele] aqueceu meu velho coração de 85 anos") e acrescentou: "Ficamos chocados com a morte do professor Lúria. Deve ter sido um grande golpe pessoal para você. Sei o quanto você valorizava sua amizade. Foi você que escreveu o necrológio no *Times*?" (tinha sido eu, sim).

CITY ISLAND [pp. 233-66]

1. Sabendo da minha faceta botânica, Thom me enviava todos os seus poemas "de plantas". Ao receber o seu "Nastúrcio", respondi: "Espero que você escreva mais poemas como este, celebrações de valentes plantas em terrenos baldios, valas, rachaduras etc. — faz lembrar como a figura de Khadji Murát voltou ao espírito de Tolstói quando ele viu um cardo esmagado, mas ainda resistindo, na beira da estrada".

2. No começo de 1970, quando Thom viria a Nova York, falei que Auden ia dar uma festa de aniversário, como sempre, em 21 de fevereiro, e perguntei

se gostaria de ir. Thom declinou, e foi apenas em 1973, após a morte de Auden, que ele comentou alguma coisa sobre o assunto (numa carta de 2 de outubro de 1973): "Provavelmente foi ele, tirando Shakespeare, o poeta que teve a influência mais profunda em mim, que me fez parecer possível eu mesmo escrever. Não creio que ele gostasse muito de mim, ou assim me disseram, mas isso não me incomoda; é como se eu descobrisse que Keats não gostava de mim".

3. Thom discorreu longamente sobre isso no seu ensaio autobiográfico, "My Life up to Now" [Minha vida até agora]: "Não está mais na moda elogiar o LSD, mas não tenho a menor dúvida de que ele foi da máxima importância para mim, tanto como indivíduo quanto como poeta [...]. A viagem de ácido é não estruturada, abre-nos incontáveis possibilidades, ansiamos pelo infinito".

4. Madeline sofreu esse derrame quando tinha apenas cinquenta anos. Desde então ficou afásica pelo resto da vida, mas era afásica com tanto espírito, tanto estilo e tanta inventividade, que conferiu um novo significado à afasia.

5. Depois da peça, fomos aos bastidores para ver Cummings e lhe perguntei se ela conhecera muitos afásicos. "Não, nenhum", respondeu. Eu não disse nada, mas pensei: "Nota-se".

6. Desde então, sinto isso em outras obras inspiradas na minha — sobretudo as brilhantes apresentações teatrais de Peter Brook em *L'Homme qui...*, em 1993, e *The Valley of Astonishment*, em 2014, e um balé inspirado por *Tempo de despertar*, com música de Tobias Picker.

7. O documentário de *Tempo de despertar* foi minuciosamente estudado por todos os atores que interpretariam pós-encefalíticos; ele se tornou a fonte visual primária para o filme, junto com os quilômetros de fitas de super-8 e fitas de áudio que eu mesmo gravara em 1969 e 1970.

O documentário nunca tinha sido exibido fora da Grã-Bretanha, e o lançamento do filme de Hollywood parecia a ocasião perfeita para oferecê-lo à PBS. Mas a Columbia Pictures insistiu no contrário; considerou que poderia desviar a atenção da "autenticidade" do filme de estúdio, uma ideia absurda.

8. Isso me fez lembrar um episódio de alguns anos antes, quando recebi a visita de Dustin Hoffman, que estava pesquisando para o seu papel de autista no filme *Rain Man*. Fomos visitar um rapaz autista, paciente meu no Bronx State, e então saímos para dar uma volta no jardim botânico. Eu estava conversando com o diretor do filme e Hoffman seguia alguns metros atrás. De repente pensei ouvir o meu paciente. Fiquei muito surpreso, me virei e vi que era Hoffman pensando consigo mesmo, mas pensando com a voz e o corpo do rapaz, pensando interpretativamente.

9. Ao longo dos 25 anos seguintes, Robin e eu nos tornamos bons amigos e vim a admirar — tanto quanto o seu fantástico senso de humor e as suas improvisações súbitas e explosivas — a sua grande bagagem de leitura, a sua profunda inteligência e as suas preocupações humanas.

Uma vez, quando dei uma palestra em San Francisco, um homem na plateia me fez uma pergunta estranha: "Você é inglês ou judeu?".

"Os dois", respondi.
"Não pode ser os dois", replicou ele. "Tem de ser um ou outro."
Robin, que também estava na plateia, trouxe depois a questão à tona, durante o jantar, e numa voz com pronúncia ultrabritânica, de Cambridge, entremeando na fala termos e aforismos ídiches, deu uma demonstração fabulosa de que é realmente possível ser as duas coisas ao mesmo tempo. Quem dera tivéssemos gravado essa improvisação magnífica.

VIAGENS [pp. 267-88]

1. Cecil Helman, que vinha de uma família de rabinos e médicos, também era um antropólogo médico conhecido pelos seus estudos interculturais sobre a narrativa, a medicina e a doença no Brasil e na África do Sul. Profundamente consciencioso e excelente professor, ele relatou sua formação médica na África do Sul, durante o apartheid, nas suas memórias *Suburban Shaman* [Xamã de subúrbio].
2. Muitos residentes da Ealon House fumavam um cigarro após o outro (como geralmente fazem muitos pacientes esquizofrênicos "crônicos"). Não sei se fumam por tédio — não havia muito o que fazer no lar de idosos — ou pelos efeitos farmacológicos da nicotina, sejam calmantes ou estimulantes. Uma vez vi um paciente no Bronx State que passava a maior parte do tempo apático e retraído, mas ficava primeiro animado e depois hiperativo, barulhento, quase touréttico, depois de algumas tragadas. O atendente o chamava de "o Jekyll e o Hyde da nicotina".
3. O primeiro livro de Temple, *Emergence: Labeled Autistic* [Surgimento: Rotulada de autista], foi lançado em 1986, quando mal se reconhecia a síndrome de Asperger. Nesse livro, ela falava da sua "recuperação" do autismo; naquela época, julgava-se de modo geral que ninguém que tivesse autismo era capaz de levar uma vida produtiva. Quando a conheci em 1993, Temple não falava mais em "curar" o autismo, mas nos pontos fortes e fracos que os autistas podem mostrar.
4. Muitas gerações de Gregory haviam sentido interesse especial pela visão e pela óptica. No seu livro *Hereditary Genius*, Francis Galton rastreou o grande destaque intelectual da família Gregory até James Gregory, contemporâneo de Newton, que fez importantes aperfeiçoamentos no telescópio refletor de Newton. O pai do próprio Richard fora astrônomo da corte.
5. Mais tarde, discuti essa visão de "instantâneo" com Francis Crick e escrevi a respeito em "In the River of Consciousness", um ensaio de 2004 para *The New York Review of Books*.
6. A série, chamada *The Mind Traveller*, abordava vários temas que me interessavam desde longa data, inclusive a síndrome de Tourette e o autismo. Ela também me proporcionou algumas novas experiências — com pessoas

com síndrome de Williams (sobre as quais eu escreveria mais tarde, em *Musicofilia*), com uma comunidade Cajun cega e surda, e com várias pessoas surdas e mudas.

7. Quando voltei, transcrevi o diário e logo depois fui convidado a publicá-lo como livro numa coleção de viagens da *National Geographic*. Páginas inteiras do *Diário de Oaxaca*, então publicado, são idênticas ao diário manuscrito, mas também acrescentei pesquisas sobre outras coisas que me chamaram a atenção durante a viagem: chocolates e pimentas, mescal e cochineal, cultura mesoamericana e alucinógenos do Novo Mundo.

UMA NOVA VISÃO DA MENTE [pp. 289-316]

1. Ralph ficou fascinado quando lhe mostrei os padrões complexos que se podiam ver numa aura de enxaqueca — hexágonos e padrões geométricos os mais variados, inclusive fractais. Ele conseguiu simular alguns desses padrões básicos numa rede neural, e em 1992 incluímos esse trabalho como apêndice a uma edição revista de *Enxaqueca*. Ralph, com a sua intuição física e matemática, também pensava que o caos e a auto-organização podiam ter um papel central em todos os tipos de processos naturais, sendo aplicáveis a todas as ciências, desde a mecânica quântica à neurociência, o que, em 1990, levou a mais uma colaboração entre nós, um apêndice para uma edição revista de *Tempo de despertar*, "Caos e despertar".

2. Alguns dias depois, na sua resposta, Crick pedia mais detalhes sobre a diferença entre os meus pacientes com enxaqueca e uma paciente notável que fora descrita por Josef Zihl e colegas num artigo de 1983. A paciente de Zihl não conseguia, por exemplo, verter o chá numa xícara; ela via uma "geleira" imóvel de chá pendendo do bico do bule. Alguns dos meus pacientes com enxaqueca tinham vivido essas "imagens congeladas" numa sequência rápida, ao passo que, para a paciente de Zihl, que adquirira cegueira para o movimento depois de um derrame, as imagens congeladas aparentemente duravam muito mais tempo, talvez vários segundos cada. Crick queria saber se as imagens congeladas sucessivas nos meus pacientes com enxaqueca ocorriam no intervalo entre os sucessivos movimentos dos olhos ou apenas entre um intervalo e outro. "Gostaria muito de debater esses tópicos com você", escreveu ele, "inclusive os seus comentários sobre a cor como construção cérebro-mental."

Em resposta a Crick, discorri sobre as profundas diferenças entre os meus pacientes com enxaqueca e a mulher cega para o movimento de Zihl.

3. O público de Gerry ficou extasiado, mas um tanto perplexo. Quando ele disse: "A mente não é um computador, o mundo não é um rolinho", os ouvintes italianos entenderam "o mundo não é bolinho". Surgiram discussões acaloradas nos corredores sobre o sentido desse aforismo do grande professor americano.

4. Originalmente, Edelman tinha elaborado uma teoria pioneira da seleção em relação ao sistema de imunidade — recebeu um prêmio Nobel por esse trabalho — e então, em meados dos anos 1970, começou a aplicar conceitos análogos ao sistema nervoso.

EM CASA [pp. 317-29]

1. Meu amigo e colega Peter Jannetta — fomos residentes juntos na Ucla — conseguiu fazer uma descoberta e aperfeiçoar uma técnica que alterou por completo e, em muitos casos, salvou a vida de pessoas com nevralgia trigeminal, uma dor paroxística no olho e na face que (antes do trabalho de Peter) não tinha remédio, sendo muitas vezes "insuportável" e não raro levando ao suicídio.

ÍNDICE REMISSIVO

Abraham, Karl, 300
Ace (bar), 14
ACM (Associação Cristã de Moços), 63-4, 86, 88, 107
acromatopsia *ver* cegueira cromática total
afasia, 229, 256, 304, 319, 340n, 342n
Agassiz, Louis, 23, 338n
agnosia, 216
Aguilar, Mary Jane, 91
Ahrens, Chuck, 99
Ala 23 (Bronx State), 180, 192
Albert Einstein College of Medicine, 113, 116, 146, 216, 336-7n, 340n
álcool, 15-6, 36, 249, 334n; *ver também* paralisia "jake"
alucinações: Artane e, 102-3; delirium tremens, 124; em pontos cegos, 321; esquizofrenia e, 56, 59-60
Alucinações musicais (Sacks), 319-20, 331
American Academy of Neurology, 112, 118
American Neurological Association, 133
amnésia, 217, 234, 314, 319, 340n; *ver também* Jimmie (marinheiro com amnésia); Wearing, Clive
Amsterdam, 34-5, 42-3, 121, 199, 225, 273, 285
anatomia, 19, 21, 23-4, 29, 40, 186, 300

anfetaminas, 111-2, 116-7, 122-3, 126-8, 132, 218
anosognosia, 314
Antropólogo em Marte, Um (Sacks), 274-5, 289, 298, 318
Arendt, Hannah, 170
Artane, 102
Ashman, Dave, 98
Asperger, Hans, 273; *ver também* síndrome de Asperger
Associação Cristã de Moços *ver* ACM
Auden, George, 169
Auden, W. H., 168-72, 185, 189, 236
Austrália, 46, 86, 141, 144, 217-20, 335n
autismo, 138, 180, 273-4, 287, 343n
axônios, 31, 92-4, 113, 333n

Barry, Susan ("Sue Estéreo"), 276
Batchelor, Mac, 98
Bates, Henry Walter, 281
bibliotecas, 22-3, 55, 62, 90, 288, 338n
biologia, 17-20, 28, 34, 90, 112, 286, 293, 300, 303, 315
Bird, Seymour, 126
Birmingham (Inglaterra), 13, 44, 64, 73, 75, 77, 169
Bizet, Georges, 291
Bleuler, Eugen, 57
Blue Mountain Center, 216-7
Blue Vinny, 143

bombeiro, 52
Bonnard, Augusta, 126
Brenner, Sydney, 293
British Clinical Journal, The, 176
British Medical Journal, The, 136
Broca, Paul, 304
Bronx State (Centro Psiquiátrico do Bronx), 120, 179, 263, 329, 334n, 343n
Brook, Peter, 342n
Brown, Tina, 274
Browne, Sir Thomas, 23
Bruner, Jerome, 228-9
Buñuel, Luis, 217
Burnett, Carol, 69, 123-5, 286

Canadá, 44-7, 53-4, 65, 73, 77, 138-9, 141, 183, 341n
"Canadá: Pausa, 1960" (Sacks), 47-8
caneta-tinteiro, 188
Capp, Al, 249-50, 336n
Capp, Bence, 250
Capp, Cathy, 249
Capp, Elliott, 250
Capp, Madeline, 250, 252, 342n
Carpenter, Stirling, 93
Carter, C. W., 22
"castigo terapêutico", 180
catapora, 125
cegueira cromática total: adquirida (o pintor que não enxergava cores), 279, 290-1, 294-7; congênita (em Pingelap), 279, 297
Charcot, J. M., 90, 155
Chase, Elizabeth Sacks (Liz), 270-1
Chomsky, Noam, 229
cidadania e visto de permanência, 53, 63, 73, 317
cirurgia estereotáxica, 63, 334n
City Island, 204, 240-4, 249, 256, 276, 328
classes sociais, 67
Coccidiomyces, 95

Cohen, Kalman, 25
Cole, Jonathan, 193-4
Com uma perna só (Sacks), 189-90, 204-5, 207, 215, 220-1, 228, 235, 328
Como, Peter, 224
"comportamentos fósseis", 147
comunidade Cajun cega e surda, 344n
"cone" (condição neurológia), 105
Congregação das Irmãzinhas dos Pobres, 192-5, 263, 319, 329, 340n
Connolly, Hal, 99
Cotzias, George, 148
Cowen, David, 93, 113-4
Crick, Francis, 64, 291, 293-303, 306-7, 309, 343-4n
Critchley, MacDonald, 337n
Cummings, Constance, 256, 342n

Dallas, Duncan, 177, 213
Damásio, António, 296
Darwin, Charles, 23, 25, 90, 220, 229, 281, 306-8, 315
"darwinismo neural", 305
Davy, Humphry, 137, 280
De Niro, Robert, 256-7, 262
DEA (Drug Enforcement Administration, órgão de combate às drogas), 149, 151, 336n
Delamere (Escola Judaica ao Ar Livre), 138-40, 202
demência, 92, 155, 192, 258-9, 278, 319, 340n
Dench, Judi, 260
Dennett, Daniel, 285
desenvolvimento da linguagem, 154, 229
Diário de Oaxaca (Sacks), 282-3, 344n
Dickens, Charles, 55, 160, 233, 251
doença de Guam, 278, 280
doença de Hallervorden-Spatz, 113

Dolan, Tom, 112
Donne, John, 166, 238
dores, 41, 87, 105, 217, 234, 322-3, 345n
Dyson, Freeman, 285

Earthworms (Darwin), 90
Eban, Alida Sacks, 251
Eban, Aubrey (Abba), 136, 251, 337n
Eban, Raphael, 259
Edelman, Gerald, 284, 292, 303, 305-12, 314-5, 345n
Edgar, Kate, 205, 331, 339n
Einstein, Albert, 253-4
Elizabeth II, rainha da Inglaterra, 318
enfermagem, 65, 147, 157-8, 258, 264
enxaqueca, 20, 128-32, 134, 137, 150, 255, 277, 286, 290, 294, 299, 301, 336n, 344n
Enxaqueca (Sacks), 131, 135, 137, 169, 176, 193, 208, 221, 227, 234, 236, 255-6, 338n, 344n
esclerodermia, 125
esclerose múltipla, 157, 248, 341n
Escola Judaica ao Ar Livre *ver* Delamere
esquizofrenia, 56-7, 59-62, 103, 120, 127, 179-80, 219, 249, 334n, 343n; *ver também* Sacks, Michael
estudantes de medicina, 155-7, 193-7

Faber & Faber, 134, 155, 160, 255
falta de peso, 340n
febre do Vale, 95
Feinstein, Bert, 63-5, 70
Fenton, James, 228
festa beat, 67
Fischer-Dieskau, Dietrich, 134
Força Aérea Real Canadense, 45
fotografias, 20, 45, 98, 100, 113, 141
Fox, Orlan, 169-70
Frances D., 208

Freud, Sigmund, 173, 183, 212, 286, 300
Friedman, Arnold P., 131-4, 136-7, 144
Frith, Uta, 42, 273

Galton, Francis, 343n
Gardner, Louis, 250
Geertz, Clifford, 164
Geschwind, Norman, 341n
Gesner, Conrad, 23
Gibbon, Edward, 23, 168
Gibson, J. J., 26-7
Gilliatt, Roger, 38-40, 64
Goldberg, Elkhonon, 216
Gooddy, William, 134
Gould, Stephen Jay, 90, 283-4
Gowers, William R., 90, 337n
Grand Canyon, 73, 94
Grandin, Temple, 273, 318
Greene, Raymond, 26, 176, 338n
Gregory, Richard, 173, 275
Groce, Nora Ellen, 223
Grupp, Lou e Bertha, 198
Gunn, Thom, 70-1, 141, 233-4

Hamilton, Jim, 100
Hampstead Heath, 159-60, 174, 187, 202
Handler, Lowell, 224
Haycraft, Colin: *Com uma perna só* e, 188-9, 204, 205; *O homem que confundiu sua mulher com um chapéu* e, 218, 220; Richard Gregory e, 275; *Tempo de despertar* e, 160-4, 167-8, 176
Hayes, Billy, 331
Helfgott, Ben, 86, 335n
Hell's Angels, 68
Helman, Cecil, 270, 343n
hemiplegia, 333n
Herrmann, Chris, 91
Herzog, Ivan, 116

Hewson, Margaret, 273
hidrato de cloral, 123-4
Hilton, James, 176
hipnose, 209, 289
Hoffman, Dustin, 342n
Hoffmann, Roald, 281
Holanda, 36, 60, 199-200, 284-5
Holwitz, Stan, 227
Homem que confundiu sua mulher com um chapéu, O (Sacks), 217-8, 228, 260, 304, 340n; *ver também* Ray, Tiquista Piadista; Jimmie (marinheiro com amnésia)
homossexualidade, 17-8, 35-6, 42, 59, 110, 121, 202-3
Hook, Theodore, 21-2
Hope, Dean, 37
Hospital Beth Abraham, 125, 146, 149, 151-3, 155, 157, 165, 169, 177, 179, 194, 196, 207, 241, 261-2, 264, 266, 319, 329, 340n; apartamento vizinho ao, 151, 165; fonte para o filme, 261, 264; greve, 157-8; pacientes no, 146-52, 155, 177, 207; visita de Auden ao, 169
Hubel, David, 65, 295-6
Humboldt, Alexander von, 281
Huxley, Aldous, 65-6
Huxley, Thomas, 312

IDPN (iminodipropionitril), 93-4, 113, 335n
"Ilha dos daltônicos, A" (Sacks), 280
internato, 180-1, 333n
Irmãzinhas dos Pobres *ver* Congregação das Irmãzinhas dos Pobres
Isaac, Rael Jean, 26
Israel, 33-4, 36, 60, 165, 252-3
Ivins, Marsha, 340n

JAMA (The Journal of the American Medical Association), 152-3

James, William, 338n
Jannetta, Peter, 345n
Jardim Botânico de Nova York, 156, 181, 327
Jerusalém, 33, 55, 337n
Jimmie (marinheiro com amnésia), 217, 221, 314
John P. (paciente com síndrome de Tourette), 209, 341n
Johnson, Bob, 227
Jones, Ernest, 183
Jones, Helen, 246

Kaplan, Goldie, 156
Karl (diretor teatral alemão), 121-3
Katzman, Bob, 340n
Keller, Helen, 195
Keynes, John Maynard, 21
kibutz, 32-3
Koch, Christof, 297, 299, 301
Koestler, Arthur, 65-6
Korey, Saul, 114, 336n
Korn, Eric, 20, 90, 199
Kremer, Michael, 38-9, 40, 63-4, 333-4n
Kurlan, Roger, 224
Kurtis, Jonathan, 157

Laing, R. D., 62
Lake Jefferson Hotel, 198
Lancet, The, 136, 152, 175
Landau, Annie (tia), 55, 62, 137, 140, 337n
Landau, Birdie (tia), 16
Landau, Dave ("tio Tungstênio"), 166, 282, 299-300
Landau, Doogie (tia), 137
Landau, Lennie (tia), 137-44, 167-8, 187-8, 190, 201-2
Landau, Violet (tia), 137
Lane, Skip e Doris, 243
Larry (amigo), 247-9
Lasker, Larry, 261

Lawrence, T. E., 72
L-dopa, 147-50, 152-4, 160, 175, 178, 207, 237, 263-4, 319, 334*n*, 337-9*n*; sonhos sob o efeito de L-dopa, 340*n*
Le Gros Clark, Wilfrid, 29
levantamento de peso, 86-8
Levin, Grant, 63-6, 70
Libet, Benjamin, 65, 334*n*
língua de sinais, 222-3, 229-30, 298
lipidoses, 117
Listener, The, 162-3, 173
Liveing, Edward, 132, 144
Livingstone, Margaret, 296
Logue, Valentine, 333*n*
London Review of Books, 215-6
LSD, 101, 103, 111, 123, 237, 342*n*
Lúria, A. R., 154-5, 173, 190, 211-2, 216, 228, 230, 338-9*n*, 341*n*
Luria, Isaac, 34
Luttrell, Charles, 91

maconha, 111-2, 199-200
mal de Parkinson, 102, 117, 148-9, 153, 155, 278; comparado ao parkinsonismo pós-encefálico, 153; posturas, 196, 264-5; sonhos sob o efeito de L-dopa, 340*n*; *ver também* parkinsonismo; pós-encefalíticos, pacientes
Manitoulin, ilha, 239-40
Markham, Charlie, 191
Marshall, Penny, 256, 262
Martin, James Purdon, 152, 263
McDonald, Ken, 86
Mel (amigo), 107-10
melanoma, 320-2
Mendelssohn, Felix, 186-7
Mente assombrada, A (Sacks), 102-3, 123-4, 131, 320, 331, 336*n*, 340*n*
mergulho, 33-4, 43, 174, 198, 219, 241, 244
Merjanian, Steve, 99

Middlesex Hospital, 37-8, 41-2, 63, 193
Miller, Jonathan, 20, 70, 141, 161, 176, 186, 189, 215, 221, 319, 336*n*
Miller, Karl, 215
Miller, Rachel, 141
Mind Traveller, The (série de documentários da BBC), 280, 343*n*
minhocas, 30-2, 118
mioclonia, 90-1, 150
modificação comportamental, 180-1
Monteux, Pierre, 66
motocicletas, 11-4, 43-4, 67-8, 71-2, 75-6, 80, 85, 94-8, 100, 105-7, 109, 111, 114, 118-9, 122, 141, 197-98, 230, 249, 254; BMW, 73, 85, 108, 121; Norton, 12, 14, 43, 53, 55, 68, 71, 73
Mount Zion Hospital, 63-5, 69, 85-6, 89, 107, 123, 125, 293, 334*n*
Mozart, Wolfgang Amadeus, 134, 240, 291
mudas, pessoas, 344*n*
Mueller, Jonathan, 218
Muscle Beach (academia), 98-102, 107-9, 112-3
música, 55, 66, 147, 177-8, 180, 186, 216, 239, 265, 267, 291, 299, 311, 319-20, 323, 327, 340*n*, 342*n*

natação, 199, 219, 328
negligência hemiespacial, 321
neurofibromatose, 110
neuromielite, 106
neuropatologia, 93-4, 97, 99, 113-4, 116, 119, 230
neuroquímica, 114, 116, 118
New York Review of Books, The, 217-8, 222, 224, 227-8, 295, 301, 305, 343*n*
New York Times, The, 207, 220, 338*n*
New Yorker, The, 274

nicotina, 343n
Nietzsche, Friedrich, 291
Norberg, Karl, 88
Nordby, Knut, 280, 298
Noruega, 15-6, 139, 183-4, 187, 313
notas de rodapé, 167
Nyman, Michael, 260, 280

obstetrícia, 36
Olds, James, 112
olfato, 116, 218
Olhar da mente, O (Sacks), 322, 326
Olmstead, Edwin, 93, 113-4
Oxford English Dictionary, 323

paralisia "jake", 30
Parkes, Walter, 261
parkinsonismo: cirurgia para, 334n; dopamina e, 148-9; Guam e, 277-8; música e, 187; tranquilizantes e, 60, 179; *ver também* mal de Parkinson; pós-encefalíticos, pacientes
Pavlov, Ivan, 339n
PCP (fenilciclidina), 120-1, 336n
Picker, Tobias, 342n
Pingelap, ilha, 279-80, 297-8
Pinter, Harold, 140, 259-60
plasticidade neural, 304, 309; *ver também* "darwinismo neural"
Pope, Alexander, 23, 183
pós-encefalíticos, pacientes, 91, 144-55, 160, 169, 175, 178-9, 207-9, 212, 237, 260-6, 277-8, 284, 319, 338-9n, 342n; barão do café, 65; documentário sobre, 177-8, 262-3; doença de Guam comparada com, 278; e música, 177, 320; efeitos comparados ao LSD, 237; erroneamente diagnosticados, 179; Lillian Tighe, 266; Rose R., 175, 260; *ver também Tempo de despertar* (Sacks)

Prêmio Hawthornden, 176
Prescott, Peter, 221
propriocepção, 195, 197
psicanálise, 126, 237, 305

química, 17, 19-20, 28-9, 42, 56, 64, 77, 89-90, 97, 166, 281, 299-300, 333n

Ramsey, F. P., 335n
Rapin, Isabelle, 195, 229
Rawlence, Christopher, 261, 280
Ray, Tiquista Piadista, 208-9, 215
Rose, Augustus, 114
Rose, Innes, 135, 256
Rosenfield, Israel, 305
Ross, Carmel Eban, 254-9

Sacks, David (irmão), 18, 38, 46, 55, 57, 59, 140, 144, 165, 187, 201, 219, 267, 269, 271
Sacks, Jonathan (rabino-mor da Inglaterra), 136
Sacks, Jonathan (sobrinho), 272
Sacks, Marcus (irmão), 38, 45, 55, 57, 59, 144, 218-9, 267
Sacks, Michael (irmão), 55-62, 127, 140, 150, 159, 167, 179, 187, 219, 268-72
Sacks, Muriel Elsie Landau (mãe): carta de, 54; como contadora de histórias, 159; e Michael, 56, 59; morte de, 165-6; quadril fraturado, 89; sobre homossexualidade, 17, 18, 59
Sacks, Samuel (pai): carta de, 54; como contador de histórias, 159; como médico, 135, 187, 267; e Michael, 56, 62; reação à publicidade, 135; reputação de, 135-6
sakau (bebida inebriante), 280, 299
Salk Institute, 291-2, 301, 306
Salzman, Leon, 179, 183

Scheinberg, Labe, 337n
Schor, Laura S., 337n
Schubert, Franz, 134
Scientific American, 172, 293
Seiden, Margaret, 165
Selig, Richard, 26-7, 110-1, 326
serviço militar, 44-6, 108
Sharp, Gene, 139
Shearer, Rhonda Roland, 285
Sheldrake, Rupert, 285
Shengold, Leonard, 126-8
Shenker, Israel, 207, 338n
Sheppard, Dave, 98, 107
Sherrington, C. S., 308
Siegel, Ralph, 291, 295, 309, 336n
Silberman, Jim, 205, 218
Silvers, Robert, 217, 222, 227, 280
Sinclair, H. M., 29-33
síndrome de Asperger, 273, 343n
síndrome de Korsakoff, 196; *ver também* Jimmie (marinheiro com amnésia)
síndrome de Tourette, 181, 207, 209, 214, 222, 224-5, 265, 341n, 343n
síndrome de Williams, 344n
Sinzheimer, Gerhart, 26
Sociedade Americana de Samambaias, 282
soluços, 65
sonhos sob o efeito de L-dopa, 340n
Spruce, Richard, 281
St. Paul's School, 21
Steele, John, 277
Steinbeck, John, 19
Stent, Gunther, 172
Stiles, Kitty, 177
surdez congênita: cultura da surdez, 222-3, 227-8, 230-1; realocação do córtex auditivo na, 231, 298, 309
Sutherland, Stuart, 333n
Sweet, Victoria, 193
Swift, Jonathan, 23, 183

Taketomo, Fred, 181-2

Tempo de despertar (documentário), 40, 177-8, 215, 260
Tempo de despertar (Sacks), 154, 160-9, 172-3, 175-6, 188
Tempo de despertar (longa-metragem), 261-6
Terry, Robert, 113, 116
Tighe, Lillian, 264, 266
Tio Tungstênio (Sacks), 56, 203, 283, 319, 333-4n
TOCP (fosfato de triortocresilo), 30-2, 118
Tolstói, Leon, 341n
Tomaino, Connie, 340n
Topanga Canyon, 102, 106, 110, 113, 241, 336n
Toulmin, Stephen, 285
Tourette Syndrome Association (TSA), 209, 226
Tourette, Gilles de la, 207, 214, 341n; *ver também* síndrome de Tourette
tranquilizantes, 57, 59-62, 91, 150, 179, 268
Turing, Alan, 42

Ucla (Universidade da Califórnia em Los Angeles), 89-91, 93, 97, 99-100, 105, 108-9, 111, 113-4, 116, 121, 123, 150, 191, 241, 335-6n, 345n
Universidade de Oxford, 13, 16-25, 27, 29, 32, 34, 36, 40, 42, 64, 116, 138, 143, 168, 171, 193, 195, 293-4, 323, 326, 333n
Universidade Gallaudet, 223, 227

Vendo vozes (Sacks), 227, 319
Verity, Anthony, 93
Viaje Feliz (parada de caminhoneiros), 75, 79-80, 82-3
Vigótski, Lev, 230
"visão cega", 314

visão estéreo e cegueira estéreo, 20, 276, 320-1
visual/visuais: ilusões, 276; percepção e imaginação, 20, 27, 290, 294-9, 301, 309, 314, 321; *ver também* cegueira cromática total

Wallace, Alfred Russel, 281
Wasserman, Bob, 280, 295, 297, 335*n*
Waterman, Ian, 196
Watson, James, 64, 293
Wearing, Clive, 319
Weir, Peter, 261
Wells, H. G., 282, 336*n*

Weschler, Ren, 268
West, Mae, 105
Wiesel, Torsten, 65, 295
Williams, Robin, 263-5
Wilmers, Mary-Kay, 162, 215
Wiltshire, Stephen, 273

Yorton, Chet, 105
Young, Brigham, 101
Young, J. Z., 333*n*

Zaillian, Steve, 261
Zeki, Semir, 290
Zihl, Josef, 344*n*

1ª EDIÇÃO [2015] 2 reimpressões

ESTA OBRA FOI COMPOSTA PELA SPRESS EM TIMES E IMPRESSA EM OFSETE
PELA GEOGRÁFICA SOBRE PAPEL PÓLEN SOFT DA SUZANO PAPEL E
CELULOSE PARA A EDITORA SCHWARCZ EM OUTUBRO DE 2015

A marca FSC® é a garantia de que a madeira utilizada na fabricação do papel deste livro provém de florestas que foram gerenciadas de maneira ambientalmente correta, socialmente justa e economicamente viável, além de outras fontes de origem controlada.